# A DEPRESSÃO FEMININA

Dra. Kelly Brogan
com Kristin Loberg

# A DEPRESSÃO FEMININA

**Como as mulheres podem se curar e retomar o controle de suas vidas**

*Tradução*
Mirtes Frange Oliveira Pinheiro

Editora Cultrix
SÃO PAULO

Título do original: *A Mind of Your Own.*
Copyright © 2016 Kelly Brogan.
Publicado mediante acordo com Harper Collins Publishers.
Copyright da edição brasileira © 2019 Editora Pensamento-Cultrix Ltda.
1ª edição 2019.

Todos os direitos reservados. Nenhuma parte desta obra pode ser reproduzida ou usada de qualquer forma ou por qualquer meio, eletrônico ou mecânico, inclusive fotocópias, gravações ou sistema de armazenamento em banco de dados, sem permissão por escrito, exceto nos casos de trechos curtos citados em resenhas críticas ou artigos de revistas.

A Editora Cultrix não se responsabiliza por eventuais mudanças ocorridas nos endereços convencionais ou eletrônicos citados neste livro.

Este livro contém recomendações e informações sobre cuidados com a saúde. Seu objetivo não é substituir as recomendações médicas, mas sim servir como complemento aos cuidados médicos. Antes de iniciar qualquer programa ou tratamento de saúde, deve-se consultar um médico. Foram envidados todos os esforços para garantir a exatidão das informações contidas neste livro a partir da data de sua publicação. O editor e o autor se isentam de qualquer responsabilidade por quaisquer consequências para a saúde da aplicação dos métodos sugeridos neste livro.

**Obs.:** Todos os sites citados neste livro estão em língua inglesa.

**Editor:** Adilson Silva Ramachandra
**Gerente editorial:** Roseli de S. Ferraz
**Produção editorial:** Indiara Faria Kayo
**Editoração eletrônica:** Mauricio Pareja da Silva
**Revisão:** Claudete Agua de Melo

Dados Internacionais de Catalogação na Publicação (CIP)
(Câmara Brasileira do Livro, SP, Brasil)

Brogan, Kelly
 A depressão feminina : como as mulheres podem se curar e retomar o controle de suas vidas / Kelly Brogan, Kristin Loberg ; tradução Mirtes Frange Oliveira Pinheiro. — São Paulo : Cultrix, 2019.

 Título original: A mind of your own.
 ISBN 978-85-316-1517-7

 1. Depressão em mulheres 2. Depressão mental 3. Psiquiatria I. Loberg, Kristin. II. Título.

19-26790
CDD-616.895
NLM-WM 207

Índices para catálogo sistemático:
1. Depressão : Psiquiatria : Medicina 616.895
Iolanda Rodrigues Biode — Bibliotecária — CRB-8/10014

Direitos de tradução para o Brasil adquiridos com exclusividade pela
EDITORA PENSAMENTO-CULTRIX LTDA., que se reserva a
propriedade literária desta tradução.
Rua Dr. Mário Vicente, 368 – 04270-000 – São Paulo, SP
Fone: (11) 2066-9000
http://www.editoracultrix.com.br
E-mail: atendimento@editoracultrix.com.br
Foi feito o depósito legal.

*Ao legado do dr. Nicholas Gonzalez
e a todos os trabalhadores da luz que iluminam
o caminho das minhas filhas e das filhas de todas as outras mulheres.*

# Sumário

Introdução: Não Está Tudo na Mente .................................................. 9

## Primeira Parte:
## A Verdade sobre a Depressão

1. Decodificando a Depressão ...................................................... 19
   *Não é uma doença: o que você não sabe sobre esta síndrome e como ela se manifesta*

2. Soro da Verdade: Derrubando o Mito da Serotonina ........... 48
   *Você tem sido enganada, mal diagnosticada e tratada de modo inadequado*

3. A Nova Biologia da Depressão ............................................... 77
   *O que a flora intestinal e a inflamação silenciosa têm a ver com a saúde mental*

4. Os Falsos Quadros Psiquiátricos ............................................ 103
   *Dois problemas comuns e curáveis que podem levar a um diagnóstico psiquiátrico*

5. Por que Cremes Hidratantes, Água da Rede Pública e Analgésicos Vendidos sem Receita Deveriam Trazer Novos Avisos de Advertência ...................................................................... 121
   *Agentes tóxicos ambientais e medicamentos comuns que podem causar depressão*

## Segunda Parte: Tratamentos Naturais para o Bem-Estar de Todo o Corpo

6. Deixe que o Alimento Seja o seu Remédio ............................. 151
   *Recomendações nutricionais para curar o corpo e libertar a mente (sem a sensação de estar fazendo uma dieta rigorosa)*

7. O Poder da Meditação, do Sono e do Exercício ..................... 180
   *Três hábitos simples que podem melhorar a saúde mental*

8. Casa Limpa ............................................................................. 206
   *Como desintoxicar o seu ambiente*

9. Exames Laboratoriais e Suplementos ..................................... 226
   *Como apoiar o processo de cura*

10. Quatro Semanas para uma Sensação de Bem-estar Natural .. 254
    *Programa de 30 dias*

Comentários Finais: Seja Dona do seu Próprio Corpo e Liberte a sua Mente .................................................................................. 285
Receitas ......................................................................................... 290
Agradecimentos ............................................................................ 303
Notas ............................................................................................. 305
Índice Remissivo .......................................................................... 327

INTRODUÇÃO

# Não Está Tudo na Mente

*Ao longo de toda a história da medicina, os grandes médicos não eram escravos dos medicamentos.*
— SIR WILLIAM OSLER (1849-1919)

Se você pegou este livro para ler, é provável que tenha um dos seguintes sintomas: angústia persistente, indisposição, ansiedade, agitação interior, fadiga, baixa libido, problemas de memória, irritabilidade, insônia, sentimento de desalento, sensação de opressão ou de estar presa, porém emocionalmente indiferente. Pode ser que você acorde quase todas as manhãs desmotivada e sem inspiração e simplesmente se arraste pelo dia afora esperando que ele termine (ou a hora de tomar um drinque). Talvez sinta uma sensação de medo ou pânico sem saber por quê. Você não consegue evitar os pensamentos negativos, que a deixam nervosa. Às vezes, parece que poderia chorar compulsivamente, ou talvez não consiga se lembrar da última vez que se importou com alguma coisa a ponto de chorar. Todas essas descrições são sintomas que muitas vezes se enquadram no diagnóstico de depressão clínica. E se você procurasse ajuda na medicina convencional, mesmo que não achasse que estivesse "deprimida", é bem possível que sairia com uma receita de antidepressivos, juntando-se a milhões de outras pessoas que usam esse tipo de medicamento. Pode ser que você já faça parte dessa comunidade e ache que seu destino está selado.

Mas não tem de ser assim.

Ao longo dos últimos vinte e cinco anos, desde que o FDA (Food and Drug Administration), órgão responsável pela fiscalização de remédios e alimentos nos Estados Unidos, aprovou medicamentos do tipo do Prozac, fomos levados a crer que os medicamentos podem aliviar os sintomas de doenças mentais, em especial depressão e transtornos de ansiedade, ou até mesmo curar a doença. Hoje em dia esses medicamentos estão entre os mais vendidos.[1] Isso causou uma das tragédias mais silenciosas e mais subestimadas da história da medicina moderna.

Sou psiquiatra atuante, com curso em neurociência cognitiva pelo Instituto de Tecnologia de Massachusetts (MIT), formada pela Faculdade de Medicina Weill Cornell e com treinamento clínico pela Faculdade de Medicina da Universidade de Nova York, e me preocupo muito com as mulheres que lutam por seu bem-estar. Eu me sinto na obrigação de compartilhar com vocês o que descobri ao testemunhar a corrupção da psiquiatria moderna e sua sórdida história enquanto pesquisava métodos holísticos que priorizam a nutrição, a meditação e a atividade física — o que alguns médicos estão chamando de medicina de estilo de vida, porque sua abordagem consiste em mudanças nos hábitos cotidianos do *estilo de vida*, e não no uso de medicamentos. Apesar de se basearem totalmente em evidências, esses métodos sem o uso de medicamentos são desconhecidos nesta era de soluções fáceis e rápidas.

Vamos esclarecer alguns fatos desde o princípio. Eu não sou adepta da teoria da conspiração. Também não me interesso muito por política, mas gosto de pensar por mim mesma. Sou cética e pragmática por natureza. Existem, nos dias de hoje, algumas questões na minha área de atuação que estão fazendo meu sangue ferver, e estou tentando ligar os pontos entre elas para ajudar a criar a estrutura de um teste informal de veracidade científica. Em primeiro lugar, os sintomas de doença mental não são um problema, em sua totalidade, psicológico, tampouco puramente neuroquímico (e, como veremos em breve, *nenhum estudo comprovou que a depressão é causada por um desequilíbrio químico cerebral*). Depressão é apenas um sintoma, um sinal de que existe algum desequilíbrio ou mal físico que precisa ser tratado.

Em segundo lugar, hoje em dia a depressão é um quadro muitas vezes diagnosticado e tratado de maneira incorreta, sobretudo entre as mulheres — uma em cada sete é medicada. (Por razões que analisaremos mais à frente, as mulheres apresentam um índice *duas vezes* maior de depressão que os homens, independentemente de origem racial ou étnica. Uma em quatro mulheres na faixa dos 40 e 50 anos toma medicamentos psiquiátricos.[2] Embora eu tenha sido treinada a pensar que os antidepressivos são para as pessoas que sofrem de depressão (e ansiedade, pânico, transtorno obsessivo-compulsivo, síndrome do intestino irritável, transtorno de estresse pós-traumático, bulimia, anorexia etc.) o que os óculos são para os míopes, não caio mais nessa esparrela. E, depois de ler este livro, você também vai rever seus conceitos sobre as causas da depressão.

A maior parte das nossas doenças mentais — inclusive suas parentes distantes, como preocupação, confusão mental e irritabilidade crônicas — se deve a fatores relacionados com o estilo de vida e com doenças fisiológicas não diagnosticadas que se desenvolvem em locais longe do cérebro, como o intestino e a tireoide. Tudo bem, sua tristeza e sua inquietação constante podem ser causadas por um desequilíbrio que está apenas indiretamente relacionado à sua química cerebral. Na verdade, o que você come no café da manhã (digamos torrada de pão integral, suco de laranja natural, leite e granola) e a maneira como você trata o colesterol alto e a dor de cabeça no período da tarde (pense em Lípitor e Advil) poderiam ter tudo a ver com as causas e os sintomas da sua depressão. Se acha que um comprimido pode salvar, curar ou "corrigir" você, está muito enganada. É o mesmo que tomar aspirina porque tem um prego fincado no pé.

Embora esteja bem documentado que diversos fatores, como um acontecimento trágico ou alterações hormonais, podem desencadear sintomas identificados (e tratados) como depressão, ninguém explicou o potencial que os antidepressivos têm de desativar de maneira irreversível os mecanismos de cura naturais do corpo. Apesar do que você tenha sido levada a acreditar, estudos científicos de longo prazo mostraram repetidamente que os antidepressivos *pioram* o curso da doença mental — isso sem falar dos riscos de lesão hepática, sangramento anormal, aumento de peso, disfunção sexual e redução da função cognitiva que eles causam. Além disso, os antidepressivos estão entre os medicamentos mais difíceis de efetuar a retirada, mais ainda que o álcool e os opioides. O que você talvez chame de "síndrome de abstinência", nós médicos fomos orientados pela indústria farmacêutica a chamar de "síndrome de descontinuação",* caracterizada por reações físicas e psicológicas extremamente debilitantes.

De modo que, ao contrário da maioria dos psiquiatras, eu não sou do tipo que diagnostica uma doença como "permanente", prescreve uma receita e manda o paciente para casa — a conduta habitual na minha área nos dias de hoje. Tampouco peço para a paciente se sentar no divã e falar sem parar sobre seus problemas. Muito pelo contrário, a primeira coisa que faço é levantar seu histórico médico e pessoal, fazendo inclusive perguntas para que possa ter uma ideia de toda a sua vida desde o nascimento; por exemplo, se ela nasceu de parto normal ou de cesariana, se foi amamentada, se já teve contato com substâncias químicas nocivas. Além disso, peço alguns exames de laboratório que me ajudam a obter um quadro mais amplo de toda a sua biologia, exames não invasivos que a maioria dos psiquiatras e clínicos gerais nem pensa em pedir (neste livro, você vai aprender que esses exames simples são recursos que podem ajudá-la a personalizar o seu caminho para a cura).

Apesar de levar em consideração as experiências passadas da paciente, eu me concentro também no que está acontecendo no momento presente, no nível celular, e numa possível deficiência ("desregulação") do seu sistema imunológico. Há mais de vinte anos a literatura médica tem enfatizado o papel da inflamação na doença mental. Eu ouço atentamente a paciente e faço perguntas sobre seu estilo de vida atual, uma variável dispensada e negligenciada na medicina convencional. Eu a analiso como um todo, levando em conta fatores como a quantidade de açúcar que ela consome e outros hábitos alimentares; se seu intestino e sua flora intestinal estão funcionando bem; seus níveis hormonais, como o hormônio da tireoide e cortisol; variantes genéticas do seu DNA que podem aumentar o risco de ter sintomas de depressão; seus conceitos sobre saúde; e suas expectativas em relação ao nosso trabalho conjunto. (Sim, isso leva horas.)

Todas as minhas pacientes têm aspirações semelhantes: elas querem se sentir cheias de energia fisicamente e equilibradas emocionalmente, o que na minha opinião é um direito inato de todos —, e não sempre cansadas, inquietas,

---

* Também chamada de "síndrome de interrupção" ou "síndrome da retirada". (N.T.)

mentalmente confusas e incapazes de aproveitar a vida. Sob minha orientação, elas alcançam essas aspirações com o auxílio de estratégias bastante simples e objetivas que consiste em: mudar os hábitos alimentares (mais gorduras saudáveis e menos açúcar, laticínios e glúten); tomar suplementos naturais, como vitaminas do complexo B e probióticos que não exigem prescrição médica e podem até mesmo ser obtidos por meio de alguns alimentos; minimizar a exposição a substâncias tóxicas\* que desorganizam a biologia, como flúor na água tratada e fragrâncias de cosméticos; explorar o poder do sono suficiente e da atividade física; e praticar técnicas comportamentais que visam a promoção de resposta de relaxamento. Essas intervenções básicas no estilo de vida auxiliam os potentes mecanismos de cura do corpo humano, e existem estudos científicos que corroboram esses protocolos. Essa não é uma medicina Nova Era; vou comprovar minhas afirmações e embasar minhas recomendações com estudos atuais publicados nas revistas científicas mais respeitadas do mundo.

Não nego que nos últimos anos desenvolvi uma relação um tanto beligerante com grande parte da medicina convencional. Depois de ter testemunhado as consequências devastadoras desse paradigma na vida de centenas das minhas pacientes, estou convencida de que a indústria farmacêutica e seus aliados, ocultos por trás de títulos oficiais como os de algumas sociedades e associações médicas, criaram uma ciência ilusória a serviço do lucro em detrimento da responsabilidade profissional. Eu vou jogar por terra todos os seus mitos sobre o papel dos medicamentos no tratamento da depressão e da ansiedade. Está na hora de acender a luz neste quarto escuro. Vamos iniciar esse debate e adotar um ponto de vista sobre depressão que desafia radicalmente as pressuposições e teorias reinantes. Se eu fizer meu trabalho direito, você nunca mais vai ver com os mesmos olhos os comerciais de antidepressivos.

Admito que nem sempre tive essa crença apaixonada e inabalável que tenho hoje na eficácia da medicina holística, sem o uso de medicamentos, para curar a mente e melhorar o humor e a memória das mulheres. Cruzei para o outro lado

---

\* Substância tóxica refere-se a qualquer substância nociva à saúde, embora esse termo seja usado com frequência para indicar substâncias fabricadas pelo homem ou introduzidas no meio ambiente pela atividade humana. O termo *toxina*, por outro lado, refere-se às substâncias tóxicas produzidas naturalmente por um organismo vivo.

depois de ter sido uma médica alopática convicta. Venho de uma família que considera a medicina convencional uma luz norteadora. Sempre me interessei por neurociência e pela promessa de compreender o comportamento e as patologias do ser humano, e foi por isso que escolhi a psiquiatria. Mas a feminista que existe dentro de mim só ficou satisfeita por completo depois que comecei a me especializar em saúde da mulher. Há um campo em expansão na psiquiatria, chamado psiquiatria perinatal ou reprodutiva, que enfoca a análise dos riscos e benefícios associados ao tratamento de mulheres durante seus anos reprodutivos. Esse é um período particularmente vulnerável, sobretudo quando a mulher está pensando em tomar medicamentos mas tem planos de engravidar ou já está grávida. Logo comecei a me sentir insatisfeita com o modelo de medicação e/ou psicoterapia para tratar a depressão, e procurei encontrar opções melhores não só para mulheres em idade reprodutiva, mas para mulheres de todas as idades.

Quanto mais eu me afastava da psiquiatria tradicional, mais começava a fazer perguntas que poucos profissionais da minha área estavam fazendo, principalmente "Por quê?" Por que milhões de mulheres têm distúrbios físicos e mentais? Será que isso faz parte da natureza feminina? Por que ficamos muito mais doentes no último século se nosso DNA – o mesmo DNA que temos há milhões de anos – não mudou? Ou será que os médicos estão apenas rotulando os sintomas como depressão com base num diagnóstico de exclusão?

Essas são algumas das muitas perguntas respondidas neste livro; as respostas abrem caminho para uma nova e revolucionária abordagem ao bem-estar.

Eu já vi ocorrerem progressos extraordinários na saúde. Veja, por exemplo, o caso da mulher de 56 anos que entrou no meu consultório queixando-se de falta de energia, dor generalizada, pele seca, intestino preso, aumento de peso e esquecimento. Ela estava tomando um antidepressivo e uma estatina para baixar o colesterol, mas sentia que piorava cada vez mais e estava desesperada em busca de respostas. Depois de poucos meses, havia parado de tomar todos os medicamentos, seus níveis de colesterol estavam ótimos e a "depressão" tinha desaparecido. Ou então o caso da mulher de 32 anos com problema de tensão pré-menstrual (TPM), que havia tratado com anticoncepcionais até decidir tentar engravidar. Quando me procurou, ela estava tomando um antidepressivo para tratar problemas de fadiga e anedonia, isto é, um tipo de embotamento emocional, e não conseguia engravidar depois de dois anos de tentativa. O que aconteceu em seguida não foi um milagre, mas algo que testemunho todos os dias no meu consultório. Com algumas mudanças simples na sua alimentação e uma combinação de outras estratégias de estilo de vida — as mesmas apresentadas neste livro —, em pouco tempo ela não tomava mais medicamentos e engravidou. Além disso, pela primeira vez na vida ela não tinha nenhum sintoma.

Neste livro, você vai conhecer muitas mulheres cujas histórias falam por si só e que são emblemáticas de milhões de outras mulheres que convivem desnecessariamente com a depressão. Tenho certeza de que você se identificará com alguma delas, ou com várias delas. Quer você esteja tomando ou não antidepressivos, este livro tem algo para toda mulher que luta para se sentir bem consigo mesma. Eu atendo muitas pacientes que "tentaram de tudo" e já consultaram os médicos mais famosos do país. Na verdade, eu trato muitos *colegas* médicos e psiquiatras.

Muitas mulheres dizem que eu iniciei uma verdadeira transformação em suas vidas. Como acredito piamente no poder da medicina de estilo de vida para produzir mudanças que são maiores do que a soma de suas partes — mudanças radicais na maneira como nos relacionamos com a vida, com a espiritualidade, com o ambiente à nossa volta e até mesmo com as autoridades —, eu me considero uma embaixadora de uma nova forma de ter saúde e bem-estar. Essa forma de ser pode ser construída sobre as cinzas do sofrimento, mas também pode ser uma maneira de renascer como a fênix, com mais coragem e força. Essa força e essa resiliência são suas, e a seguirão para onde você as levar.

Dividi o livro em duas partes. Na Primeira Parte: "A Verdade sobre a Depressão", vamos analisar quais são os amigos e os inimigos da sua saúde mental, dos alimentos do dia a dia aos medicamentos de venda livre e controlada comumente receitados. Logo você estará consumindo *mais* gorduras saturadas e colesterol e mudando seus hábitos de compra no supermercado e na farmácia. Eu vou expor de forma bastante detalhada, e embasada pela ciência, a surpreendente relação entre saúde intestinal e saúde mental. Vou fazer isso no contexto da inflamação, uma palavra muito em voga nos dias de hoje mas que a maioria das pessoas ainda não entende direito, sobretudo no que se refere ao papel fundamental que ela desempenha na depressão. Vou provar que a depressão muitas vezes é consequência de inflamação crônica — simples assim. Vou explicar também as responsabilidades subjacentes do sistema imunológico na orquestração de todos os aspectos da saúde mental.

A Primeira Parte abrange um panorama geral das últimas pesquisas sobre como podemos mudar de maneira profunda o nosso destino genético — o modo como nossos genes se expressam, inclusive aqueles diretamente relacionados com o humor — por meio das escolhas diárias que fazemos em relação à nossa alimentação e às nossas atividades. O objetivo é prepará-la para o programa no qual você embarcará na Segunda Parte do livro: "Tratamentos Naturais para o Bem-estar de Todo o Corpo". Nesse ponto vou guiá-la pelo meu programa, um programa elaborado tanto para as mulheres que não usam medicamentos como para aquelas que estão reduzindo aos poucos a medicação ou sonhando com isso. Apresento também um plano de ação de quatro semanas completo, com cardápios e estratégias para você incorporar novos hábitos à sua vida.

Para mais informações e atualizações constantes, visite meu site, www.kellybroganmd.com. Nele, você poderá ler o meu blog, assistir a vídeos tutoriais, ter acesso aos mais recentes estudos científicos e baixar materiais que a ajudarão a adequar as informações fornecidas neste livro às suas preferências pessoais.

Depois que aplicar à sua vida o que aprender nestas páginas, você colherá mais do que a recompensa de estabilidade mental. Minhas pacientes sempre fazem uma lista dos seguintes "benefícios colaterais" do meu programa: sensação de ter controle sobre a própria vida e o próprio corpo (inclusive controle do peso sem esforço); clareza mental e espiritual; mais energia; e maior tolerância à aflição. Quem não deseja obter esses resultados? Então, mãos à obra.

PRIMEIRA PARTE

# A VERDADE SOBRE A DEPRESSÃO

## CAPÍTULO 1

# Decodificando a Depressão

*Não é uma doença: o que você não sabe*
*sobre esta síndrome e como ela se manifesta*

---

Depressão pode ser consequência de um desequilíbrio físico, e não de um desequilíbrio químico cerebral.

A medicalização do sofrimento oblitera o significado e gera lucro.

---

Quando falo sobre medicina e saúde mental para grandes plateias, em geral começo pedindo às pessoas que façam o seguinte exercício de imaginação: pensem em uma mulher que vocês conhecem e que esteja irradiando saúde. Aposto que vocês, instintivamente, acham que ela dorme e se alimenta bem, tem um objetivo na vida, é ativa, está em boa forma e tem tempo para relaxar e desfrutar a companhia de outras pessoas. Duvido que vocês a imaginam tomando comprimidos pela manhã, passando o dia à base de cafeína e açúcar, sentindo-se ansiosa e isolada e bebendo à noite para dormir. Todos nós temos uma noção intuitiva do que seja saúde, mas muitos de nós deixamos de trilhar o caminho que conduz à saúde plena, que poderíamos ter simplesmente abrindo caminho para ela. O fato de uma em cada quatro mulheres norte-americanas na flor da idade tomar medicação para tratar uma doença mental indica uma crise de âmbito nacional.[1]

Desde tempos imemoráveis, os seres humanos usam substâncias psicoativas para tentar atenuar a dor, a aflição, a tristeza e o sofrimento, mas apenas nas últimas décadas as pessoas foram convencidas de que depressão é uma doença e que os antidepressivos químicos são a solução. Isso está longe de ser verdadeiro. Muitas das minhas pacientes consultaram vários médicos e tiveram de encarar a dura realidade do que a medicina convencional tem a oferecer. Algumas tentaram também a medicina integrativa, que combina medicina tradicional (ou seja, medicamentos) com tratamentos alternativos (por exemplo, acupuntura). Afinal de contas, elas são informadas de que existem ótimos complementos naturais para os fantásticos efeitos dos produtos farmacêuticos. Mas a razão pela qual essas mulheres não conseguem encontrar uma solução para seu problema é que ninguém perguntou *por quê*. Por que elas não estão se sentindo bem? Por que o corpo delas está produzindo sintomas que se manifestam como depressão? Por que elas não pararam para fazer essa pergunta óbvia da primeira vez que sentiram apatia, ansiedade, insônia e cansaço crônico?

Antes mesmo de responder a essas perguntas, deixe-me ser a primeira pessoa a lhe dizer que a única forma de encontrar uma solução verdadeira é deixando para trás o mundo médico que você conhece. A jornada pela qual vou conduzir você não diz respeito à supressão de sintomas, mas de liberdade de escolha em relação à saúde. Em primeiro lugar, gostaria de lhe dizer que já fui uma médica tradicional, e também uma americana típica que adorava pizza e refrigerante, tomava pílula anticoncepcional e ibuprofeno. Minha mensagem é calcada numa jornada pessoal e em milhares de horas de pesquisas que me incentivaram a contar a verdade sobre o tratamento à base de medicamentos: fomos enganadas.

Sim, toda a minha formação médica baseou-se num modelo de tratamento de doenças que oferece aos pacientes um único instrumento — um medicamento —, e nunca uma forma de alcançar o verdadeiro bem-estar. Nós colocamos a nossa saúde nas mãos daqueles que querem obter lucro com ela, e fomos levadas a acreditar num paradigma baseado nas seguintes premissas.

- Estamos doentes.
- O medo é uma resposta apropriada aos sintomas.
- Precisamos de substâncias químicas para nos sentir melhor.

- Os médicos sabem o que fazem.
- O corpo é uma máquina que precisa de calibração (por meio de medicamentos). Um pouco mais disso, um pouco menos daquilo.

Chamo esse conjunto de premissas de Ilusão Médica Ocidental. Ele cria um ciclo vicioso que leva você a uma condição de consumidora vitalícia, dependente e fragilizada.

A esta altura, provavelmente você já percebeu que eu adoro esbravejar. Mas faço isso com as melhores evidências científicas, e hoje sabemos muito sobre as verdadeiras causas da depressão — e como tratá-la com eficácia e segurança — sem um receituário médico. Se há uma mensagem que eu gostaria de transmitir claramente é esta: deixe o medo de lado, pegue de volta sua bússola interior e assuma um compromisso consigo mesma de ficar em sua melhor forma, sem o uso de medicamentos. Mesmo que você ainda não esteja tomando medicamentos, aposto que ainda duvida que consiga permanecer incólume pelo resto da vida, confiante de que pode confiar em sua intuição para saber o que é melhor para você. A ideia de confiar na sabedoria inata do seu corpo pode soar, na melhor das hipóteses, pitoresca, e na pior, lunática. De agora em diante, quero que você adote estas novas premissas:

- É possível fazer prevenção.
- O tratamento medicamentoso tem um alto preço.
- Não é possível ter ótima saúde por meio de medicamentos.
- Sua saúde está sob o seu controle.
- Adotar a medicina de estilo de vida — hábitos cotidianos simples sem o uso de medicamentos — é uma forma segura e eficaz de transmitir ao corpo uma sensação de segurança.

Como é que eu posso fazer essas afirmações e o que é medicina de estilo de vida? Você descobrirá neste livro, e vou apresentar provas científicas para responder às perguntas que você possa ter e também para satisfazer os céticos. Quando atendo uma mulher e sua família, explico como reverter sua ansiedade, depressão, mania e até mesmo psicose. Nós mapeamos detalhadamente a cronologia dos fatos que a levaram à sua atual situação e identificamos desencadeantes que muitas vezes se enquadram em uma ou mais das seguintes categorias: intolerâncias ou sensibilidades alimentares, desequilíbrios glicêmicos, exposições a substâncias químicas, disfunção tireoidiana e deficiência nutricional. Estabeleço uma parceria com minhas pacientes e, em um mês, observo uma melhora acentuada dos sintomas. Para isso, eu as ensino a fazer mudanças simples em seus hábitos cotidianos, a começar pela alimentação. Elas aumentam a densidade nutricional, eliminam os alimentos inflamatórios, equilibram os níveis de glicose no sangue e passam a consumir mais alimentos *in natura*. Essa é a melhor maneira de obter bons resultados, porque os alimentos não são apenas combustíveis. São *informações* (literalmente: "eles introduzem a *forma* no corpo"), e todos os dias eu fico maravilhada com o poder de cura que eles têm.

Para ter ótima saúde é preciso enviar ao corpo as informações certas e protegê-lo das agressões. Não me refiro apenas à saúde mental, mas ao fato de que a saúde mental é uma manifestação de tudo aquilo que o seu corpo vivencia e pela interpretação que a sua mente faz da própria segurança e do seu próprio poder. Os sintomas são apenas as pontas visíveis de um gigantesco *iceberg* submerso.

Observe que nenhum desses conceitos está relacionado com substâncias no cérebro que possam estar com níveis "baixos". Se você tivesse que definir depressão neste momento, antes de continuar lendo, é possível que dissesse que é uma "doença mental" ou "transtorno do humor" desencadeado por um desequilíbrio químico cerebral que provavelmente precisa ser corrigido com um medicamento como o Prozac ou o Zoloft, que aumentam os níveis das substâncias químicas do cérebro associadas ao bom humor. Mas você estaria errada.

Hoje em dia, muitos pacientes que tomam medicamentos psiquiátricos foram diagnosticados em exagero, diagnosticados erroneamente ou não estão sendo tratados da maneira correta. Na verdade, eles têm "névoa mental"\* (ou seja, obnubilação), alterações metabólicas, insônia, agitação e ansiedade, mas por razões apenas vagamente relacionadas com suas substâncias químicas cerebrais. Eles têm todos os sintomas mencionados na propaganda do antidepressi-

---

\* "Brain fog", termo não oficial usado para descrever uma disfunção cognitiva caracterizada por confusão, esquecimento, dificuldade de concentração e falta de clareza mental. (N. da T.)

vo Cymbalta que passa nos Estados Unidos e que orienta as pessoas a perguntarem ao médico se esse medicamento é indicado para elas. Mas é como fazer um curativo sobre uma farpa na pele, que continua a causar inflamação e dor, em vez de retirar a farpa e atacar a raiz do problema. É também um exemplo emblemático de como a medicina convencional pode cometer erros graves, mas encarado com entusiasmo pelo setor farmacêutico.

Na medicina holística não há especialidades. Tudo está inter-relacionado. Eis um caso clássico: Eva estava tomando um antidepressivo havia dois anos, mas queria parar, pois estava pensando em engravidar. O médico a aconselhou a não parar de tomar a medicação, então ela me procurou. Eva explicou que sua saga havia começado com a TPM, que ela tinha durante uma semana todos os meses, quando ficava irritada e tinha crises de choro. O médico lhe receitou uma pílula anticoncepcional (um tratamento comum), e logo Eva começou a se sentir pior, com insônia, cansaço, baixa libido e apatia o mês todo. O médico, então, acrescentou Wellbutrin para lhe dar "uma injeção de ânimo", como disse ela, e tratar sua suposta depressão. Eva achava que o antidepressivo lhe dava mais energia, mas pouco fazia para melhorar seu humor e aumentar sua libido. Se ela tomasse o remédio depois da meia-noite, sua insônia ficava exacerbada. Em pouco tempo ela se acostumou a se sentir estável, mas não totalmente bem, e se convenceu de que a medicação estava ajudando.

A boa notícia para Eva era que, com uma preparação cuidadosa, ela poderia largar a medicação — e recuperar sua energia, seu equilíbrio e a sensação de controle sobre suas emoções. O primeiro passo consistia em algumas mudanças básicas nos hábitos alimentares e em exercícios, juntamente com melhores estratégias de resposta ao estresse. O segundo passo consistia em parar de tomar o anticoncepcional e depois fazer um exame para dosar seus níveis hormonais. Um pouco antes do período menstrual, seus níveis de cortisol e progesterona estavam baixos; provavelmente era essa a causa da TPM que tinha dado origem a todo o problema. Outros exames revelaram que sua função tireoidiana estava no limite inferior de normalidade, o que podia muito bem ser consequência dos anticoncepcionais — e a causa dos seus sintomas crescentes de depressão.

Quando Eva estava pronta para reduzir aos poucos a medicação, ela fez isso seguindo o meu protocolo. Mesmo enquanto seu cérebro e seu corpo se ajustavam à ausência do antidepressivo no organismo, seus níveis de energia aumentaram e a insônia e a ansiedade desapareceram. Depois de um ano ela estava sadia, não tomava mais nenhum medicamento controlado, sentia-se bem — e estava grávida.

Eu peço encarecidamente às minhas pacientes que revejam suas concepções sobre tratamento de saúde e medicamentos. Uma das minhas motivações para escrever este livro foi ajudá-las a ter um novo olhar, vigilante e questionador, em todas as suas experiências. Para que minhas pacientes fiquem bem, sei que elas precisam se comprometer totalmente com a integridade da mente e do corpo. Pessoalmente, eu não tenho intenção de retomar um estilo de vida que inclua produtos farmacêuticos de qualquer espécie, em nenhuma hipótese.

Por quê?

Porque considero o corpo uma intrincada teia de aranha — quando se arranca uma parte dela, toda a estrutura é afetada. E porque existe uma maneira melhor de se curar.

É tão simples que poderia ser considerada um ato de rebelião.

Talvez você se considere avessa a conflitos — alguém que quer viver em paz, baixar a cabeça e seguir as recomendações. Mas, para ser saudável no mundo de hoje, é preciso *confiar* em si mesma. E para que isso ocorra a primeira coisa que você tem de fazer é mudar seu ponto de vista para sempre. Olhar atrás da cortina e entender que a medicina não é o que você acha que é. A medicina baseada em medicamentos deixa você doente. Eu vou ainda mais longe ao afirmar que o tratamento hospitalar deixa você doente; embora as estimativas variem, pode-se dizer que o tratamento hospitalar tira dezenas, ou centenas, de milhares de vidas todos os anos em decorrência de erros médicos que poderiam ser evitados, como diagnóstico equivocado, medicação errada, erros cirúrgicos, infecções e erros na instalação do acesso venoso.[2] A Cochrane Collaboration, sediada em Londres, é uma rede independente formada por mais de 31 mil pesquisadores de mais de 130 países que se dedica à análise crítica de pesquisas da área de saúde. Com base em dados publicados no *British Medical Journal* e no *Journal of the American Medical Association* e dos Centros de Controle e Prevenção de Doenças (CDC, na sigla em inglês) dos Estados Unidos, a Cochrane Collaboration descobriu que os medicamentos de venda controlada são a terceira principal causa de morte, perdendo apenas para cardiopatia e câncer.[3] Em relação aos medicamentos psicotrópicos, as conclusões da Cochrane Collaboration são extremamente inquietantes. Nas palavras do fundador da Cochrane Collaboration, dr. Peter Gotzsche: "Nossos cidadãos estariam muito melhores se retirássemos todos os medicamentos psicotrópicos do mercado, pois os médicos são incapazes de lidar com eles. Não há nenhuma dúvida de que a disponibilidade desses medicamentos faz mais mal do que bem".[4]

De modo geral, os médicos não são pessoas ruins. São pessoas inteligentes que trabalham muito e investem dinheiro, sangue, suor e lágrimas na sua formação. Mas de onde eles obtêm suas informações? Em quem lhes dizem para confiar? Alguma vez você já se perguntou quem é que "mexe os pauzinhos"? Alguns de nós da comunidade médica estamos começando a denunciar e a expor o fato de que a nossa formação é, em grande parte, comprada.

"Infelizmente, no equilíbrio entre riscos e benefícios, uma verdade incômoda é que grande parte dos medicamentos não funciona para a maioria dos pacientes."[5] Antes de ler essa citação no renomado *British Medical Journal*, em 2013, eu já tinha começado a analisar as evidências de que não existe muito embasamento para a eficácia da maior parte dos medicamentos e das intervenções médicas, sobretudo na psiquiatria, em que a supressão de dados e a produção de artigos escritos por *ghostwritters* ("escritores fantasmas") e financiados pelo setor farmacêutico escondem a verdade. Outro estudo de 2013 publicado na igualmente renomada revista *Mayo Clinic Proceedings* confirmou que 40% das práticas médicas atuais deveriam ser jogadas fora.[6] Infelizmente, leva em média dezessete anos para que os dados que expõem ineficácia e/ou um sinal de dano cheguem aos consultórios médicos, um problema de defasagem de tempo que faz com que os padrões de cuidados de saúde sejam fundamentados em evidências somente em teoria, e não na prática.[7] O dr. Richard Horton, redator-chefe da respeitadíssima revista *The Lancet* na época em que eu estava escrevendo este livro, resolveu vir a público e dizer o que pensa de fato sobre as pesquisas publicadas — que, na melhor das hipóteses, elas não são confiáveis, se não totalmente falsas. Numa declaração publicada em 2015 ele escreveu: "O argumento contra a ciência é simples: grande parte da literatura científica, talvez a metade, simplesmente pode ser falsa. Repleta de estudos com amostras pequenas, efeitos insignificantes, análises exploratórias inválidas e flagrantes conflitos de interesse, assim como uma obsessão por tendências em voga de importância duvidosa, a ciência trilhou um caminho rumo à escuridão".[8]

Em 2011, o *British Medical Jornal* fez uma análise geral de aproximadamente 2.500 tratamentos médicos comuns. O objetivo era determinar quais deles eram corroborados por um volume suficiente de evidências científicas confiáveis.[9] Os resultados foram os seguintes:

- 13% eram de fato benéficos;
- 23% possivelmente eram benéficos;
- 8% podiam ser tanto prejudiciais como benéficos;
- 6% dificilmente trariam algum benefício;
- 4% eram prejudiciais ou ineficazes.

Quanto aos 46% restantes, a maior categoria, não foi possível determinar a sua eficácia. Em termos simples, quando você consulta um médico ou vai a um hospital, só tem 36% de chance de receber um tratamento que foi comprovado pela ciência como benéfico ou possivelmente benéfico. Esses resultados são bastante semelhantes aos obtidos pelo dr. Brian Berman, que analisou revisões da Cochrane de tratamentos médicos convencionais e descobriu que 38% dos tratamentos eram positivos e 62% eram negativos ou não mostravam "nenhum indício de efeito".[10]

Existem exceções? Eu acredito que não. Isso porque toda a abordagem farmacêutica baseia-se em informações erradas. Os produtos farmacêuticos, tal como os conhecemos, não foram desenvolvidos nem estudados levando em conta os princípios mais relevantes da ciência atual, como a complexidade e o poder do microbioma humano, o impacto de exposições a baixas doses de substâncias tóxicas, as doenças autoimunes como um sinal de superestimulação ambiental e a importância fundamental da bioquímica individual. Como a medicina opera segundo o preceito ultrapassado de um gene, uma doença, um medicamento, a eficácia é medida por meio de uma lente distorcida, e a segurança não pode ser avaliada com precisão nem discutida com cada paciente.

Muitas de nós passamos a vida toda com medo de ficar doente de uma hora para outra. Podemos facilmente nos deixar levar pela crença de que nossos seios são bombas-relógio acionadas, que podemos contrair infecções por meio de uma tosse ou de um aperto de mão e que é normal ir adicionando mais medicamentos para apagar pequenos incêndios à medida que envelhecemos. Até parar de prescrever medicamentos, eu nunca tinha curado nenhuma paciente. Agora acontecem curas toda semana. Como eu disse, minhas pacientes são minhas parceiras. Nós trabalhamos em estreita colaboração, e elas se esforçam bastante. Elas se esforçam numa época de suas vidas em que acham que não conseguiriam nem mesmo levantar um dedo — quando a perspectiva de ir à farmácia com uma receita na mão brilha como a estrela Polar em seu céu escuro. Elas seguem minhas orientações porque ficam inspiradas por minha convicção e minha esperança nesse modelo — um modelo que faz a pergunta "Por quê?" e cujo objetivo não é apenas aliviar os sintomas, mas aumentar de maneira incrível os níveis de vitalidade.

Eu sei que muitas de vocês que estão lendo este livro talvez temam a mudança que ocorrerá se levarem minhas recomendações a sério. Mas o medo nunca foi um bom conselheiro, nunca ajudou a resolver nenhum problema. Quando reagimos com medo, tomamos decisões "míopes". Algumas dessas decisões podem amenizar a nossa sensação de distúrbio, mas, ao mesmo tempo, geram problemas novos e mais complexos. Em vez disso, quando você tiver um sintoma — quando se sentir confusa, triste, chorosa, dolorida, cansada ou ansiosa sem causa aparente —, questione. Pergunte por que e tente estabelecer as conexões. Seus sintomas físicos estão lhe dizendo algo sobre equilíbrio. Eles estão tentando lhe dizer que o seu corpo está em desequilíbrio. Recue e avalie a infinita complexidade do seu organismo. Saiba que o medo só a fará tratar o seu corpo como um robô que precisa de graxa e trocas de engrenagem. Nós somos muito mais que botões e alavancas.

Portanto, está na hora de colocar óculos novos e começar a estudar o próprio corpo. Comece a fazer uma análise crítica das coisas que você compra, das recomendações médicas que você segue e sobre o que a mídia lhe diz para se preocupar. Deixe a luz entrar em todos os recantos escuros das suas convicções sobre saúde. Por meio desse pensamento crítico, você vai perceber todo o seu potencial como mãe, esposa ou amiga, dentro da sua própria esfera de existência. Como diz uma das minhas citações preferidas: "Tudo o que você sempre quis está do outro lado do medo".

No restante deste capítulo, vamos analisar o significado da depressão — desde a sua verdadeira definição e seus mecanismos biológicos até suas inúmeras causas e o fracasso retumbante da indústria farmacêutica no tratamento desse problema de saúde que se tornou de uma hora para outra a primeira causa de incapacidade em todo o mundo.[11] Isso ajudará a dissipar seus temores em relação às mudanças que você está prestes a fazer. Começarei por um dos mitos mais difundidos e danosos sobre a depressão.

## Depressão não é doença[12]

A psiquiatria, ao contrário dos outros campos da medicina, baseia-se em um sistema de diagnóstico altamente subjetivo. Basicamente, você se senta no consultório do médico e é rotulada com base na opinião que ele tem sobre os sintomas que você descreve. Não há exames laboratoriais. Você não pode fazer xixi num copo nem dar uma gota de sangue para análise, para pesquisar a presença de uma substância que indique com precisão que "você tem depressão", da mesma maneira que um exame de sangue pode dizer se você tem diabetes ou anemia.

A psiquiatria tem uma péssima fama por seus deslizes. Ela tem uma longa história de abusar dos pacientes com tratamentos baseados em pseudociência e teve sua reputação manchada por sua vergonhosa falta de rigor diagnóstico. Veja, por exemplo, o ganhador do prêmio Nobel de 1949, Egas Moniz, neurologista português que introduziu técnicas cirúrgicas invasivas no tratamento de pessoas com esquizofrenia, por meio da secção das conexões entre a região pré-frontal e as outras partes do cérebro (ou seja, lobotomia pré-frontal). Depois, tivemos o experimento de Rosenhan na década de 1970, que expôs a dificuldade que o médico tem de distinguir entre um "paciente louco" e um paciente que se finge de louco. A prescrição de medicamentos psicotrópicos é, a meu ver, tão prejudicial e absurda quanto a destruição física de um tecido cerebral importantíssimo ou a rotulação de pessoas como "pacientes psiquiátricos" quando, na verdade, elas estão longe disso.

Eu fiz especialização em interconsulta psiquiátrica, ou "medicina psicossomática". Fui atraída por essa especialização porque parecia ser a única que reconhecia os processos físicos e as patologias que podiam se manifestar por meio do comportamento. Percebi que os psiquiatras desse campo levavam em consideração o papel das ações biológicas, como inflamação e resposta ao estresse. Eu observei que, quando meus colegas psiquiatras atendiam os pacientes internados no hospital, eles falavam sobre esses processos de uma maneira muito diferente de quando atendiam os pacientes em seus elegantes consultórios na Park Avenue. Eles falavam em delírio causado por desequilíbrio eletrolítico, em sintomas de demência causados por deficiência de vitamina $B_{12}$ e em manifestação de psicose em um paciente a quem haviam receitado recentemente um medicamento para náusea. As causas primordiais dos problemas mentais estão longe desse gracejo que em geral se faz nas conversas sobre doença mental de que "está tudo na sua cabeça".

*Psicossomático* é um termo carregado e estigmatizado que insinua que "está tudo na sua cabeça". A psiquiatria ainda é o "balaio de gato" das deficiências da medicina convencional em termos de diagnóstico e tratamento. Se o clínico geral não conseguir explicar seus sintomas ou se seu tratamento não surtir efeito e outros exames não identificarem um diagnóstico concreto, provavelmente ele a encaminhará a um psiquiatra, ou então receitará um antidepressivo. Se você *insistir* que ainda precisa de ajuda, talvez ele receite também um antipsicótico. Na maior parte das vezes, são os clínicos gerais que prescrevem antidepressivos, e não os psiquiatras. Sete por cento de todas as consultas a médicos de atendimento primário terminam com uma receita de antidepressivo,[13] e quase três quartos das receitas são fornecidas sem um diagnóstico específico.[14] E tem mais, quando o Departamento de Saúde Mental da Faculdade de Saúde Pública Bloomberg da Universidade Johns Hopkins analisou a prevalência de transtornos mentais, descobriu que "Muitos indivíduos medicados com antidepressivos podem não ter preenchido os critérios para transtornos mentais. Nossos dados indicam que os antidepressivos são usados comumente sem que haja indicações claras baseadas em evidências".[15]

Nunca vou me esquecer de uma mulher que atendi há muitos anos com queimação facial "psicossomática". A história dessa paciente é bastante reveladora. Ela se queixava de uma sensação intensa de queimação no rosto, embora a única explicação para o problema fosse de que "tudo estava na cabeça dela". Seus sintomas eram tão incapacitantes que a impediam de desempenhar as atividades do dia a dia. Naquela época eu ainda receitava psicotrópicos, mas uma voz dentro de mim sabia que havia alguma coisa real acontecendo e que não estava tudo na cabeça dela. Porém, infelizmente o modelo da medicina ocidental já tinha rotulado seu caso como psicossomático, que exigia medicação psiquiátrica, e era incapaz de avaliar ou começar a entender a complexidade do problema. Antidepressivos e benzodiazepínicos (tranquilizantes como Valium e Frontal) não a ajudaram. No final, o que surtiu efeito foi uma mudança dos hábitos alimentares, suplementação e reequilíbrio da sua flora bacteriana. Será que foi apenas um efeito placebo? Ela queria tanto se sentir melhor que teria feito qualquer coisa. Mas a medicação tradicional não a curou. A origem de toda a sua dor e aflição era um processo imunológico e inflamatório que não podia ser resolvido com antidepressivos e ansiolíticos. Foi resolvido com estratégias que atacaram a raiz do problema — que arrancaram o prego do seu pé e deixaram a ferida cicatrizar.

A ideia de que a depressão é uma manifestação de falha do sistema imunológico e das vias inflamatórias, e não um distúrbio causado por deficiência neuroquímica, é um tópico que vamos explorar mais a fundo neste livro. Esse conceito não é tão novo como você possa pensar, mas também não é algo que o seu clínico geral ou até mesmo seu psiquiatra vai mencionar quando você descrever seus sintomas e for despachada rapidamente do consultório com uma receita de antidepressivo na mão. Há quase um século, os cientistas já estavam analisando a existência de uma conexão entre afecções tóxicas no intestino, humor e função cerebral. Esse fenômeno recebeu o nome de *autointoxicação*. Mas o estudo de uma ideia tão estapafúrdia saiu de moda. Em meados do século XX ninguém pensava que a saúde intestinal podia afetar a saúde mental. Em vez disso, o pensamento estava rapidamente indo na direção contrária — de que depressão e ansiedade afetavam o funcionamento intestinal. E à medida que a indústria farmacêutica decolou na segunda metade do século XX, as teorias intestinais foram ignoradas e os brilhantes pesquisadores que estavam por trás delas caíram no esquecimento. Durante séculos o intestino foi considerado a sede da saúde pelas antigas práticas médicas; agora finalmente podemos avaliar a validade dessa antiga sabedoria. Hipócrates, o pai da medicina, que viveu no século III a.C, foi um dos primeiros a dizer que "toda doença começa no intestino".

Um grande número de estudos hoje em dia mostra uma ligação inegável entre disfunção intestinal e o cérebro, sobretudo ao revelar a relação entre o volume de marcadores inflamatórios no sangue (ou seja, sinais de inflamação) e o risco da depressão.[16] Níveis mais elevados de marcadores inflamatórios, que em geral indicam que o sistema imunológico do corpo está em estado de alerta máximo, aumentam significativamente o risco de ter depressão. Esses níveis estão correlacionados com a intensidade da depressão: quanto mais altos, mais grave será a depressão. Isso, em última instância, significa que a depressão deveria ser classificada junto com outros distúrbios inflamatórios, como doença cardíaca, artrite, esclerose múltipla, diabetes, câncer e demência. Não admira, pelo menos para mim, que a depressão seja muito mais frequente em pessoas que têm outros problemas inflamatórios e autoimunes, como síndrome do intestino irritável, síndrome da fadiga crônica, fibromialgia, resistência insulínica e obesidade. Todos esses quadros são caracterizados por níveis elevados de inflamação, um tópico que abordaremos no Capítulo 3.

Para entender de fato que a depressão não é um distúrbio que se origina sobretudo no cérebro, basta analisar alguns dos estudos mais reveladores. Quando os cientistas desencadeiam propositadamente processos inflamatórios no organismo de pessoas saudáveis que não apresentam sinais de depressão injetando-lhes uma substância (falarei mais sobre isso em breve), estas desenvolvem rapidamente os sintomas clássicos da depressão.[17] E quando pacientes com hepatite C são tratados com Interferon, que é pró-inflamatório, 45% deles desenvolvem depressão maior.[18]

Portanto, quando as pessoas me perguntam por que estamos sofrendo do que parece ser uma epidemia de depressão apesar do número de pessoas que estão tomando antidepressivos, eu não penso na química cerebral. Penso no impacto do nosso estilo de vida sedentário, de uma alimentação à base de produtos processados e do estresse contínuo a que somos expostos. Eu recorro à literatura médica que afirma que a alimentação ocidental típica – rica em carboidratos refinados, gorduras artificiais e alimentos que promovem o caos no nosso equilíbrio glicêmico – contribui para o aumento dos níveis de inflamação.[19] Ao contrário do que você possa imaginar, um dos principais fatores de risco de depressão é um nível elevado de glicose no sangue. A maioria das pessoas acha que diabetes e depressão são duas coisas distintas, mas as descobertas científicas estão reescrevendo os livros didáticos. Um estudo revolucionário publicado em 2010 acompanhou mais de 65 mil mulheres durante uma década. O estudo mostrou que as mulheres diabéticas tinham 30% a mais de probabilidade de ter depressão.[20] Esse risco mais elevado se manteve mesmo depois que os pesquisadores excluíram outros fatores de risco, como falta de exercício físico e peso corporal. Além do mais, as mulheres diabéticas que tomavam insulina estavam 53% mais propensas a ter depressão.

Por certo você pode chegar às mesmas conclusões que eu cheguei: nas últimas duas décadas os índices de diabetes subiram vertiginosamente junto com os índices de depressão. E o mesmo ocorreu com os índices de obesidade, que também está correlacionada com aumento dos marcadores inflamatórios. Estudos mostram que a obesidade está associada com 55% a mais de risco de depressão, e o inverso também é verdadeiro: a depressão está associada com um aumento de 58% no risco de desenvolver obesidade.[21] Nas palavras convincentes de um grupo de pesquisadores australianos em um artigo publicado em 2013: "Diversos fatores parecem aumentar o risco da depressão, todos associados com inflamação sistêmica; entre esses fatores estão estressores psicossociais, alimentação ruim, falta de atividade física, obesidade, fumo, alteração [no funcionamento] intestinal, [alergias], cáries dentárias, insônia e deficiência de vitamina D".[22]

Em 2014, pesquisadores escoceses analisaram o descompasso entre o que a ciência afirma sobre as causas da depressão e o que os pacientes vivenciam quando caem na teia padronizada dos tratamentos psiquiátricos. No artigo, eles ressaltaram a importância daquilo que eu pratico: a psiconeuroimunologia.[23] Essa palavra difícil se refere apenas ao exame da (e respeito pela) complexa interação entre vários sistemas e órgãos do corpo humano, sobretudo aqueles que envolvem os sistemas nervoso, gastrintestinal e imunológico em uma fantástica dança que, por sua vez, afeta o bem-estar mental. Esses pesquisadores ressaltam que muitos pacientes que recebem o diagnóstico de portadores de afecções psiquiátricas originadas na cabeça deles ou associadas a alguma deficiência (fictícia) da química cerebral têm, na verdade, desequilíbrios biológicos reais relacionados com as vias imunoinflamatórias. Esses pacientes apresentam níveis sanguíneos elevados de marcadores inflamatórios, um sinal de que seu organismo está na defensiva, ativando processos que podem produzir sintomas físicos inexplicáveis e que são diagnosticados como psiquiátricos, e não biológicos. E, em vez de tratarem os processos biológicos subjacentes, eles são submetidos a uma vida inteira de terapia e medicação, em vão.

Os quadros clínicos analisados por esses pesquisadores foram depressão, fadiga crônica e "somatização", ou seja, a produção de sintomas sem nenhuma causa orgânica plausível. Esses diagnósticos têm muito em comum em termos de sintomas: cansaço, sensibilidade à dor, incapacidade de se concentrar, mal-estar semelhante ao da gripe e problemas cognitivos. Não é interessante que cada um desses sintomas seja diagnosticado muitas vezes como uma doença separada e, no entanto, tenham tanta coisa em comum do ponto de vista biológico? Como dizem os autores do artigo: "Se a psiquiatria quiser ficar à altura do desafio de ser considerada uma ciência, ela terá de responder aos dados [existentes] e reformular seus limites. Como tal, os dados examinados aqui colocam em xeque as estruturas do poder organizacional da psiquiatria".[24]

A medicina personalizada de estilo de vida, que leva em conta o papel do ambiente no desencadeamento de inflamação e a manipulação dos sistemas imunológico e endócrino, é a maneira mais sensata de tratar os indivíduos que, de outra maneira, seriam candidatos a tomar diversos medicamentos. Acontece que talvez nem tudo esteja na sua cabeça, mas sim na interconexão entre os sistemas gastrintestinal, imunológico e endócrino.

Nos próximos capítulos, vamos analisar todas essas conexões — as ligações indeléveis entre o intestino e seus habitantes microbianos, o sistema imunológico, e a orquestra de hormônios que fazem com que o corpo fique em sintonia com o ciclo de dia e noite. Essas conexões influenciam toda a fisiologia e, o que é mais importante, a saúde mental e a sensação geral de bem-estar. Embora possa parecer estranho falar sobre o sistema imunológico entérico em relação à saúde mental, as últimas descobertas científicas revelam que ele pode ser o centro de gravidade do corpo — e da mente. No exato momento em que escrevo isto, surgiu mais um estudo que subverte décadas de ensinamentos sobre o cérebro e o sistema imunológico. Os pesquisadores da Faculdade de Medicina da Universidade da Virgínia descobriram que o cérebro está diretamente conectado ao sistema imunológico por vasos linfáticos que não sabíamos que existiam.[25] Só o fato de ignorarmos a existência desses vasos, considerando-se que o sistema linfático foi minuciosamente estudado e mapeado em todo o corpo, já é bastante surpreendente. Essa descoberta terá efeitos significativos no estudo e no tratamento de doenças neurológicas, como autismo, esclerose múltipla, Alzheimer e, sim, depressão. Está na hora de reescrever os livros didáticos. Está na hora de tratar a depressão pelo que ela realmente é.

Então, se depressão não é uma doença, o que ela é? Como mencionei na introdução, depressão é um *sintoma*, no máximo um vago sinal que não diz nada sobre sua causa primordial. Pense, por um momento, que o dedo do seu pé está doendo. Muitas coisas podem causar dor no dedo do pé, como um machucado, uma joanete, uma bolha ou um tumor interno. A dor é um sinal de que tem alguma coisa errada com o dedo, simples assim. A depressão é como a dor; uma resposta adaptativa, comunicada de forma inteligente pelo corpo, a algo que está errado dentro de nós, muitas vezes por causa de coisas que estão erradas à nossa volta.

Nem sempre a depressão se manifesta com sentimentos de profunda melancolia e tristeza, ou a necessidade de ficar o dia todo sentado no sofá remoendo os próprios sentimentos. Eu nem me lembro da última vez que atendi uma paciente que era como as pessoas retratadas nas propagandas de antidepressivos da televisão. Todas as minhas pacientes sentem ansiedade — desconforto cinético interior, inquietação e muita insônia. Na verdade, a maioria dos casos de depressão acomete mulheres dinâmicas e produtivas, mas que também são ansiosas, distraídas, muito estressadas, irritadas, esquecidas, preocupadas, incapazes de se concentrar e sentindo-se esgotadas, tudo ao mesmo tempo. Muitas delas foram rejeitadas pelo sistema médico, embora seus problemas psiquiátricos tenham sido criados por tratamento errado, uma vez que caem na interminável ciranda de medicamentos controlados.

Veja, por exemplo, o caso de Jane, uma paciente minha de 42 anos de idade. Ela caiu nesse buraco negro depois de fazer um tratamento para síndrome do intestino irritável e acne, inclusive com Roacutan (isotretinoína), que já foi retirado do mercado americano. Jane apresentou humor deprimido, um efeito colateral comum do Roacutan, e passou a tomar antidepressivo quando suspendeu a medicação (a isotretinoína é um retinoide, um medicamento forte usado no tratamento de acne severa; ele causa anomalias congênitas em bebês de mães que tomaram o medicamento durante a gestação, e por esse motivo é cuidadosamente controlado. Nos Estados Unidos, apenas a sua forma genérica é disponibilizada sob um programa especial). Depois da morte dos pais, que desencadeou outros sintomas de depressão, Jane teve um problema de tireoide, e seu médico na época receitou terapia ablativa, que destrói o tecido tireoidiano com iodo radioativo 131. Isso fez com que ela tivesse ataques agudos de pânico, e logo começou a tomar Xanax (alprazolam). Outros sintomas de problemas tireoidianos, como "névoa mental", cansaço extremo e dor física, culminaram num diagnóstico de fibromialgia. Tratada com pílulas anticoncepcionais e um antibiótico, em pouco tempo ela desenvolveu candidíase crônica, distensão abdominal e dor abdominal. Quando me procurou, Jane tinha uma cuidadora 24 horas por dia.

A experiência de Jane é a mesma de muitas outras pessoas que foram consideradas deprimidas e tratadas com mais um medicamento. O sistema cria pacientes que em outros aspectos são sadios e que precisam apenas recalibrar seu organismo com intervenções simples no estilo de vida, principalmente em relação à alimentação, e não tomar medicamentos. Afinal de contas, é por meio da alimentação que nós nos comunicamos com o nosso entorno. Trata-se de um dialeto que nós nos esquecemos de como se fala.

## UM DESCOMPASSO EVOLUTIVO

Olhe à sua volta e avalie o mundo em que vivemos hoje em dia, com suas tecnologias e comodidades: computadores, carros, telefones celulares e supermercados. Mas analise também a diferença entre esse cenário e os dias em que tínhamos de procurar comida e dormir sob as estrelas. Nossos dias de caverna ainda fazem parte do nosso DNA, pois a evolução é lenta. O que parece uma eternidade (20 mil anos atrás) em termos culturais é um piscar de olhos no tempo biológico. O que me leva à seguinte pergunta: Será que toda essa depressão não é simplesmente um sinal de *descompasso evolutivo*?

Essa é uma expressão que encerra a fonte da maior parte das doenças atuais. O nosso estilo de vida é incompatível com as expectativas do nosso genoma, que evoluiu ao longo de milhões de anos. Temos uma alimentação ruim, ficamos muito estressados, não fazemos atividade física suficiente, privamos-nos da luz natural do sol, ficamos expostos a substâncias tóxicas ambientais e tomamos medicamentos em excesso. Essa trajetória irregular é marcada por duas revoluções específicas na história da humanidade: a Revolução Neolítica, também chamada de Revolução Agrícola, e a Revolução Industrial. Durante 99% da nossa existência, nós seguimos a chamada dieta paleolítica, que não contêm alimentos inflamatórios e "insulinotrópicos", como açúcar, cereais e laticínios. Uma das primeiras vítimas dessa mudança foi a nossa população microbiana — os 90% das nossas células que não são humanas e que são responsáveis pela maior parte das nossas funções corporais, o que, por sua vez, influencia a expressão dos nossos genes. Falarei mais detalhadamente sobre o microbioma humano no Capítulo 3, mas vou fazer uma breve introdução aqui, pois trata-se de um tópico importante que será debatido ao longo de todo o livro.

Apesar de termos aprendido a pensar nas bactérias como agentes da morte, em grande parte porque algumas cepas podem causar infecções letais em hospedeiros debilitados, as novas descobertas científicas estão nos incentivando a analisar como alguns desses organismos microscópicos são fundamentais para a vida — e para a saúde mental. Enquanto você lê isso, cerca de 100 trilhões de microrganismos são colonizados só no seu intestino.[26] Seu corpo tem dez vezes mais microrganismos que células próprias, cobrindo todas as suas áreas internas e externas. E eles contêm mais de 8 milhões de genes próprios, o que significa que *99% do material genético do seu corpo não pertence a você, mas aos seus camaradas microbianos.* Esses microrganismos não apenas influenciam a expressão do nosso DNA, mas, segundo as pesquisas, ao longo da nossa evolução o DNA microbiano se tornou parte do nosso próprio DNA. Em outras palavras, os genes dos microrganismos se inseriram no nosso código genético (o principal exemplo é o DNA mitocondrial) para nos ajudar a evoluir e prosperar.

Um grande número dessas criaturas invisíveis vive dentro do seu trato digestório, e embora incluam fungos, parasitas e vírus, são as bactérias que parecem ter as proverbiais chaves da sua biologia, pois elas influenciam todos os aspectos da sua saúde. No futuro, provavelmente saberemos se os outros microrganismos contribuem tanto quanto as bactérias para a nossa saúde. O microbioma é tão essencial para a saúde humana que poderia ser considerado um órgão por si só. Na verdade, sugeriu-se que como não poderíamos viver sem ele, deveríamos nos considerar um "metaorganismo" inseparável dele. Essa ecologia interna ajuda você a digerir os alimentos e a absorver os nutrientes; reforça o seu sistema imunológico e as vias de desintoxicação do seu organismo; produz e libera importantes enzimas e substâncias para a sua biologia (inclusive substâncias químicas para o cérebro, como vitaminas e neurotransmissores); ajuda você a controlar o estresse por meio de seus efeitos sobre o sistema endócrino (hormonal), e até mesmo lhe garante uma boa noite de sono. Em suma, o seu microbioma influencia praticamente todos os aspectos da sua saúde, inclusive como você se sente física, emocional e mentalmente.

O que compromete um microbioma sadio? O microbioma é vulnerável a três forças nocivas: exposição a substâncias que matam ou alteram negativamente a composição das colônias de bactérias (essas substâncias incluem de tudo, desde substâncias químicas ambientais e medicamentos como antibióticos até ingredientes como adoçantes artificiais e alimentos processados que contêm glúten); deficiência de nutrientes que contribuem para uma diversidade sadia de colônias de microrganismos benéficos; e estresse crônico.

Eu dediquei uma seção inteira às surpreendentes características do microbioma, para que você saiba por que ele desempenha uma função importante no seu bem-estar físico e mental e como manter o equilíbrio ideal da flora bacteriana. Nós coevoluímos com esses microrganismos durante toda a nossa jornada neste planeta, e devemos respeitá-los pelo que eles são: os melhores amigos do corpo — e do cérebro. Eles são tão importantes para a nossa sobrevivência e o nosso bem-estar mental quanto nossas próprias células.

## Concebidos para a depressão

Você já parou para pensar se a depressão tem benefícios? Eu sei, parece estranho até mesmo aventar essa hipótese. Mas essa é uma ótima pergunta para se fazer, e melhor ainda de se responder. Mas é melhor falar sobre isso no contexto de estresse em geral, que é o assunto que vamos abordar agora.

A maioria das pessoas consegue reconhecer os sintomas de estresse, internos e externos: irritação, coração disparado, queimação no rosto, dor de cabeça ou enjoo de estômago, burburinho mental incessante, sensação de catástrofe iminente e aborrecimento com as coisas mais insignificantes. Em algumas pessoas, o estresse tem poucos efeitos externos. Seus sentimentos são internalizados e, às vezes, expressados como doença. Na verdade, muitas dessas pessoas não acreditam que estejam estressadas — mas estão. Elas apenas não têm consciência do estresse, até que ele se acumula e se manifesta de outras maneiras.

O termo *estresse* como é empregado nos dias de hoje foi cunhado por um dos pioneiros das pesquisas sobre estresse, Hans Selye, que em 1936 o definiu como uma "resposta não específica do corpo a qualquer exigência de mudança".[27] De acordo com Selye, quando são submetidos a estresse persistente, tanto os seres humanos como os animais podem desenvolver algumas doenças potencialmente mortais, como infarto ou acidente vascular cerebral, que anteriormente achava-se que só eram causadas por patógenos específicos. Esse é um ponto fundamental, pois demonstra que nossas experiências cotidianas não afetam somente o nosso bem-estar emocional, mas também a nossa saúde física.

A palavra *estresse* associada às emoções passou a incorporar o nosso vocabulário na década de 1950. O seu emprego se tornou comum no início da Guerra Fria, um período em que reinava o medo. Estávamos aterrorizados com a guerra atômica e, consequentemente, construímos abrigos antiaéreos. Como uma sociedade, não podíamos dizer que estávamos com medo; em vez disso, usávamos a palavra *estresse*. Hoje continuamos a usar esse termo para descrever tudo o que nos perturba emocionalmente — estamos sob estresse, estressados etc. O estresse também pode ser descrito como os pensamentos, sentimentos, comportamentos e alterações fisiológicas que ocorrem quando reagimos a exigências e percepções. E quando essas exigências são mais fortes que a nossa capacidade de enfrentamento, ficamos "estressados". Em nossa mente frenética, começamos a arquejar silenciosamente como um animal, em busca de uma via de escape.

Desde Selye, os pesquisadores dividiram o estresse em várias subcategorias. A fisiologia do estresse avançou muito, sobretudo nos últimos cinquenta anos, e o mesmo aconteceu com os agentes estressores. Um conceito importante que entrou recentemente para o jargão médico é o de carga alostática. Carga alostática se refere aos desafios ambientais — o "desgaste" do organismo — que faz com que ele passe a se esforçar para manter a estabilidade (alostase, também chamada de homeostase). Representa também as consequências fisiológicas da adaptação ao estresse crônico que leva à ativação repetida dos mecanismos de resposta ao estresse do corpo e que envolve muitos sistemas — imunológico, endócrino e neuronal. Os pesquisadores Bruce McEwen e Eliot Stellar cunharam esse termo em 1993 como uma alternativa mais precisa ao termo *estresse*.[28] Os principais participantes da resposta de estresse, o cortisol e a epinefrina (adrenalina), podem ter efeitos protetores ou adversos sobre o corpo, dependendo de quando e em que quantidade são usados. Por um lado, esses hormônios são essenciais para que o organismo possa se adaptar e manter o equilíbrio (homeostasia), mas se forem produzidos por um período prolongado ou forem solicitados com relativa frequência, podem acelerar processos patológicos. Nesse caso, a carca alostática, como é chamada, se torna mais prejudicial do que benéfica. Essa carga pode ser medida fisiologicamente na forma de desequilíbrios químicos das atividades dos sistemas nervoso, hormonal e imunológico. Ou por perturbações no ciclo dia-noite do corpo (o chamado ritmo circadiano, outro conceito que vamos explorar mais à frente) e, em alguns casos, por alterações na estrutura física do cérebro.

Na verdade, o estresse é bom, pelo menos do ponto de vista da evolução e da sobrevivência. Ele tem uma importante função: proteger-nos de perigos reais equipando-nos com melhores meios de escapar de situações que colocam a nossa vida em risco ou de encará-las de frente. Mas a nossa reação física não muda de acordo com o tipo ou a magnitude da ameaça percebida. A resposta fisiológica é a mesma, quer se trate de um estressor de fato perigoso, apenas uma lista de tarefas pendentes ou uma discussão com um colega de trabalho. Deixe-me explicar rapidamente o que acontece quando seu corpo detecta uma situação de estresse, para que possamos fechar o círculo e, eu me atrevo a dizer, retornar ao valor secreto da depressão.

Primeiro, o cérebro envia uma mensagem para as glândulas suprarrenais, que liberam adrenalina, também chamada de epinefrina. Isso faz com que a sua frequência cardíaca aumente, pois o sangue é direcionado para os músculos, caso você precise fugir. Quando a ameaça passa, seu corpo volta ao normal. Mas quando a ameaça não passa e suas respostas de estresse se intensificam, ocorre uma série de eventos ao longo do que chamamos de eixo HHA, ou eixo hipotalâmico-hipofisário-adrenocortical, que envolvem diversos hormônios vinculados ao estresse. O hipotálamo é uma pequena, porém importante, região do cérebro que tem uma função vital no controle de muitas funções corporais, como a liberação de hormônios hipofisários. O hipotálamo muitas vezes é chamado de sede das emoções, pois comanda grande parte do nosso processamento emocional. No momento em que você fica nervosa, ansiosa, extremamente oprimida ou simplesmente preocupada, o hipotálamo secreta o hormônio liberador de corticotropina (CRH), uma substância que inicia uma cascata de reações que terminam com a liberação de cortisol na sua corrente sanguínea. Embora esse processo seja conhecido há muito tempo, novas pesquisas revelaram que a percepção de estresse desencadeia uma sinalização inflamatória que viaja do corpo até o cérebro, preparando-o para uma super-resposta.[29]

Provavelmente você já ouviu falar do cortisol, o principal hormônio do estresse que auxilia na famosa reação de luta ou fuga. Ele também controla a forma como o organismo processa os carboidratos, as gorduras e as proteínas. Como é o hormônio encarregado de protegê-la em épocas de estresse, suas ações aumentam o apetite, promovem maior armazenamento de gordura e quebram moléculas complexas e tecidos que podem ser usados para a produção de formas rápidas de energia, inclusive o tecido muscular. Por essa razão, a exposição contínua a uma quantidade excessiva de cortisol pode produzir aumento da gordura abdominal, perda óssea, supressão do sistema imunológico e cansaço, além de aumentar o risco de resistência à insulina, diabetes, doença cardíaca e depressão profunda. Entretanto, o cortisol desempenha um papel positivo. Ele dirige e protege o sistema imunológico e prepara o corpo para o ataque. Isso tudo seria ótimo se o ataque fosse curto e resolvido facilmente. Mas o ataque do nosso estilo de vida atual é incessante.

O estudo científico dos efeitos do estresse sobre o organismo, tanto de dentro para fora como de fora para dentro, fez avanços extraordinários nos quinze anos contados a partir de 1998, quando os pesquisadores da Universidade de Harvard realizaram um estudo conjunto com vários hospitais da área de Boston para analisar as interações entre a mente e o corpo, especificamente a pele. Eles chamaram sua descoberta de rede NICE (neuro-imuno-cutâneo-endócrina).[30] Em termos simples, trata-se de uma gigantesca rede interativa formada pelo sistema nervoso, sistema imunológico, pela pele e pelo sistema endócrino (hormonal). Todos eles estão intimamente conectados por intermédio de um diálogo entre uma complexa série de substâncias bioquímicas.

Os pesquisadores de Boston estudaram a maneira como vários fatores externos influenciam o nosso estado de espírito, de massagem e aromoterapia a depressão e isolamento. O que eles descobriram confirmou o que muitos profissionais da comunidade científica já sabiam empiricamente há séculos: que nosso estado de espírito tem um efeito claro sobre nossa saúde e até mesmo sobre nossa aparência física. As pessoas que sofrem de depressão, por exemplo, em geral parecem mais velhas do que de fato são. Elas não têm uma aparência saudável e vibrante, pois o estresse da depressão acelerou o processo de envelhecimento e prejudicou sua saúde.

Desde que a rede NICE entrou no nosso vocabulário, foram realizados dezenas de estudos para confirmar a forte interação entre psicologia e biologia, ou seja, o poder da mente sobre a matéria. Uma analogia que gosto de usar é a seguinte: se você estiver andando num beco escuro à noite e ouvir passos atrás de você, ficará alerta e incomodada, e seu corpo vai se preparar para lutar ou fugir. Mas se nesse momento você ouvir a voz de uma pessoa amiga, sua fisiologia mudará por completo naquele instante. Porém, a única coisa que mudou foi sua percepção!

Portanto, voltemos à pergunta se a depressão pode ser benéfica para nós. Será que a depressão já foi uma resposta adaptativa ao ambiente? Eu concordo com a teoria de que o corpo não comete enganos depois de milhões de anos de evolução. Uma revisão publicada em 2014 no *Journal of Affective Disorders* tentou responder à pergunta: por que ficamos deprimidos, em vez de somente analisar como e o que fazer? Em geral, a melhor maneira de combater a causa dos sintomas é compreendendo as razões pelas quais o corpo está respondendo da maneira como está. Falando sobre o conceito de descompasso evolutivo, os autores do artigo afirmam que: "[...] os seres humanos atuais vivem em ambientes extremamente diferentes daqueles em que evoluíram, e nossos novos ambientes interagem com nossos antigos genomas, produzindo distúrbios [...]".[31]

Os autores afirmam que a depressão pode ter servido a um propósito em algum momento, mas que a natureza e a intensidade dos desencadeantes atuais estão deixando um número maior de pessoas deprimidas (até 41% de nós!) durante mais tempo do que parece razoável. Essa perspectiva abrange o modelo inflamatório de depressão, segundo o qual tanto estresse psicológico como inflamação no organismo produzem alterações cerebrais que não seriam prejudiciais se fossem breves, mas que podem nos matar quando são persistentes (algo assim).

Os autores da revisão seguem explicando por que os antidepressivos são ineficazes e por que deveríamos rever a sua utilização, citando efeitos colaterais como:

[...] dor de cabeça, náusea, insônia, disfunção sexual, nervosismo, hiponatremia, AVC, distúrbios de condução cardíaca e maior risco de mortalidade. O uso prolongado de antidepressivos pode estar associado com outros efeitos adversos. Por exemplo, alguns antidepressivos podem ser fracamente carcinogênicos ou causar osteoporose. Os antidepressivos também foram associados com maior risco agudo de suicídio em pacientes mais jovens, embora possam reduzir o risco de suicídio em pacientes mais velhos ou com uso mais prolongado desses medicamentos. Além disso, todas as principais classes de antidepressivos foram associadas com sintomas desagradáveis (e às vezes perigosos) quando a sua administração é interrompida abruptamente. A interrupção do uso de antidepressivos está associada com recidiva de transtorno depressivo maior (TDM). Em uma metanálise, esse risco foi maior com antidepressivos que causam maiores alterações nos sistemas neurotransmissores [...]. Existe um número crescente de pesquisas que indicam que quando são usados por tempo prolongado como tratamento de manutenção, os antidepressivos podem perder a eficácia e até mesmo causar depressão crônica e resistente ao tratamento. Essas reações podem ser decorrentes da tentativa do cérebro de manter a homeostasia e de uma adaptação funcional apesar da medicação.

Esse é um excelente resumo do meu modo de pensar desde que me afastei da psiquiatria convencional. Devemos ver a depressão como ela é, ou seja, um termo descritivo vago. Em suma, depressão é um sinal de que devemos parar e tentar descobrir o que está causando o nosso desequilíbrio. Outra maneira de avaliar esse enfoque é afirmando que a *depressão é uma oportunidade*.

Muitas pacientes minhas no início ficam surpresas com a minha indignação em relação à prescrição de medicamentos. Eu não acho que Nova York seja diferente de nenhuma outra cidade dos Estados Unidos na maneira como os médicos, seja um clínico geral, um internista ou psiquiatra, têm a "mão pesada" na hora de receitar medicamentos. Ao meu ver, isso é uma imprudência. Os pacientes nunca aceitaram voluntariamente os efeitos de longo prazo desses medicamentos, pois as pesquisas farmacêuticas são, por natureza, de curto prazo.[32] Os laboratórios farmacêuticos não têm interesse em analisar criteriosamente o que acontece com o indivíduo que toma uma medicação durante dez anos ou mais. Nos últimos anos um grande número de estudos associou os antidepressivos com maior risco de agressão, homicídio e suicídio. Muita gente também responsabiliza esses medicamentos por tiroteios em escolas, desastres aéreos e outras tragédias muitas vezes atribuídas a terroristas, acesso às armas ou *falta* de tratamento.[33]

Em um artigo particularmente alarmante publicado em 2015 no respeitado *British Medical Journal*, os pesquisadores do Centro Nórdico Cochrane, um grupo independente responsável pela análise de segurança de medicamentos sediado na Dinamarca, descobriram que mais de meio milhão de pessoas com mais de 65 anos morrem todos os anos no Ocidente em consequência de medicamentos psiquiátricos.[34] Com base numa imensa metanálise de estudos clínicos controlados por placebo, esses pesquisadores descobriram que o número de pacientes que morrem em consequência do uso de antidepressivos aprovados pelo FDA, é maior do que o número de pacientes que não tomam medicamentos ou que usam outros métodos de tratamento não convencionais. Da mesma forma, os índices de mortalidade por todas as causas (ou seja, mortes por qualquer causa) são 3,6% mais altos entre os pacientes que tomam antidepressivos recém-aprovados do que entre os pacientes que não tomam antidepressivos. Os pesquisadores ressaltaram que a maior parte dos estudos financiados pela indústria farmacêutica que corroboram o uso de psicotrópicos costuma distorcer tanto os grupos amostrais e os dados de teste que os resultados acabam ficando sem valor. A subnotificação de mortes, segundo eles, é outro grande problema dos estudos clínicos. A equipe de pesquisadores calcula que o índice de suicídio entre os usuários de antidepressivos seja 15% mais alto do que divulgado pelo FDA.

Estudos como esse que revelam a agressão da medicina atual sobre a humanidade é apenas a ponta do *iceberg*. Eu poderia escrever um livro inteiro sobre pesquisas conhecidas que mostram que os pacientes são mantidos reféns dos medicamentos psiquiátricos, que só pioram seu estado de saúde, mas que estão convencidos de que nada disso é verdadeiro. É mais provável que tenham uma piora do quadro depressivo, pois estudos rigorosos demonstraram que esses medicamentos desestabilizam o humor (o contrário do que diz a sabedoria popular).[35] Devo acrescentar também que recentemente eles foram considerados carcinogênicos.[36] Em uma importante revisão publicada pelo *Australian and New Zealand Journal of Psychiatry*, um grupo de pesquisadores de diversas instituições, entre elas a Universidade Tufts, a Universidade de Harvard e a Universidade de Parma, Itália, afirmou que a grande maioria dos medicamentos psicotrópicos pode causar câncer em animais.[37]

Embora os resultados dos estudos realizados com animais não sejam suficientes para se tirar conclusões definitivas no caso de seres humanos, esses mesmos estudos são usados com frequência como garantia de segurança de medicamentos e substâncias químicas; portanto, são suficientes para justificar cautela e a obtenção do consentimento livre e esclarecido dos pacientes. Infelizmente, não é isso o que acontece.

Se você estiver tomando um antidepressivo, não entre em pânico!

As informações fornecidas neste livro a ajudarão a controlar esses sintomas de uma vez por todas. E se você tiver de reduzir o medicamento gradualmente, vou ensiná-la a fazer isso no Capítulo 10. Por enquanto, aceite o fato de que, como seres humanos, fomos todos concebidos para a depressão. Pode ser um sinal de alerta de que alguma coisa está errada. Mas assim como fomos concebidos para nos sentir tristes, também fomos concebidos para nos curar sozinhos e nos sentir muito bem.

## A DEPRESSÃO NÃO É GENÉTICA, É EPIGENÉTICA

Um dos meus artigos preferidos foi um relato de caso publicado em 2003 sobre uma vegetariana de 52 anos que já tinha passado pela menopausa. Durante um mês e meio ela foi acometida por uma depressão, que piorava progressivamente.[38] No final, ela começou a ouvir vozes e a achar que estava paranoica. A mulher acabou ficando catatônica, ou seja, estava viva e consciente, mas sem qualquer reação, em estado praticamente vegetativo. Qualquer um presumiria que se tratava de uma doença grave. O tratamento com terapia eletroconvulsiva e antipsicóticos não produziu nenhum resultado. A paciente então foi transferida para outro hospital, onde foi constatado que ela tinha deficiência de vitamina $B_{12}$. Depois de receber uma injeção de vitamina $B_{12}$, ela se recuperou por completo. Coincidência? Acredito que não. Embora esse seja um dos casos mais extremos, ele mostra como uma simples deficiência, porém de importância vital, pode ser a causa de manifestações psiquiátricas. Mais adiante, veremos como a deficiência de vitamina $B_{12}$ há muito tempo foi implicada no desenvolvimento da depressão. Esse é um exemplo clássico de que não somos simples marionetes à mercê do nosso código genético, mas sim produtos de complexas interações entre nossos genes e o meio ambiente. Hoje sabemos que nosso estado de saúde é determinado mais pelo meio ambiente do que pela nossa herança. Como eu gosto de lembrar minhas pacientes, a depressão é *epigenética*, e não genética.

Embora os genes codificados pelo DNA sejam mais ou menos estáticos (exceto quando ocorre mutação), a expressão desses genes pode ser extremamente dinâmica em resposta às influências ambientais. Esse campo de estudo, chamado epigenética, é uma das áreas de pesquisa mais concorridas atualmente. Epigenética, numa definição mais técnica, é o estudo de partes do DNA (chamadas "marcas" ou "marcadores") que dizem aos nossos genes quando e com que intensidade eles devem se expressar. Assim como maestros de uma orquestra, essas marcas epigenéticas controlam não apenas a nossa saúde e a nossa longevidade, mas também a forma como passamos nossos seus genes para as gerações futuras. Na verdade, as forças que agem sobre a expressão do nosso DNA hoje podem ser transmitidas para nossos futuros filhos biológicos, afetando o comportamento de seus genes ao longo de suas vidas e determinando se os filhos *deles* vão correr maior risco de ter certas doenças e distúrbios, inclusive a depressão. Porém, essas marcas também podem ser alteradas de modo que sejam lidas de outra forma, o que torna perfeitamente possível *reverter* algumas doenças.

A comunidade científica acredita que as forças epigenéticas nos afetam desde a vida intrauterina até o dia da nossa morte. Provavelmente existem muitos períodos durante a vida em que somos sensíveis a impactos ambientais capazes de alterar a nossa biologia e ter importantes efeitos futuros, como sintomas de depressão. Ao mesmo tempo, as inúmeras atividades neuronais, imunológicas e hormonais controladas pelo microbioma — e que, por sua vez, comandam toda a nossa fisiologia — são suscetíveis a perturbações e adaptações, sobretudo em consequência das mudanças ambientais.

Uma das principais conclusões deste primeiro capítulo é que a depressão não está relacionada com o cérebro em si. Sem dúvida, ocorrem eventos cerebrais e reações bioquímicas quando uma pessoa se sente deprimida, mas nenhuma pesquisa jamais comprovou que determinado estado cerebral causa depressão, ou até mesmo esteja correlacionado com a depressão. Muitas doenças físicas produzem sintomas psiquiátricos, mas elas mesmas não são doenças psiquiátricas. Nós achamos (porque nossos médicos acham) que precisamos "curar" o cérebro, mas o que precisamos fazer na verdade é analisar todo o ecossistema do corpo: a saúde intestinal, as interações hormonais, o sistema imunológico e os transtornos autoimunes, o equilíbrio glicêmico e a exposição a substâncias tóxicas. Precisamos também de alternativas aos medicamentos psiquiátricos, alternativas naturais e com base em evidências, ou seja, de tratamentos que visem a tratar o que de fato está errado no nosso corpo. Isso significa suplementação alimentar estratégica e terapias não invasivas, como fototerapia e estimulação craniana, mas também opções inteligentes (ou seja, biologicamente compatíveis) de protocolos alimentares e exercícios, sono reparador, ambiente livre de substâncias tóxicas e práticas de meditação/relaxamento. A melhor maneira de curar o cérebro é curar o corpo no qual ele reside. Ou, como também gosto de dizer, libertar a mente ao curar todo o corpo. Este é o propósito deste livro. O potencial de cura das intervenções baseadas no estilo de vida é imenso.

Quando me perguntam quais são os principais fatores desencadeantes da depressão, sempre penso nos três tipos de pacientes que costumo atender em meu consultório: a mulher com problemas glicêmicos e deficiências nutricionais causados pela alimentação americana convencional (rica em açúcar e pobre em gorduras saudáveis); a mulher com disfunção da tireoide, que causa todo tipo de problemas hormonais, os quais, por sua vez, afetam a saúde mental; e a pessoa com depressão induzida pela medicação (pense em estatinas, anticoncepcionais, inibidores da bomba protônica como Nexium [esomeprazol] e Prilosesc [omeprazol] e até mesmo vacinas). Vamos analisar em detalhes todos esses potenciais desencadeantes nos próximos capítulos.

Embora os cientistas estejam tentando identificar as causas de diferentes tipos de síndromes depressivas, a indústria médica ainda oferece uma "solução tamanho único", ou seja, empregada para todas as pessoas (leia-se: um distúrbio, um medicamento,). É o mesmo que estudar todas as causas de, digamos, dor nas costas — de entorse muscular ou hérnia de disco a câncer ou infecção renal —, mas usar o mesmo protocolo de tratamento para todos os casos. Isso não faz o menor sentido, e se esse tratamento incluir intervenções cirúrgicas ou medicamentos perigosos poderá haver consequências inesperadas. E quanto ao uso de antidepressivos para todos os sintomas de depressão, esse pode ser um terreno bastante traiçoeiro, como mostrará o próximo capítulo.

CAPÍTULO 2

# Soro da Verdade: Derrubando o Mito da Serotonina

*Você tem sido enganada, mal diagnosticada
e tratada de modo inadequado*

---

Não existe antidepressivo.

Apesar de bastante difundida, a teoria de que a depressão é causada por um desequilíbrio químico ainda é infundada.

---

Você toma antidepressivos? Conhece alguém que toma? Talvez até tenha amigos e familiares que juram que eles salvaram suas vidas. Os antidepressivos podem parecer uma opção sensata, sobretudo quando as coisas estão muito ruins. Mas você conhece a história toda?

Mesmo correndo o risco de parecer exagerada, deixe-me dar um exemplo dos meus próprios arquivos clínicos que estabelecerá as bases deste capítulo. Kate nunca tinha tido depressão nem tomado antidepressivos, mas se sentia sobrecarregada e estressada depois do nascimento do primeiro filho. Seis semanas após o parto, numa consulta de acompanhamento, seu obstetra lhe receitou Zoloft. Depois de uma semana tomando o medicamento, ela tinha escrito um bilhete suicida e pensou em pular da sacada do seu apartamento que ficava no décimo quinto andar. Ela me disse: "Simplesmente fazia sentido naquele momento. Era como se não fosse comigo, como se não fosse nada de mais".

A experiência de Kate não é um caso isolado. Milhões de mulheres recebem prescrições de medicamentos para tratar sintomas de angústia. E, assim como Kate, muitas delas têm graves efeitos colaterais que parecem fazer parte do quadro depressivo, mas que na verdade são consequência dos próprios medicamentos. Em vez de analisar a origem de sua depressão pós-parto, Kate entrou num terreno perigosamente desconhecido por causa do tratamento. Se pelo menos ela tivesse se informado antes de decidir aviar aquela receita!

A facilidade com que são administrados explica, em parte, por que tanta gente toma esses medicamentos: 11% de todos os americanos, 25% dos quais são mulheres entre 40 e 50 anos. O uso de antidepressivos aumentou quase 400% entre 1998 e 2008; é o terceiro tipo de medicamento mais comumente receitado para todas as idades. Esse aumento acentuado não significa em absoluto que exista uma epidemia de depressão. Desde o início dos anos 2000, os laboratórios farmacêuticos testaram agressivamente antidepressivos para diversos transtornos, o que resultou em uma explosão de usos aprovados pelo FDA, de depressão a ejaculação precoce.[1] Acredite se quiser, mas o gasto com antidepressivos nos Estados Unidos é maior do que o produto interno bruto de mais da metade de todos os países do mundo. Sessenta por cento das pessoas que tomam antidepressivos mantêm a medicação por mais de dois anos, e 14%, por mais de uma década. De acordo com estimativas conservadoras, 15% das *gestantes* tomam medicação psiquiátrica atualmente, um índice que apenas nos dois últimos anos triplicou.

A indústria médica não está vendendo uma cura, mas sim uma doença.

# VENDENDO DOENÇA[2]

Existe uma relação entre o uso indiscriminado de antidepressivos e os índices crescentes de incapacidade? Antes que os antidepressivos passassem a ser tão amplamente usados, o Instituto Nacional de Saúde Mental dos Estados Unidos (NIMH, na sigla em inglês) garantia que era comum se recuperar de um episódio de depressão e que casos de recaída eram raros.[3] Mas, então, como explicar os índices cada vez maiores de incapacidade laboral e o aumento de prescrições de medicamentos?

Robert Whitaker, famoso crítico da psiquiatria atual e autor de *Anatomy of an Epidemic* e *Mad in America*, compilou e analisou dados que mostram que o tratamento medicamentoso não diminui o número de faltas ao trabalho.[4] Muito pelo contrário, *aumenta*, assim como a incapacidade laboral no longo prazo. Ele também mencionou estudos que mostram que as pessoas que fazem tratamento de depressão têm três vezes mais probabilidade de sofrer uma "cessação" do seu "principal papel social", o que significa que elas têm menor capacidade funcional, e quase sete vezes mais probabilidade de se tornar "incapacitadas". Além disso, 85% dos pacientes não medicados se recuperam em um ano, e 67%, em seis meses.[5] Na minha opinião, essa é uma estatística invejável.

O que está acontecendo? Nos últimos cinquenta anos o DSM, *Manual Diagnóstico e Estatístico de Transtornos Mentais* — a bíblia dos transtornos diagnosticáveis na psiquiatria — foi sendo ampliado, passando a incluir mais trezentos diagnósticos em sua quinta edição. Em 1952, o DSM tinha apenas 130 páginas e descrevia 106 doenças. A versão atual é um calhamaço de 948 páginas que inclui 374 diagnósticos. Ele representa o consenso de uma comissão formada por médicos com profundos conflitos de interesse e enredados com a indústria farmacêutica.[6] Como diz o dr. Allen Frances da Universidade Columbia e autor de *Saving Normal*: "A medicalização da normalidade por atacado irá trivializar o transtorno mental e levar a uma avalanche de tratamento medicamentoso desnecessário — uma bonança para a indústria farmacêutica, mas a um custo imenso para os novos pacientes falso-positivos pegos na rede excessivamente extensa do DSM-V".[7] O dr. Frances foi o psiquiatra que chefiou a força-tarefa responsável pela quarta edição do DSM e tem sido bastante crítico em relação à última edição. Em 2013, Frances disse que "o diagnóstico psiquiátrico ainda se baseia exclusivamente em julgamentos subjetivos falíveis, e não em exames biológicos objetivos".[8]

A enorme lista de sintomas e doenças para os quais pode-se receitar antidepressivos é praticamente ridícula. Esses medicamentos não são indicados apenas para os sintomas clássicos de depressão, mas também para tensão pré-menstrual, ansiedade, transtorno obsessivo-compulsivo (TOC), transtorno bipolar, anorexia, compulsão alimentar, dor, intestino irritável e transtornos explosivos que se encaixam na classe de controle da raiva. Alguns médicos os receitam para artrite, ondas de calor causadas pela menopausa, enxaqueca, síndrome do intestino irritável e transtorno do pânico. O fato de poder receitar antidepressivos para tratar artrite, uma doença inflamatória das articulações, mina qualquer crença sobre a sua capacidade de corrigir um desequilíbrio químico que seria a origem de diversos transtornos, de fobias a bulimia e depressão melancólica. O artigo condenatório escrito em 2015 pelos pesquisadores da Faculdade de Saúde Pública Bloomberg da Johns Hopkins, que mencionei no capítulo anterior, afirma de modo claro que os antidepressivos são usados indiscriminadamente.[9] Em seu estudo, os autores concluem que a maioria das pessoas que tomam antidepressivos não preenche os critérios clínicos para um diagnóstico genuíno de depressão maior, e muitas das que recebem antidepressivos para tratar doenças como TOC, transtorno do pânico, fobia social e ansiedade, na verdade nunca tiveram essas doenças.

Não vamos nos esquecer do uso desses medicamentos em crianças pequenas. E eles são receitados não apenas para depressão, mas também para problemas de comportamento, como falta de atenção, birras, tiques nervosos, autismo e dificuldade de raciocínio. Como é que pudemos imaginar que esse seria um tratamento seguro e eficaz para crianças de 2 anos de idade que ainda usam fraldas e que nem mesmo conseguem balbuciar frases inteiras? Vejam o Estudo 329, que custou 3 bilhões de dólares à GlaxoSmithKlein de multa por promover o uso de antidepressivos para jovens.[10] Esse laboratório farmacêutico manipulou dados, ocultando os sinais de maior risco de suicídio. Ele também afirmou falsamente que o Paxil tinha sido melhor que o placebo.[11]

Joanna Moncrieff é uma das profissionais mais respeitadas da minha área. Ela é professora de psiquiatria da University College London e copresidente da Critical Psychiatry Network, um grupo de psiquiatras que contestam o modelo geralmente aceito de depressão e buscam abordagens alternativas à psiquiatria. Em um importante artigo publicado em 2006, intitulado "Do Antidepressants Cure or Create Abnormal Brain States?" [Os antidepressivos curam ou produzem alterações cerebrais?], Moncrieff e a coautora do artigo escreveram: "Nossa análise indica que não existem antidepressivos específicos, que a maioria dos efeitos de curto prazo dos antidepressivos também é produzida por vários outros medicamentos e que o tratamento medicamentoso prolongado com antidepressivos ou com qualquer outro medicamento não promove uma elevação prolongada do humor. Sugerimos que o termo 'antidepressivo' seja abandonado".[12]

A essa altura, você deve estar se perguntando de onde vieram os antidepressivos e como é que eles se tornaram tão populares.

## NASCE UM MEME[13]

A teoria predominante que serve de base para os antidepressivos atuais (ISRSs, ou inibidores seletivos da recaptação da serotonina) é que eles aumentam a disponibilidade de serotonina, um neurotransmissor comumente associado ao humor, nos espaços entre as células cerebrais. De fato, se você fizesse uma enquete nas ruas sobre a biologia da depressão, é provável que as pessoas diriam "desequilíbrio químico" no cérebro e até mesmo "deficiência de serotonina". Essa hipótese, denominada hipótese monoaminérgica, foi levantada sobretudo com base em duas observações feitas nas décadas de 1950 e 1960.[14] Uma delas foi observada em pacientes que estavam fazendo tratamento de tuberculose e que apresentaram efeitos colaterais relacionados ao humor causados pela iproniazida, medicamento antituberculose que pode alterar os níveis cerebrais de serotonina. A outra foi a afirmação de que a reserpina, medicamento empregado no tratamento de hipertensão arterial e convulsões, reduzia os níveis de serotonina e causava depressão — isto é, até que um estudo realizado com 54 pessoas demonstrou que ela *curava* a depressão.[15]

Com base nessas observações preliminares e bastante inconsistentes, nasceu uma teoria, consolidada pelo trabalho e pelos textos do já falecido dr. Joseph Schildkraut, que em 1965 revolucionou o campo da psiquiatria com seu manifesto especulativo "A Hipótese Catecolaminérgica dos Transtornos Afetivos".[16] O dr. Schildkraut foi um famoso psiquiatra de Harvard que estudou as catecolaminas, uma classe de compostos naturais que atuam como mensageiros químicos, ou seja, neurotransmissores, no cérebro. Ele analisou os efeitos de um neurotransmissor em particular, a norepinefrina, nas pessoas antes e durante o tratamento com antidepressivos, e constatou que a depressão suprimia a sua eficácia como mensageiro químico. Com base em seus achados, ele teorizou amplamente sobre as bases bioquímicas das doenças mentais. Uma área que lutava para estabelecer sua legitimidade (além da lobotomia terapêutica!), a psiquiatria estava desesperada para mudar a sua imagem, e a indústria farmacêutica ficou muito feliz em ajudá-la.

A ideia de que esses medicamentos corrigem um desequilíbrio relacionado a uma substância química cerebral teve uma aceitação tão grande que ninguém se dá ao trabalho de questioná-la nem de analisá-la à luz dos rigorosos critérios científicos atuais. Segundo a dra. Joanna Moncrieff, fomos levados a crer que esses medicamentos têm efeitos *baseados na doença* —, ou seja, que eles de fato corrigem, curam uma doença real na fisiologia humana. Seis décadas de estudo, porém, revelaram dados conflitantes, confusos e inconclusivos.[17] Uma coisa é certa: *nenhum* estudo realizado com seres humanos conseguiu fazer uma ligação entre níveis baixos de serotonina e depressão. Estudos de imagem, exames de sangue e de urina, autópsias de suicidas e até mesmo estudos com animais nunca validaram a ligação entre os níveis de neurotransmissores e depressão.[18] Em outras palavras, a *teoria serotoninérgica da depressão não passa de um mito* que tem sido injustamente sustentado por meio de manipulação de dados. Muito pelo contrário, níveis elevados de serotonina foram associados a uma série de problemas, como esquizofrenia e autismo.[19]

Paul Andrews, professor adjunto de psicologia, neurociência e comportamento da Universidade McMaster, Canadá, é um dos especialistas que refutam veementemente o modelo tradicional da depressão. Em uma revisão de 2015, ele declarou que a ciência que está por trás dos antidepressivos parece ser retrógrada: a serotonina é um depressor, e não um estimulante.[20] Para ele, é como se a serotonina fosse a primeira a responder ao estresse. Quando o corpo está sob estresse, a serotonina ajuda a remanejar recursos em nível celular. Isso mostra também que na verdade não sabemos como essas substâncias agem. Em uma recente revisão, Andrews levanta um ponto importante: ainda não conseguimos medir os níveis de serotonina em um cérebro humano vivo, portanto é impossível saber exatamente como o cérebro está liberando e usando a serotonina. Em vez disso, os cientistas têm de se basear em evidências dos níveis de serotonina que já foram metabolizados pelo cérebro, e também em estudos realizados em modelos animais. Até o momento, as melhores evidências disponíveis indicam que uma quantidade *maior* — e não menor — de serotonina é liberada e usada durante episódios depressivos. Esse aumento natural de serotonina ajuda o cérebro a se adaptar à depressão, pois força o corpo a gastar mais energia em pensamentos conscientes do que em áreas como crescimento, desenvolvimento, reprodução, atividade imunológica e resposta ao estresse.[21]

Andrews, que também é psicólogo evolutivo, afirmou em pesquisas anteriores que os pacientes ficam piores depois que param de tomar antidepressivos. Ele concorda que embora a depressão possa ser uma experiência dolorosa e perturbadora, em sua maior parte as formas de depressão são adaptações normais ao estresse. De acordo com Andrews, quando os pacientes que estão tomando ISRS melhoram, tudo indica que o cérebro deles está, na verdade, *superando os efeitos dos antidepressivos, e não sendo ajudado por eles*. Os medicamentos impedem os mecanismos de recuperação do próprio cérebro. Esse é um ponto importante, pois as pessoas sempre me perguntam por que os antidepressivos parecem ser eficazes no curto prazo. Talvez, nos raros casos em que seus efeitos são adaptativos, isso ocorra graças à capacidade que o próprio cérebro tem de tentar combater a agressão dos antidepressivos — e não o contrário. Mas, com o tempo, à medida que a agressão continua, a atividade cerebral fica comprometida sob a força constante dos medicamentos.

Uma revisão crítica da hipótese serotoninérgica chegou à seguinte conclusão: "[...] não existem evidências diretas de deficiência da serotonina ou norepinefrina apesar dos milhares de estudos que tentaram validar essa hipótese".[22] E em uma revisão contundente sobre depressão maior publicada no *New England Journal of Medicine*, em 2008, os pesquisadores fizeram a seguinte afirmação: "[...] numerosos estudos de metabólitos de norepinefrina e serotonina no plasma, na urina e no líquido cerebrospinal, bem em como autópsias do cérebro de pacientes com depressão, ainda não conseguiram identificar de maneira confiável essa suposta deficiência".[23]

O dr. Daniel Carlat, autor de *Unhinged*, fez uma afirmação contundente: "Nós nos convencemos de que desenvolvemos curas para doenças mentais [...] quando, na verdade, sabemos tão pouco sobre suas causas neurobiológicas que nossos tratamentos quase sempre são uma sucessão de tentativas e erros".[24] De fato, o cérebro orquestra uma delicada interação entre cerca de cem neurotransmissores, inclusive catorze diferentes tipos de receptores de serotonina. Imaginar que podemos escolher a dedo uma substância química cerebral e curar todos os transtornos comportamentais é uma simplificação excessiva, grosseira e totalmente absurda.

O cérebro é muito mais complexo do que o modelo de deficiência de serotonina é capaz de descrever. Para esclarecer, os ISRSs bloqueiam a remoção de serotonina das junções entre as células nervosas (sinapses) do cérebro, aumentando a frequência de disparos dos nervos serotoninérgicos. Porém, quando são superestimulados, os nervos serotoninérgicos se tornam menos sensíveis, numa tentativa de restabelecer o equilíbrio. Em linguagem científica, esse fenômeno é chamado de regulação negativa ou regulação para baixo. E esse efeito não volta ao normal depois que o uso do medicamento é interrompido. Nós, da comunidade científica, ainda não sabemos se a regulação negativa pode se tornar permanente, mas alguns colegas meus acreditam que isso acarreta um grave risco para o cérebro. Não admira que nos primeiros doze anos após a sua primeira campanha publicitária, o Prozac tenha sido citado em mais de 40 mil notificações de efeitos adversos enviadas ao FDA.[25] Nenhum outro medicamento tem um histórico nem parecido com esse.

Mesmo que aceitássemos a proposição de que esses medicamentos ajudam algumas pessoas, extrapolar uma causa médica com base nessa observação seria o mesmo que dizer que a timidez é causada por uma deficiência de álcool ou que dores de cabeça são consequência de falta de codeína. E o que dizer da vulnerabilidade genética? Existe um gene da depressão? Em 2003, um estudo publicado na revista *Science* afirmava que os indivíduos que tinham uma variação genética no transportador de serotonina eram três vezes mais propensos a ter depressão.[26] Porém, seis anos depois essa teoria caiu por terra depois que uma metanálise de 14 mil pacientes publicada no *Journal of the American Medical Association* (JAMA) negou essa associação.[27] O dr. Thomas Insel, diretor do Instituto Nacional de Saúde Mental dos Estados Unidos, fez o seguinte comentário: "Apesar das grandes expectativas, nem a genômica nem os exames de imagem influenciaram o diagnóstico ou o tratamento dos 45 milhões de americanos por ano que têm doença mental grave ou moderada".[28] O dr. Carlat fala a verdade

## Tabela 1. Evidências de que a teoria de desequilíbrio químico da depressão não é válida: algumas citações

| CITAÇÃO | CITADO EM |
|---|---|
| "Em 1970... Julius Axelrod (bioquímico e ganhador do Prêmio Nobel) chegou à conclusão de que, seja o que fosse que estivesse errado na depressão, não era um nível baixo de serotonina." | Healy, 2004, p. 12 |
| "Passei os primeiros anos da minha carreira pesquisando o metabolismo da serotonina no cérebro, mas nunca vi uma pesquisa convincente de que algum transtorno psiquiátrico, inclusive a depressão, seja causado por déficit de serotonina cerebral" (David Burns, psiquiatra que realizou pesquisas sobre serotonina na década de 1970). | Lacasse e Gomory, 2003, p. 393 |
| "A tianeptina é um composto interessante com atividade antidepressiva que se acredita estar relacionada com o aumento, e não a redução, da recaptação de 5-HT (serotonina)", (ou seja, até 1989 era conhecida como um antidepressivo que, em vez de aumentar, reduzia a serotonina). | Ives e Heym, 1989, p. 22 |
| "A ideia simplista de 'neurônio serotoninérgico [5HT]' não tem nenhuma relação com a realidade" (John Evenden, cientista pesquisador da Astra Pharmaceutical, 1990). | Shorter, 2009, p. 204 |
| "Na década de 1990 [...] Ninguém sabia se os ISRSs aumentavam ou diminuíam os níveis de serotonina; ainda não se sabe [...] Não havia evidências de que o tratamento corrigisse alguma coisa." | Healy, 2015 |
| "[...] Os pacientes têm sido diagnosticados com portadores de 'desequilíbrios químicos' apesar de não existir nenhum exame que comprove essa afirmação e de não sabermos o que seja de fato um equilíbrio químico correto. No entanto, conclusões como 'a depressão é consequência de um desequilíbrio bioquímico' são tiradas com base exclusivamente em semântica e fantasia de cientistas e psiquiatras e de um público que acreditaria em qualquer coisa que tenha o selo de aprovação da ciência médica" (David Kaiser, psiquiatra do Northwestern University Hospital, 1996). | Kaiser, 1996; Lynch, 2015, pp. 31-2 |
| "Embora se afirme com frequência com grande segurança que as pessoas deprimidas têm deficiência de serotonina ou norepinefrina, na verdade as evidências contradizem essas afirmações" (Elliot Vallenstein, neurocientista). | Valenstein, 1998, p. 100 |

| CITAÇÃO | CITADO EM |
|---|---|
| "A hipótese monoaminérgica [...] afirma que as monoaminas [...] como [...] (a serotonina) [...] são deficitárias na depressão e que a ação dos antidepressivos se baseia no aumento na disponibilidade sináptica dessas monoaminas [...] Entretanto, inferir a fisiopatologia dos neurotransmissores a partir dos [...] (ISRSs) [...] é o mesmo que concluir que como a aspirina causa sangramento gastrintestinal, que as dores de cabeça são causadas por excesso de sangue [...] Experiências adicionais não confirmaram a hipótese de depleção de monoaminas (Tratado de Psiquiatria da Associação Americana de Psiquiatria, 1999). | Dubvosky e Buzan, 1999, p. 516 |
| "Não foi encontrada deficiência de serotonina na depressão" (Joseph Glenmullen, psiquiatra. Professor de psiquiatria clínica da Faculdade de Medicina de Harvard). | Glenmullen, 2000, p. 197 |
| "[...] Eu escrevi que o Prozac não era mais eficaz, e talvez fosse menos eficaz, no tratamento de depressão maior do que os medicamentos anteriores [...] Afirmei que as teorias do funcionamento cerebral que levaram ao desenvolvimento do Prozac devem estar erradas ou incompletas" (Peter Kramer, psiquiatra da Universidade Brown, autor de *Listening to Prozac*). | Kramer, 2002 |
| "Temos de abandonar as hipóteses simplistas de atividade anormalmente alta ou anormalmente baixa de determinado neurotransmissor" (Avrid Carlson, ganhador do Prêmio Nobel por seu trabalho sobre o neurotransmissor dopamina, em 2002). | CINP Meeting with the Nobels (2003); Shorter, 2009, p. 204 |
| "Na verdade, nunca foi demonstrada a existência de alguma anormalidade nos níveis de serotonina na depressão" (Davis Healy, psiquiatra e historiador, em 2004). | Healy, 2004, p. 12 |

"Antidepressivos e a Teoria do Desequilíbrio Químico da Depressão: Uma Reflexão e Atualização sobre o Discurso", *Behavior Therapist* 38, nº 7 (outubro de 2015): pp. 206-13. Reproduzido com permissão.

## Tabela 2. Promoção da teoria de desequilíbrio químico da depressão como válida: algumas citações

| CITAÇÃO | FONTE | CITADO EM |
|---|---|---|
| "O Celexa ajuda a restaurar o equilíbrio químico ao aumentar o suprimento de um mensageiro químico no cérebro chamado serotonina." | Site do Celexa, 2005 | Lacasse e Leo, 2005 |
| "Pode-se receitar antidepressivos para corrigir desequilíbrios nos níveis de substâncias químicas do cérebro." | *Let's Talk Facts About Depression*, folheto informativo para os pacientes distribuído pela Associação Americana de Psiquiatria (APA). | Associação Americana de Psiquiatria, 2005, p. 2 |
| "Os antidepressivos [...] não têm efeito sobre o humor normal. Eles restauram a normalidade da química cerebral." | Nada Stotland, presidente da Associação Americana de Psiquiatria. | Stotland, 2001, p. 65 |
| "[Os antidepressivos só agem] quando há um desequilíbrio químico no cérebro que precisa ser corrigido." | Donald Klein, psiquiatra e psicofarmacologista. | Talan, 1997 |
| "Embora o paciente possa precisar de terapia somática para corrigir o desequilíbrio químico subjacente, ele pode precisar também de psicoterapia..." | Nancy Andreason, psiquiatra e autora de *The Broken Brain*. | Andreason, 1985, p. 258 |
| "[...] alguns pacientes deprimidos que têm níveis anormalmente baixos de serotonina respondem aos ISRSs [...]". | Richard Friedman, psiquiatra, no *The New York Times*. | Friedman, 2007 |
| "Os pacientes deprimidos realmente têm deficiência de serotonina." | Charles Nemeroff, psiquiatra. | Nemeroff, 2007 |
| "O médico deve frisar que a depressão é uma doença altamente tratável causada por um desequilíbrio químico." | Programa de Educação sobre Depressão, da MacArthur Foundation, para Clínicos Gerais. | Cole, Raju, Barrett, Gerrity e Dietrich, 2000, p. 340 |

| CITAÇÃO | FONTE | CITADO EM |
|---|---|---|
| "Os pacientes com desregulação dos neurotransmissores podem ter um desequilíbrio de serotonina e norepinefrina [...] a duloxetina (Cymbalta) pode ajudar a corrigir o desequilíbrio da neurotransmissão de serotonina e norepinefrina no cérebro." | Madkur Trivedi, psiquiatra da Faculdade de Medicina da Universidade do Texas, em The Primary Care Companion (*Journal of Clinical Psychiatry*). | Trivedi, 2004, p. 13 |
| "A correção do desequilíbrio de serotonina não apenas ajuda a melhorar o humor e a restaurar os padrões normais de sono normal e da alimentação, mas também parece promover uma sensação de bem-estar." | Michael Thase, psiquiatra e psicofarmacologista, pesquisador na Universidade da Pensilvânia, e Susan Lang, escritora da área de ciências. | Thase e Lang, 2004, p. 106 |
| "Sabemos agora que as doenças mentais — como depressão e esquizofrenia — não são 'fraquezas morais' nem doenças imaginárias, mas sim doenças reais causadas por anormalidades da estrutura cerebral e desequilíbrios na química cerebral [...] os medicamentos e outros tratamentos podem corrigir esses desequilíbrios. A psicoterapia pode melhorar diretamente o funcionamento do cérebro." | Richard Harding, presidente da Associação Americana de Psiquiatria, 2000-2001. | Harding, 2001, p. 66 |
| "Em algum ponto no curso da doença, a maioria dos pacientes e famílias precisa de alguma explicação sobre o que aconteceu e por quê. Às vezes a explicação é simplista, como 'um desequilíbrio químico' [...]". | Robert Freedman, psiquiatra da Universidade do Colorado. | Freedman, 2003, como citado por Hickey, 2014 |

com suas próprias palavras: "Onde existe um vácuo científico, os laboratórios farmacêuticos ficam felizes em inserir uma mensagem publicitária e chamarem isso de ciência. Por conseguinte, a psiquiatria se tornou uma área de testes para manipulações acintosas da ciência a serviço do lucro".[29]

Basta dizer que os dados fizeram tantos furos na teoria da serotonina que até mesmo a própria área da psiquiatria está entregando os pontos. Em um artigo escrito em 2005 pelos drs. Jeffrey R. Lacasse e Jonathan Leo para a revista *PLOS Medicine*, os autores reuniram opiniões de pensadores influentes da área, inclusive médicos e pesquisadores convencionais que manifestaram dúvidas sobre tudo o que a psiquiatria tem a oferecer em relação aos antidepressivos (veja as tabelas nas páginas 56-59).[30]

O complexo médico-farmacêutico construiu vários castelos de cartas e oferece um grande número de tratamentos — bastante rentáveis — que não são corroborados por sólidas evidências científicas. Na verdade, o FDA só exige dois estudos clínicos para aprovar a maioria dos medicamentos; isso faz com que a população participe de um experimento pós-comercialização em que os efeitos adversos — causalidade — são monitorados passivamente. É um equívoco da ciência pensar que esses medicamentos têm um lugar na medicina, que deveria ser a arte de curar. Pode-se dizer que os antidepressivos são o novo tabaco e que, assim como a indústria do tabaco, a indústria farmacêutica tem o grande poder, por meio de marketing inteligente, de nos seduzir e influenciar de maneiras furtivas e aparentemente benignas, mas que podem ser tudo, menos isso.

## Propaganda direta ao consumidor

Infelizmente, nos Estados Unidos, a propaganda direta ao consumidor (DC) permitiu que os laboratórios farmacêuticos "ensinem" ao público sobre desequilíbrios químicos cerebrais e deficiências de serotonina com frases de efeito e *slogans* que escapam à política do FDA. Eu tenho pacientes que acreditavam que a solução de tudo estava nos comprimidos — algo que elas aprenderam com os comerciais. Calcula-se que a propaganda direta ao consumidor seja responsável por quase metade (49%) dos pedidos de medicamentos.[31] Sete em cada dez vezes os médicos receitam medicamentos com base nos apelos dos pacientes, que aprenderam no computador e na televisão que eles têm um "desequilíbrio" que precisa ser corrigido com um comprimido.[32]

No período de dez anos entre 1999 e 2008, a propaganda direta ao consumidor nos Estados Unidos triplicou seus esforços para instruir os pacientes sobre a necessidade de tomar medicação psiquiátrica, saltando de 1,3 bilhão para 4,4 bilhões de dólares. O esteio do setor atual de medicamentos são medicações para o "cérebro". O Valium foi o primeiro campeão de vendas, com 2 bilhões de comprimidos vendidos em 1978. Na década de 1990 veio o Prozac, que definiu o setor. Em 2014, só nos Estados Unidos a indústria farmacêutica gastou US$ 4,53 bilhões em propaganda direta ao consumidor, 18% a mais que no ano anterior.[33]

A flagrante desconexão entre os anúncios publicitários e a literatura científica já foi descrita há mais de uma década, mas provavelmente você não leu sobre isso. Em seu artigo de 2005, os drs. Lacasse e Leo fizeram a seguinte afirmação: "Essas propagandas apresentam um conceito sedutor, e o fato de agora os pacientes dizerem que estão com um 'desequilíbrio químico' mostra que elas estão fazendo o efeito pretendido: o mercado médico está sendo moldado de forma vantajosa para os laboratórios farmacêuticos".[34] Ainda em 1998, quando começaram a surgir as propagandas de ISRSs, Elliot Valenstein, professor emérito de psicologia da Universidade do Michigan, resumiu os dados científicos da seguinte maneira: "O que os médicos e o público estão lendo sobre doença mental está longe de ser uma reflexão neutra de todas as informações disponíveis".[35]

Os Estados Unidos e a Nova Zelândia são os únicos países do mundo que permitem que a televisão veicule anúncios de medicamentos vendidos com prescrição médica. Em 1997, uma mudança nas normas do FDA abriu as comportas para a propaganda direta ao consumidor, permitindo que os fabricantes de medicamento promovam seus produtos na televisão. Isso também abriu o caminho para que celebridades, atletas, modelos e sessentões estrelem esses anúncios.

Tendo em vista essas forças, junto com o número de sintomas listados sob o uso de antidepressivos, não admira nem um pouco que sejam gastos mais de US$ 11 bilhões todos os anos com esses medicametos.[36] Os laboratórios farmacêuticos têm mais de seiscentos lobistas nos Estados Unidos; além disso, eles financiam mais de 70% dos estudos clínicos para solicitação de registro de medicamento junto ao FDA.[37] Eles cortejam os médicos, lhes dão um monte de amostras grátis, pagam para que façam palestras em congressos científicos, publicam anúncios em revistas médicas, financiam educação médica e serviços de *ghostwriter*, escolhendo a dedo os dados para publicação. Os estudos psiquiátricos financiados pela indústria farmacêutica têm quatro vezes mais probabilidade de serem publicados se relatarem resultados positivos. Apenas 18% dos psiquiatras revelam seus conflitos de interesse ao publicar dados.[38] Seus estudos admitem todos os tipos de manipulações, como descartar antes do início do estudo as pessoas que tendem a responder ao placebo, para fortalecer o benefício percebido, e também usar sedativos com os medicamentos do estudo, distorcendo, assim, os resultados a favor do medicamento (voltarei a esse assunto em breve).

Um estudo realizado pelo dr. Erick Turner no Veterans Affairs Medical Center de Portland, Estados Unidos, e publicado em 2008 no *New England Journal of Medicine* procurou expor o grau de manipulação de dados.[39] Com seus valorosos esforços para descobrir dados não publicados, o dr. Turner e sua equipe constataram que, de 1987 a 2004, foram aprovados doze antidepressivos com base em 74 estudos. Destes 74 estudos, 38 apresentaram resultados positivos, e 37 deles foram publicados. Trinta e seis apresentaram resultados negativos (ou seja, não mostraram nenhum benefício), e três deles foram publicados como tal, enquanto onze foram publicados com um viés positivo (convém ler sempre os dados, e não a conclusão do autor!) e 22 não foram publicados.

O FDA exige somente dois estudos para a aprovação de um medicamento; portanto, como você pode ver esses laboratórios ficam jogando "cara ou coroa" até dar cara, e torcendo para que ninguém esteja olhando quando der coroa. Para ter uma ideia do quanto a indústria farmacêutica pode ser ardilosa, veja o maior estudo financiado até hoje pelo Instituto Nacional de Saúde Mental dos Estados Unidos (NIMH), realizado na Universidade do Texas em 2006.[40] Nesse estudo, que custou US$ 35 milhões aos cofres públicos, os pesquisadores acompanharam mais de 4 mil pacientes tratados com Celexa (citalopram) durante doze meses. Esse não foi um estudo duplo-cego e controlado com placebo, de modo que os participantes sabiam exatamente o que estavam tomando. A metade deles melhorou depois de oito semanas. Os que não melhoraram tiveram a medicação trocada para Wellbutrin (bupropriona), Efexor (venlafaxina) ou Zoloft (sertralina), ou então receberam um "reforço" com Buspar (buspirona) ou Wellbutrin. Adivinhe o que aconteceu? Não importava quem tinha tomado o quê, a porcentagem do grupo que supostamente teve melhora foi a mesma (18% a 30%) independentemente do medicamento que estava tomando. Apenas 3% dos pacientes apresentaram remissão depois de doze meses. É aí que a história fica interessante.

Em fevereiro de 2012, foi ajuizada uma ação contra a Forest Pharmaceuticals, fabricante do Celexa, sob a acusação de que a empresa tinha subornado o pesquisador principal desse mesmo estudo para que ele alterasse os resultados a favor do Celexa. Foi feito um acordo extrajudicial logo após a empresa ter pago uma multa de US$ 150 milhões e ter bens no valor de US$ 14 milhões confiscados por suprimir e falsificar dados sobre os efeitos negativos do seu medicamento em adolescentes.[42] O Celexa só tinha sido aprovado para tratamento de adultos, mas no afã de vender mais medicamentos e aumentar seus lucros, a empresa promovia o medicamento junto a médicos que tratavam crianças e adolescentes.[42]

A conclusão óbvia é que essas práticas comprometem a precisão dos dados e transmitem informações que corrompem os cuidados médicos e colocam os pacientes em risco. O trágico custo dessa manipulação de dados é que não há um verdadeiro consentimento informado. Os médicos não podem explicar aos pacientes quais são os riscos e benefícios de um medicamento se os benefícios são inventados e os riscos não são revelados ou não são reconhecidos. E tem mais, esses medicamentos não são mais eficazes que um placebo. Já em 1984, o NIMH fez a seguinte afirmação: "Elevações ou reduções na atividade dos sistemas serotoninérgicos por si só dificilmente seriam associadas à depressão". O velho e bom efeito placebo, ao que tudo indica, explica qualquer efeito percebido a curto prazo com os antidepressivos.

## Eficácia a curto prazo:
### O poder do efeito placebo

Apesar dos esforços da indústria farmacêutica, a verdade sobre essas bombas cerebrais está vindo à tona. Em 1998, ano em que surgiu a propaganda direta ao consumidor, o dr. Irving Kirsch, psicólogo e pesquisador de Harvard e respeitado especialista do efeito placebo, publicou uma importante metanálise de quase 3 mil pacientes tratados com antidepressivos, psicoterapia, placebo ou que não receberam tratamento algum.[43] Os resultados do estudo viraram manchetes e atraíram bastante atenção — e muitas críticas. Kirsch descobriu que o placebo tinha o mesmo efeito dos medicamentos em 75% dos casos, que outros tipos de medicamentos tinham o mesmo efeito que os antidepressivos e que os restantes 25% do efeito aparente do medicamento foi atribuído ao chamado "efeito placebo ativo".

Kirsch usa essa expressão para se referir ao efeito da mera *crença* na eficácia dos antidepressivos — crença esta baseada na ocorrência de efeitos colaterais como náuseas, dores de cabeça e boca seca. O que acontece em um estudo clínico é que os sujeitos são colocados no grupo de placebo ou no grupo de medicamento sem saber para qual grupo foram designados. Como o placebo não tem efeitos colaterais (um placebo inativo), quando ocorrem efeitos colaterais, todas as crenças inspiradas pelos comerciais sobre a correção da química cerebral entram em ação, o que faz com que pelo menos um quarto dessas pessoas comece a se sentir melhor.

Então, até que ponto podemos atribuir ao efeito placebo a melhora dos nossos sintomas quando tomamos um antidepressivo? A forte reação contra o estudo de Kirsch o inspirou a continuar explorando o poder do efeito placebo. Em 2008, ele publicou outra metanálise contundente que suscitou uma resposta incendiária dos críticos.[44] Dessa vez, ele se valeu da Lei de Liberdade de Informação para ter acesso a estudos clínicos não publicados e descobriu que, quando os resultados desses estudos eram incluídos, os antidepressivos só eram mais eficazes que o placebo em vinte estudos, de um total de 46. Isso é menos da metade! E tem mais, a diferença entre medicamentos e placebos era de 1,7 ponto na Escala de Avaliação de Depressão de Hamilton, uma escala de 52 pontos utilizada nos estudos clínicos para classificar a depressão. Em suma, esse aumento é insignificante do ponto de vista clínico e provavelmente era responsável pelos efeitos colaterais secundários (como ativação e sedação).

A reação a esse artigo levou Kirsch a publicar outro artigo que expunha claramente os fatos, desafiava seus críticos e demonstrava mais uma vez o poder do efeito placebo.[45] Em sua conclusão ele escreveu: "Sem conhecimentos precisos, os pacientes e os médicos não podem tomar decisões informadas sobre o tratamento, os pesquisadores farão as perguntas erradas e os formuladores de políticas implementarão políticas com base em informações equivocadas. Se o efeito dos antidepressivos for, em grande parte, um efeito placebo, é importante que saibamos disso. Isso significa que é possível obter melhora sem recorrer a medicamentos viciantes que podem produzir graves efeitos colaterais".

Quando o livro de Kirsch, *The Emperor's New Drugs: Exploding the Antidepressant Myth*, foi publicado em 2010 com provas de que os antidepressivos não têm uma vantagem clinicamente significativa em relação ao placebo, sua análise foi acolhida pelos pesquisadores como uma contribuição válida, porém provocativa, à literatura médica. Mas seu livro não mudou a psiquiatria clínica nem o número de antidepressivos receitados, e continua a ser alvo de críticas e até mesmo da ira dos psiquiatras, que tentam desesperadamente encontrar erros em seus achados para defender suas práticas agora sem embasamento. É difícil culpá-los; eles empregaram muito tempo, dinheiro e esforço para aprender mentiras sobre os antidepressivos! A ironia de tudo isso é que os resultados de Kirsch foram obtidos a partir de estudos clínicos subscritos e concebidos *pelos próprios laboratórios farmacêuticos*. Esses estudos foram realizados de forma a dar vantagem aos medicamentos, mas que ainda não mostraram ser mais eficazes que o placebo.[46]

Para ser aprovado, um medicamento deve demonstrar ser superior ao placebo. Como você deve imaginar, os laboratórios farmacêuticos desprezam o efeito placebo. Eles fazem o possível para minimizar o impacto do placebo em seus estudos. O FDA não deveria permitir que eles usassem essas técnicas, outro exemplo da vergonhosa má conduta da indústria farmacêutica.

Como o banco de dados do FDA contém os resultados de todos os estudos clínicos, publicados e não publicados, a análise desse banco de dados é muito útil. Lembre-se de que os laboratórios farmacêuticos geralmente não publicam resultados negativos. Eles preferem arquivar esses estudos numa gaveta onde nunca serão achados; essa é origem do fenômeno "gaveta de arquivo".

Um estudo fascinante publicado em 2014 no *Journal of Clinical Psychiatry*, uma das revistas mais respeitadas da minha área, analisou — e expôs — o verdadeiro poder da crença no tratamento psiquiátrico. Um grupo de pesquisadores da Universidade Columbia analisou dados de dois grandes estudos multicêntricos de suspensão do medicamento realizados com um total de 673 pessoas diagnosticadas com transtorno depressivo maior tratadas com fluoxetina (Prozac genérico) por doze semanas.[47] Depois desses três meses, os participantes dos estudos foram informados de que seriam designados aleatoriamente para receber placebo ou continuar com a fluoxetina. Portanto, embora todos soubessem que tinham tomado antidepressivo nos primeiros três meses, eles não sabiam se daí em diante receberiam um antidepressivo ativo ou um comprimido de açúcar. Os resultados falaram por si só: ambos os grupos — o que continuou com a fluoxetina e o que foi transferido para o grupo de placebo — apresentaram *piora* dos sintomas da depressão. Esse resultado sugere duas interpretações importantes: (1) o efeito inicial durante os primeiros três meses podia ser atribuído ao placebo, pois todos os pacientes sabiam que estavam recebendo tratamento; e (2) o agravamento dos sintomas diante da mera possibilidade de tomar apenas placebo revela que *o efeito placebo se desfez*, um fenômeno que às vezes é chamado de efeito *nocebo*.

Outras metanálises também identificaram a existência do tremendo efeito placebo. Não se pode desprezar o poder da convicção e da expectativa de cura quando os tratamentos médicos parecem funcionar. Na minha opinião, o uso de medicamentos associados a graves efeitos colaterais de curto e longo prazos e que tiram proveito do efeito placebo é uma prática questionável do ponto de vista ético.

Eu trabalho com o efeito placebo todos os dias em meu consultório, pois quero incutir outros tipos de crenças em meus pacientes. Até mesmo pessoas que dizem ter tendência suicida podem apresentar o efeito placebo sob meus cuidados. A decisão de tirar a própria vida não é um traço que teria sido selecionado ao longo dos milênios de evolução humana. É mais lógico presumir que tenha origem em desequilíbrios fisiológicos, e o que tento de fazer é corrigir esses desequilíbrios dos meus pacientes. Eu procuro problemas como deficiências nutricionais, interferências endócrinas e autoimunidade. O mais importante é fazer com que meus pacientes saibam que estão no comando. Eles têm os meios. Isso é muito importante, pois eles me procuram achando que eu tenho o que eles não têm — uma solução rápida. A ideia de uma solução rápida é maravilhosa, e seria sensacional se existisse. Infelizmente, os dados indicam que isso não é verdadeiro e que podemos estar fazendo mais mal do que bem ao fingir coletivamente que existe. O problema é que faz parte da nossa natureza humana nos sentir melhor depois de fazer algo que *achamos* que nos fará sentir melhor. Mas às vezes a inação é o melhor remédio.

## EFEITOS COLATERAIS DE LONGO PRAZO: MAIS MEDICAMENTOS, MAIS DEPRESSÃO, MAIS INCAPACIDADE [...] E MORTE?

Mas talvez você esteja se perguntando: "E se esses medicamentos, na verdade, funcionarem para algumas pessoas?" Ainda assim não valeria a pena as consequências pelo efeito placebo, sobretudo por seus efeitos colaterais, que são ocultados do público leigo. É revoltante que os laboratórios farmacêuticos possam empregar quaisquer táticas para determinar a eficácia dos medicamentos, inclusive a supressão de dados, e depois usar essas táticas para legitimar a sua prescrição em longo prazo sem levar em consideração os verdadeiros efeitos colaterais que surgem com a administração prolongada.

Em minhas palestras, quando falo sobre a inutilidade e os riscos dos antidepressivos, gosto de fazer a seguinte analogia utilizada pelo dr. David Healy, psiquiatra britânico de renome internacional: digamos que você sofra de ansiedade social. Você vai a uma festa e toma duas taças de vinho para relaxar. Invadida por uma sensação de calma, seus sintomas desaparecem. Você deduziria que tem uma deficiência de álcool e que deveria beber toda vez que tivesse esse sintoma. Talvez até beber regularmente para não ter esse sintoma nunca mais. Essa analogia é emblemática da prática de distribuir antidepressivos sem qualquer consideração sobre suas consequências em longo prazo.[48]

Nós chegamos a um ponto no abuso de antidepressivos na psiquiatria em que temos uma teoria mal elaborada num vácuo da ciência que a indústria farmacêutica se apressou em preencher. Temos a ilusão de que esses medicamentos são eficazes a curto prazo e pressupomos que sejam seguros em longo prazo. Seus possíveis efeitos colaterais são absolutamente horripilantes, desde supressão da libido e disfunção sexual, sangramento anormal, insônia, enxaqueca, aumento de peso e desequilíbrios da glicose no sangue até risco de comportamento irracional, violento e suicida. Antes de falar sobre o pior dos efeitos colaterais e sobre as complicações da abstinência, vamos nos concentrar em como a nossa capacidade funcional em longo prazo é significativamente comprometida pelos antidepressivos quando tratamos um primeiro episódio de depressão com medicamentos. Esse ponto foi explorado com maestria por Robert Whitaker, cujo site (www.madinamerica.com) é uma biblioteca virtual de dados publicados e revisões cuidadosas de vários estudos clínicos em longo prazo que acompanharam a evolução de grandes grupos de pessoas que tomavam antidepressivos. Esses estudos demonstraram repetidamente que as pessoas tratadas com antidepressivos têm resultados funcionais ruins em comparação com aquelas que recebem tratamento medicamentoso mínimo ou que não fazem tratamento medicamentoso.[49] Elas correm maior risco de ter todos os efeitos colaterais agudos já mencionados, bem como maior risco de ter recaída, deficiência cognitiva, diagnóstico secundário e, consequentemente, de receber outros tratamentos medicamentosos (primeiro um diagnóstico de depressão e, em seguida, de transtorno bipolar) e hospitalização recorrente.

Impressionantes 60% dos pacientes continuam com depressão depois de um ano de tratamento, apesar da melhora temporária observada nos primeiros três meses.[50] Dois estudos prospectivos, em particular, confirmam que o desfecho dos pacientes que tomam medicamentos é *pior*. Em um deles, um estudo britânico, 62% dos pacientes do grupo que não recebeu tratamento medicamentoso apresentaram melhora depois de seis meses, enquanto somente 33% dos pacientes do grupo que recebeu tratamento medicamentoso apresentaram redução dos sintomas.[51] Em outro estudo de pacientes deprimidos realizado pela Organização Mundial da Saúde (OMS) em quinze cidades do Reino Unido, ao final de um ano, aqueles que não foram expostos a medicamentos psicotrópicos tinham um "estado geral de saúde" muito melhor, seus sintomas depressivos estavam muito "mais suaves" e eles tinham menos propensão a ficar "mentalmente doentes"![52]

Agora vamos analisar os efeitos colaterais de maior gravidade que podem ocorrer com os antidepressivos: comportamento violento, recidiva e sintomas incapacitantes de retirada da medicação entre aqueles que tentam escapar de suas garras. Há muito tempo sabe-se que os antidepressivos podem induzir a comportamentos violentos, inclusive suicídio e homicídio. De fato, cinco dos dez medicamentos que mais induzem violência são antidepressivos.[53] Nas últimas três décadas, centenas de tiroteios em massa, assassinatos e outros episódios violentos foram cometidos por indivíduos que tomavam medicamentos psiquiátricos. A indústria farmacêutica gasta cerca de US$ 2,4 bilhões por ano com comerciais de TV de medicamentos como Zoloft, Prozac e Paxil. As emissoras de televisão não podem se dar ao luxo de transmitir notícias negativas sobre medicamentos controlados, pois perderiam dezenas de milhões de dólares em receita publicitária (não admira que a conexão seja habitualmente minimizada ou totalmente ignorada). A roleta-russa dos pacientes vulneráveis a esses "efeitos colaterais" está apenas começando a ser conhecida e pode ter algo a ver com o modo como cada organismo (e a ação de seu código genético único) metaboliza essas substâncias químicas e com a carga alostática (estresse) preexistente. O dr. Healy trabalhou incansavelmente para expor os dados que associam os antidepressivos ao risco de suicídio e violência, mantendo um banco de dados de notificações, textos e relatos de casos de morte induzida por medicamento que faria você estremecer. E as pessoas mais vulneráveis: parturientes e recém-nascidos indefesos? Eu atendo várias pacientes como Kate que dizem ter tido pensamentos suicidas, algo que nunca tiveram antes, semanas depois de começar a tomar um antidepressivo para tratamento de depressão pós-parto.

Poucos estudos clínicos aleatorizados analisaram o uso de antidepressivos para depressão pós-parto, e tenho sérias preocupações com as mulheres que são tratadas com medicamentos antes que outras intervenções mais benignas e eficazes sejam exploradas, como tratamento da tireoide e modificação da dieta e dos hábitos de sono nesse período caracterizada por grande privação do sono. Nós já sabemos que a "tristeza" costuma desaparecer em três meses sem qualquer tratamento, e mais de 70% das mulheres ficam livres da depressão em um ano sem tomar nenhum medicamento.[54] No entanto, recorremos automaticamente a esses medicamentos, com seus efeitos imprevisíveis que podem nos impedir de obter alívio permanente por meio dos poderosos recursos do próprio organismo, embora levem de seis a oito semanas para "fazer efeito".

Em 2004, o FDA passou a exigir que a bula de antidepressivos incluísse a seguinte advertência: "Os antidepressivos aumentaram o risco de pensamento e comportamento suicida (ideação suicida) em crianças, adolescentes e jovens adultos em estudos de curta duração de transtorno depressivo maior (TDM) e outros transtornos psiquiátricos, em comparação com o placebo".[55] O FDA foi forçado a revisar a bula após uma avalanche de ações judiciais que obrigaram os laboratórios farmacêuticos a revelar dados sobre os medicamentos que anteriormente foram ocultados.

A inclusão dessa advertência na bula deveria ter feito com que as pessoas – e os pais – refletissem. Porém, desde 2004 o uso de antidepressivos só aumentou entre crianças e adultos. É comum eu ajudar mulheres que querem engravidar a evitar tomar antidepressivos ou a fazer a retirada gradual deles, apesar de ter sido "especialmente treinada" para prescrevê-los a essa população. Em muitos casos, o primeiro passo consiste em aceitar o fato de que lhes contaram mentiras sobre o valor dos antidepressivos e de seus supostos benefícios. Enquanto isso, os aspectos negativos desses medicamentos não são apenas minimizados, mas também ativamente ocultados.

Se você visitar os sites SurvivingAntidepressants.org, BeyondMeds.com ou SSRIstories.org, perceberá que nós criamos um monstro. Milhões de homens, mulheres e crianças em todo o mundo estão sofrendo com os efeitos colaterais dos antidepressivos, inclusive o problema de abstinência complicada, ignorada com frequência pelos médicos. Ao contrário do que a indústria farmacêutica quer que você acredite, é muito difícil deixar de usar os antidepressivos; portanto, ao decidir tomá-los você pode estar se candidatando ao uso vitalício de um medicamento que produz e mantém estados alterados no cérebro e em todo o sistema nervoso. Como uma médica que já acreditou nesses medicamentos, fiquei abismada com o que eles são capazes de fazer. Na verdade, mesmo quando fiz a retirada lenta e gradual de Celexa (citalopram) de algumas pacientes, reduzindo a dose em apenas 0,001 mg por mês, é difícil imaginar outra classe de substância que tenha uma retirada tão complicada.

Eu me dei conta da natureza viciante desses medicamentos quando ajudei uma paciente que queria engravidar no ano seguinte a deixar de tomar Zoloft (sertralina). Ela teve síndrome de abstinência tardia, que começou cerca de dois meses depois da última dose e durou seis meses. Minha formação não havia me preparado para lidar com isso.

A verdade é que sabemos muito pouco sobre os verdadeiros efeitos desses medicamentos! Ao mesmo tempo, precisamos reconhecer que a neurofisiologia é muito complexa. Embora seja tentador achar que conseguimos decifrar o código do comportamento humano e toda a sua intrincada fisiologia, estamos longe disso. Por exemplo, há dez anos não sabíamos que o cérebro tinha um sistema imunológico, e há dois anos não sabíamos que tinha vasos linfáticos – aspectos básicos da anatomia. Nós achávamos que a atividade imunológica no cérebro só acontecia sob certas circunstâncias patológicas. Mas agora identificamos a micróglia – bilhões de células que desempenham um papel específico no controle das respostas inflamatórias do cérebro com base nas ameaças provenientes de outras partes do corpo.[56] Não se trata apenas de tentar corrigir os níveis químicos do cérebro ou do corpo.

Nós gostamos de nos agarrar a explicações simples, mas até o nome genérico de vários antidepressivos, *inibidores seletivos da recaptação da serotonina*, é enganoso. Eles estão longe de ser seletivos. Em setembro de 2014, um novo estudo alarmante do Instituto Max Planck, em Leipzig, Alemanha, mostrou que *uma única dose* de antidepressivo pode alterar a arquitetura cerebral *depois de três horas*, mudando a conectividade funcional do cérebro.[57] O estudo, publicado na revista *Current Biology*, chocou não apenas os jornalistas especializados na área da saúde, mas também os médicos que prescrevem esses medicamentos.

Uma importante análise do ex-diretor do NIMH e publicada no *American Journal of Psychiatry* mostra que os antidepressivos "perturbam a atividade dos neurotransmissores", levando o corpo a se adaptar por meio de uma série de eventos biológicos que ocorrem após a "administração crônica", o que faz com que depois de algumas semanas o cérebro funcione de maneira "diferente do estado normal tanto em termos qualitativos como quantitativos".[58] Em outras palavras, a atividade natural do cérebro é agredida pelo medicamento de tal forma que esse estado pode se tornar permanente. Dito isso, tudo o que vamos explorar neste livro diz respeito à tremenda e quase irrefreável resiliência do cérebro quando ele recebe o devido apoio.

Por meio de uma cuidadosa metanálise de 46 estudos, o dr. Paul Andrews do Instituto de Psiquiatria e Genética Comportamental da Virgínia demonstrou que o risco de recaída do paciente é diretamente proporcional à perturbação cerebral causada pelo medicamento.[59] Quanto maior a perturbação, maior o risco de recaída após a interrupção do tratamento. Ele e seus colegas contestam toda a noção de recaída, afirmando que quando você se sente horrível depois de parar de tomar um antidepressivo, o que você tem é uma *síndrome de abstinência* — e não uma volta da sua doença mental. E quando você opta por tomar medicamento, na verdade está estendendo a duração da sua depressão. Nas palavras de Andrews, "[...] os pacientes que não tomam medicamentos têm episódios muito mais curtos e melhores perspectivas em longo prazo do que os que tomam [...]. A duração média de um episódio de depressão maior não tratado é de doze a treze semanas".[60]

Num estudo retrospectivo de dez anos realizado na Holanda, 76% das pessoas com depressão não tratada se recuperaram sem recaída, em comparação com 50% das pessoas tratadas.[61] Ao contrário do grande número de estudos contraditórios sobre efeitos colaterais em curto prazo, não existem estudos comparáveis que mostram que os pacientes que tomam antidepressivos por tempo prolongado tenham melhor desfecho.

Pesquisadores de Harvard também concluíram que pelo menos 50% dos pacientes que param de tomar antidepressivos apresentam recaída depois de catorze meses.[62] Segundo uma equipe de pesquisadores chefiada pelo dr. Rif El-Mallakh da Universidade de Louisville: "O uso prolongado de antidepressivos pode ser depressogênico [...] é possível que os agentes antidepressivos modifiquem as sinapses neuronais, o que não apenas torna os antidepressivos ineficazes como também induz a um estado depressivo resistente ao tratamento". O dr. El-Mallakh e seus colegas fizeram essa declaração corajosa em 1999, numa carta ao editor do *Journal of Clinical Psychiatry*.[63] Mais tarde, em 2011, eles publicaram um novo artigo incluindo 85 citações que comprovavam que os antidepressivos pioram a situação em longo prazo.[64] (Portanto, quando seu médico diz: "Veja bem, você está muito doente, não devia ter suspendido a medicação", saiba que os dados indicam que seus sintomas são sinais de síndrome de abstinência, e não de recaída.)

Em *Anatomy of an Epidemic*, Robert Whitaker resume o assunto de maneira sucinta:

> Agora podemos ver como toda a história dos antidepressivos se encaixa e por que o uso disseminado desses medicamentos contribuiu para o aumento do número de pessoas consideradas mentalmente incapacitadas nos Estados Unidos. Em curto prazo, aqueles que tomam antidepressivos provavelmente terão uma melhora dos sintomas. Eles vão considerar essa uma prova de que os medicamentos funcionam, assim como seus médicos. No entanto, essa melhora dos sintomas em curto prazo não é significativamente maior do que a observada em pacientes tratados com placebo, e esse uso inicial também os coloca num curso problemático em longo prazo. Se eles pararem de tomar os medicamentos, correrão um grande risco de ter uma recaída. Mas se continuarem a tomar os medicamentos, provavelmente também terão episódios recorrentes de depressão, e essa cronicidade aumenta o risco de que eles se tornem incapacitados. Os ISRS, até certo ponto, agem como uma armadilha, da mesma maneira que os neurolépticos [tranquilizantes].[65]

Passaram-se mais de vinte anos desde que os médicos e pesquisadores começaram a coletar evidências contra os antidepressivos. Embora possam oferecer alívio em curto prazo graças ao efeito placebo, esses medicamentos levam a uma depressão crônica persistente que resiste ao tratamento quando tomados por um período prolongado. Em algumas pessoas, a retirada do medicamento pode produzir uma elevação lenta e gradual do humor, mas nem sempre isso acontece, e a depressão pode se tornar mais ou menos permanente. Lembre-se do efeito do álcool.

Não admira que os poderosos na minha área não tenham analisado esse assunto nem realizado uma investigação séria. No entanto, continuam surgindo estudos. No início de 2015, saiu outra manchete para a qual a indústria farmacêutica fechou os olhos. A manchete dizia: "A retirada de antidepressivos ISRS pode causar longos e intensos problemas de abstinência" e mencionava a primeira revisão sistemática dos problemas de abstinência que os pacientes apresentam quanto tentam parar de tomar antidepressivos ISRS.[66] Uma equipe de pesquisadores americanos e italianos descobriu que parar de tomar ISRSs era, de muitas maneiras, comparável a tentar parar de tomar barbitúricos e sedativos benzodiazepínicos.[67] Eles também descobriram que os sintomas de abstinência não são passageiros; podem durar meses ou até mesmo anos. Além disso, a interrupção dos ISRSs pode levar ao surgimento de transtornos psiquiátricos persistentes e totalmente novos.

Os autores dessa pesquisa analisaram quinze estudos clínicos aleatorizados e controlados, quatro estudos abertos, quatro pesquisas retrospectivas e 38 relatos de caso de retirada de ISRS. Os piores resultados foram da paroxetina (Paxil), mas todos os antidepressivos ISRSs causavam uma série de sintomas de abstinência, de tontura, sensação de choque elétrico e diarreia a ansiedade, agitação, insônia e depressão severa. Segundo os autores: "Os sintomas geralmente ocorrem poucos dias depois da interrupção do medicamento e duram algumas semanas, mesmo com a retirada gradual. Entretanto, são possíveis muitas variações, inclusive a ocorrência de distúrbios tardios e/ou persistentes. Os sintomas podem ser facilmente confundidos com sinais de recaída iminente".

Em suas conclusões, eles afirmam o que deveria ser o óbvio: "Os médicos precisam adicionar os ISRSs à lista de medicamentos que podem induzir sintomas de abstinência mediante a interrupção do tratamento, junto com benzodiazepínicos, barbitúricos e outros psicotrópicos". Um editorial que acompanhou o artigo desses pesquisadores observou que: "Este tipo de síndrome de abstinência consiste em: (1) retorno da doença original com maior intensidade e/ou com outras características da doença e/ou (2) sintomas relacionados com novos distúrbios emergentes. Esses sintomas persistem pelo menos seis semanas após a retirada do medicamento e são severos e incapacitantes o bastante para fazer com que os pacientes retomem o tratamento medicamentoso anterior. Quando o tratamento não é retomado, os distúrbios pós-retirada podem durar de vários meses a anos".

O editorial também afirma que: "Com a retirada do ISRS, podem surgir transtornos persistentes que se manifestam como novos problemas psiquiátricos, em particular transtornos que podem ser tratados com eficácia com ISRSs e ISRNs (inibidores seletivos da recaptação da norepinefrina). Alguns problemas significativos pós-retirada observados com o uso de ISRS são transtornos de ansiedade, insônia tardia, depressão maior e transtorno bipolar".

Essa notícia é perturbadora para as atuais práticas da psiquiatria. De acordo com as diretrizes da Associação Americana de Psicologia para tratamento de transtorno depressivo maior, "Durante a fase de manutenção, o antidepressivo que produziu a remissão dos sintomas na fase aguda e manteve a remissão durante a fase de continuação deve ser mantido na dose terapêutica total". Essa diretriz simplesmente promove a venda de medicamentos, produzindo mais efeitos colaterais incapacitantes.

## Não entre na toca do coelho

Precisamos nos libertar do feitiço que a indústria farmacêutica nos jogou. O canto do cisne da psiquiatria já foi entoado; ouça seu lamento. Temos de rejeitar o meme da serotonina e começar a olhar a depressão, e também a ansiedade, o transtorno bipolar, a esquizofrenia e o transtorno obsessivo-compulsivo, pelo que eles são: expressões distintas de um corpo que luta para se adaptar a um agente estressor. Existem épocas na nossa evolução como espécie cultural em que precisamos desaprender o que aprendemos e rever nossas crenças. Temos de sair do conforto da certeza para a luz libertadora da incerteza. Só assim poderemos crescer de verdade.[68]

Na minha opinião, esse crescimento abrange uma sensação de admiração — tanto uma curiosidade em relação ao que os sintomas de doença mental podem estar nos dizendo sobre a nossa fisiologia e o nosso espírito como um sentimento de humildade diante de tudo aquilo que ainda não temos os instrumentos para avaliar. Por essa razão, o nosso instrumento de cura mais primal e mais poderoso consiste em respeitar a nossa coevolução com a natureza e enviar ao corpo um sinal de segurança por meio de movimento, alimentação, meditação e desintoxicação ambiental. Precisamos também identificar vulnerabilidades e exposições químicas e reforçar a função celular básica, os mecanismos de desintoxicação e a resposta imunológica. Isso é, em última instância, uma medicina personalizada.

Para mim, a pior parte da confusão equivocada que fizemos da assistência à saúde mental é que não estamos aproveitando o nosso potencial para a verdadeira resiliência e nossa capacidade de autocura. Certamente existem alternativas seguras e eficazes para nos ajudar a superar esses problemas. Talvez o mais preocupante para um médico holístico sejam os dados que indicam que o tratamento prolongado com antidepressivos na verdade compromete os benefícios do exercício![69] Demonstrou-se que o exercício tem efeitos comparáveis aos do Zoloft, mas que podem ser reduzidos quando combinados com Zoloft; os pacientes têm mais recaídas do que quando fazem apenas exercício. Vou falar mais detalhadamente sobre o exercício no Capítulo 7. O exercício é um antídoto para a depressão, e deve ser usado sem antidepressivos.

A saúde mental sempre dependerá da saúde de todo o corpo. Quando você descobrir os verdadeiros desequilíbrios que estão por trás de todos os seus sintomas — físicos e mentais — e tomar medidas para tratá-los, poderá recuperar a sua saúde sem recorrer a tratamentos medicamentosos problemáticos e sessões intermináveis de psicoterapia.

A próxima pergunta a responder é: "Que tipos de 'desequilíbrios' estão sob o véu da depressão?" Vamos descobrir no próximo capítulo.

CAPÍTULO 3

# A Nova Biologia da Depressão

*O que a flora intestinal e a inflamação silenciosa têm a ver com a saúde mental*

---

Depressão em geral é um quadro causado por inflamação, e não uma doença causada por deficiência neuroquímica.

O melhor caminho para o cérebro — e para a paz de espírito — é pelo intestino.

---

Pegue qualquer livro de saúde ou dieta publicado recentemente e é provável que você lerá sobre os males da inflamação crônica e os benefícios do microbioma humano. Esses têm sido dois chavões atuais da ciência, e por uma boa razão. Esses conceitos refletem o sinal dos tempos, pois chegamos a um ponto na nossa evolução coletiva em que a nossa saúde está sendo atropelada por estilos de vida incompatíveis com a maneira como fomos biologicamente projetados para viver. Ficamos ociosos quando nosso corpo quer se movimentar, ingerimos alimentos que o nosso organismo não reconhece e nos expomos a fatores ambientais que agridem as nossas células. Essa incompatibilidade está gerando um grave conflito interno e levando a um aumento descontrolado da inflamação crônica, como um alarme que não desliga.

A inflamação está por trás de praticamente toda enfermidade e doença crônica, de obesidade, doença cardíaca e diabetes a doenças degenerativas, como demência e câncer. Já mencionei inflamação dezenas de vezes neste livro, porque a ciência está nos dizendo que depressão é também um quadro inflamatório. Segundo esse modelo, depressão é uma febre generalizada que pouco nos diz sobre o que está de fato fazendo com que o corpo reaja e se proteja dessa maneira. O corpo está "quente" e precisamos entender por quê. Os sintomas depressivos são apenas a manifestação de muitos efeitos sobre os hormônios e neurotransmissores, mas se quiséssemos chegar à sua fonte, descobriríamos vários marcadores inflamatórios. A fonte pode ser uma só, como um ingrediente alimentar ao qual o corpo reage de maneira adversa, ou várias, que afetam de modo indireto o funcionamento cerebral devido ao seu impacto sobre o sistema imunológico e a resposta ao estresse. Na verdade, a relação entre depressão e inflamação é tão convincente que os pesquisadores estão analisando o uso de medicamentos que alteram o sistema imunológico para tratar a depressão.[1]

Os pesquisadores estão procurando desesperadamente uma nova fronteira, pois o modelo atual está em crise. Como vimos, a psiquiatria moderna serviu como um repositório das limitações diagnósticas e terapêuticas da medicina convencional. Quando os sintomas de indisposição, "névoa mental", letargia, falta de atenção, insônia, agitação e indiferença emocional não se encaixam nos limites distintos da medicina de especialidades, a paciente é encaminhada para tratamento psiquiátrico. Quando ela é tratada com anti-inflamatórios não esteroides (AINEs), estatinas, bloqueadores de ácido, antibióticos e pílulas anticoncepcionais, o médico não entende bem os efeitos desses medicamentos, despreza as queixas da paciente e a encaminha para tratamento psiquiátrico. Mas o que acontece quando o próprio tratamento psiquiátrico é à base de terapia medicamentosa, com efeitos em curto prazo estimulados pelo efeito placebo e piores resultados funcionais em longo prazo? Talvez esteja na hora de reconhecer as falhas desse paradigma.

Agora que a literatura científica demoliu o modelo segundo o qual a depressão é causada por deficiência de serotonina, ele não se sustenta mais, e continuar atirando medicamentos num alvo falso está fazendo mais mal do que bem. Seria melhor que a psiquiatria seguisse a via investigativa de outras doenças crônicas, como artrite, asma, alguns tipos de câncer, diabetes, doenças autoimune, mal de Alzheimer e doença cardíaca — que podem ser consequência de um estilo de vida que provoca inflamação.

O conceito atual de psiconeuroimunologia suplantou o modelo serotoninérgico míope na literatura científica.[2,3] Esse novo modelo revela a inter-relação entre o intestino, o cérebro e o sistema imunológico — e nos afasta da perspectiva estreita de "um gene, uma doença, um comprimido". Há quase um século a área da psiquiatria conhece o papel do sistema imunológico no desenvolvimento da depressão. Mas só recentemente começamos a compreender de fato essas importantes conexões, graças aos avanços tecnológicos e a grandes estudos em longo prazo que revelam o impacto da relação entre imunidade, inflamação, flora intestinal e saúde mental.[4]

Dada a nossa conscientização da complexidade dessas conexões, inclusive o papel do microbioma, a biologia tal como a conhecemos precisa ser revista, sobretudo no que diz respeito à sua aplicação direta nos seres humanos em intervenções médicas. Não podemos mais dizer "ela nasceu com isso" — esse meme desdenhoso que dominou grande parte da medicina no século XX. Tampouco podemos dizer que a mesma exposição causa a mesma doença em todas as pessoas. De acordo com a medicina convencional, diferentes problemas genéticos ou agentes infecciosos causam diferentes doenças para as quais existem soluções distintas com um único comprimido. E dessa teoria de "corpo enfraquecido e vulnerável" surgiu a mentalidade de "eu contra o mundo microbiano". René Dubos, famoso microbiologista e pioneiro do conceito de origens desenvolvimentistas da saúde e da doença, bem como o responsável pelo desenvolvimento do primeiro antibiótico testado clinicamente, alertou-nos há meio século sobre os perigos da clássica teoria microbiana das doenças:

> O próprio homem surgiu de uma linha evolutiva que se iniciou com a vida microbiana, uma linha comum a todas as espécies animais e vegetais [...] [ele] depende não apenas de outros seres humanos e do mundo físico, mas também de outras criaturas — animais, plantas e microrganismos — que evoluíram junto com ele. O homem acabará destruindo a si mesmo se eliminar irrefletidamente os organismos que constituem elos essenciais na complexa e delicada teia de vida da qual ele faz parte.[5]

A conscientização do papel que os microrganismos desempenham no nosso cotidiano nos levou a uma compreensão totalmente nova das fusões indeléveis entre as funções do intestino e do cérebro. Na verdade, o papel do sistema imunológico do cérebro só foi elucidado nos últimos dez anos e, embora ainda existam muitas dúvidas, os fatos que embasam os argumentos irrefutáveis contra os medicamentos e a favor de abordagens totalmente naturais ao bem-estar estão se acumulando rapidamente. Nas palavras das dras. Paula Garay e A. Kimberly McAllister da Universidade da Califórnia em Davis (UC Davis), que estudam as chamadas moléculas imunológicas (as células e suas substâncias que reagem a ameaças internas e externas):

> [...] o número de moléculas imunológicas que poderiam ser importantes no desenvolvimento e funcionamento do sistema nervoso é espantoso. Embora a nossa compreensão dos papéis fundamentais desempenhados pelas moléculas imunológicas na saúde do cérebro tenha aumentado bastante nos últimos dez anos, ainda não foram estudadas a presença e a função da grande maioria dessas moléculas no cérebro. Em relação àquelas que reconhecidamente são importantes, não se sabe quase nada sobre seus mecanismos de ação.[6]

Por que essa mensagem não chegou até aqueles que ainda acreditam que podemos manipular com segurança o comportamento humano com medicamentos psicotrópicos ou que não deveríamos nos preocupar com os efeitos das substâncias presentes em nosso ambiente que desestabilizam o sistema imunológico, como ingredientes alimentares e vacinas? Os medicamentos foram desenvolvidos sem nem mesmo um conhecimento básico dessa fisiologia relevante, muito menos das suas consequências sobre o sistema imunológico no cérebro. Só recentemente os cientistas começaram a analisar como alguns antipsicóticos, inclusive os antidepressivos, alteram as colônias nativas de bactérias no organismo e tornam os pacientes vulneráveis a outros problemas de saúde. Constatou-se, por exemplo, que a desipramina altera a composição dos microrganismos na boca, causando secura e gengivite. Outro exemplo: a olanzapina altera o equilíbrio microbiano, com consequências como distúrbios metabólicos e aumento de peso, sobretudo em mulheres. Lembre-se de que até 2015 nós nem sabíamos que o cérebro tem um sistema linfático cuja principal finalidade é conectá-lo ao sistema imunológico. Como afirmaram os autores desse trabalho publicado na revista *Nature* em 2015: "A descoberta do sistema linfático do sistema nervoso central exige uma reavaliação das pressuposições básicas da neuroimunologia e lança uma nova luz sobre a etiologia das doenças neuroinflamatórias e neurodegenerativas associadas com disfunção do sistema imunológico".[7]

Está na hora de fazer essa reavaliação. Está na hora de disciplinas como a psiconeuroimunologia tomarem forma e fornecerem um contexto mais preciso para a nossa compreensão — respeitando as complexidades conhecidas e desconhecidas do organismo humano e seu entorno.

Então, com tudo isso em mente, vamos desconstruir o que se sabe sobre depressão em relação a processos inflamatórios e à conexão entre cérebro e intestino. Começarei apresentando alguns fatos básicos sobre inflamação.

## MODELO INFLAMATÓRIO DA DEPRESSÃO

Como todos nós sabemos, o sistema imunológico é essencial para a saúde e o bem-estar do ser humano. Ele ajuda a coordenar a resposta do corpo ao seu entorno, de substâncias químicas e medicamentos a lesões físicas e infecções, mantendo uma importante separação entre o que é "próprio do organismo" e o que é "estranho ao organismo". Um sistema imunológico sadio é capaz de vivenciar formas apropriadas de inflamação, com as quais presumo que você esteja familiarizada em um nível rudimentar — por exemplo, a inflamação que ocorre depois de um simples corte no dedo ou de um tornozelo torcido. Essas são respostas inflamatórias que podemos sentir e às vezes até mesmo ver (como vermelhidão, inchaço e hematoma). Nesse caso, a inflamação faz parte de uma cascata biológica necessária para que o corpo possa se defender de algo que ele acredita ser nocivo e, subsequentemente, se recalibrar. Quando o desencadeante da inflamação se torna crônico, os efeitos podem ser diretamente tóxicos para as nossas células. Ao contrário da inflamação que ocorre quando machucamos o braço ou ralamos o joelho, essa inflamação profunda, silenciosa e constante tem uma conexão significativa com a nossa saúde mental.

O cérebro não tem receptores de dor; portanto, quando temos sintomas de depressão não conseguimos sentir a inflamação no cérebro como sentimos no caso de uma laceração ou de um quadril artrítico. No entanto, as pesquisas científicas demonstraram claramente que a inflamação está por trás do desenvolvimento da depressão (e da maior parte das outras doenças crônicas).

Vários mensageiros transmitem informações sobre inflamação entre o cérebro e o restante do corpo. As pessoas que sofrem de depressão apresentam níveis elevados de alguns marcadores inflamatórios — mensageiros químicos chamados citocinas que nos informam que está em curso um processo inflamatório. Entre eles estão a proteína C reativa (PCR) e citocinas como as interleucinas 1 e 6 (IL-1 e IL-6) e o fator de necrose tumoral alfa (TNF-α). Níveis sanguíneos elevados de citocinas não apenas estão diretamente relacionados com diagnóstico de depressão como também são *preditivos* de depressão. Em outras palavras, a inflamação pode ser o fator desencadeante de depressão, e não uma resposta à depressão.[8,9,10] Como mencionei rapidamente no Capítulo 1, um dos efeitos colaterais mais previsíveis da terapia com interferon para hepatite C é depressão. Quarenta e cinco por cento dos pacientes tratados com interferon desenvolvem depressão, o que parece estar relacionado com níveis elevados das citocinas inflamatórias IL-6 e TNF.[11] Além disso, um volume expressivo de artigos publicados na literatura especializada indica que até mesmo o estresse, especificamente o estresse psicossocial, pode causar essa inflamação ao mobilizar células imunológicas imaturas chamadas macrófagos da medula óssea para iniciar o processo inflamatório.[12] Portanto, como você pode ver, a inflamação está no centro de um ciclo vicioso; o processo inflamatório pode desencadear depressão, assim como pode ser agravado pela depressão.

Os pesquisadores descobriram também que na depressão melancólica, no transtorno bipolar e na depressão pós-parto, glóbulos brancos chamados monócitos ativam genes pró-inflamatórios que levam à liberação de citocinas e, ao mesmo tempo, diminuem a sensibilidade ao cortisol.[13] O cortisol, como você deve se lembrar, é o principal hormônio de estresse, mas também um escudo contra inflamação. Quando as células perdem a sensibilidade ao cortisol, elas se tornam resistentes à mensagem do cortisol, e o resultado são estados inflamatórios prolongados. Convém lembrar que, de modo geral, a resposta ao estresse dita em grande medida a resposta inflamatória e sua perpetuação.

Uma vez liberados no organismo, os agentes inflamatórios transportam informações para o sistema nervoso central, geralmente por meio de estimulação de grandes nervos, como o vago, que conecta o intestino e o cérebro (falarei mais sobre isso em breve). Células especializadas chamadas microgliócitos representam os centros de imunidade do cérebro e são ativadas em estados inflamatórios. Nos microgliócitos ativados, uma enzima chamada indoleamina 2,3-dioxigenase (IDO) estimula a produção de biomoléculas que podem provocar sintomas de ansiedade e nervosismo. Essas são apenas algumas das mudanças que podem contribuir para que o cérebro reaja a algo que o corpo sabe que está errado.

Os pesquisadores também observaram que pessoas que apresentam níveis mais elevados desses marcadores inflamatórios têm mais probabilidade de responder aos anti-inflamatórios do que aos antidepressivos; isso ajuda a explicar por que a curcumina (o antioxidante de coloração dourada presente na cúrcuma), um poderoso anti-inflamatório natural, é melhor que o Prozac e especialmente eficaz quando a medicação não surte efeito.[14,15]

Uma das lições mais importantes que aprendemos com as novas informações sobre o papel da inflamação na depressão (em particular um estado contínuo de inflamação leve e os sinais de estresse associados a ela), é que em muitos casos ela tende a ser gerada por uma fonte improvável: o intestino. Milhões de pessoas hoje em dia tem disbiose intestinal. Deixe-me explicar.

## A HIPERPERMEABILIDADE INTESTINAL ATIÇA AS CHAMAS DA INFLAMAÇÃO E DA DEPRESSÃO

Em primeiro lugar, um pouco de anatomia básica. O trato gastrintestinal, tubo que vai do esôfago ao ânus, é revestido por uma única camada de células epiteliais. O revestimento intestinal, maior mucosa do organismo, tem três funções principais: ele serve de meio para a obtenção de nutrientes dos alimentos ingeridos; impede que partículas, substâncias químicas e organismos potencialmente nocivos entrem na corrente sanguínea; e contém células especializadas que patrulham o sistema imunológico e lhes apresenta invasores suspeitos. O sistema imunológico produz substâncias químicas chamadas imunoglobulinas que se ligam às proteínas estranhas para proteger o organismo.

O corpo usa duas vias para absorver os nutrientes do intestino. A transcelular, que movimenta os nutrientes *através* das células epiteliais, e a paracelular, que movimenta os nutrientes *entre* as células epiteliais. As conexões entre as células são chamadas de junções intercelulares ("tight junctions"), e cada uma dessas complexas interseções microscópicas é regulada. Quando essas junções, por algum motivo, ficam comprometidas e excessivamente permeáveis, ocorre um quadro denominado hiperpermeabilidade intestinal ("leaky gut"). Como essas junções agem como porteiras — impedindo a passagem de possíveis ameaças que poderiam ativar o sistema imunológico —, elas influenciam em grande medida os níveis de inflamação. Nós da comunidade médica sabemos agora que quando a barreira intestinal é danificada, pode ocorrer uma série de problemas de saúde, como depressão.

O que acontece é que, quando essas junções de oclusão estão comprometidas, partículas de alimentos não digeridos, resíduos celulares e componentes bacterianos podem passar e causar problema na corrente sanguínea, produzindo efeitos que se manifestam como sintomas depressivos. Citando uma equipe de pesquisadores belgas: "Existem evidências de que o transtorno depressivo maior (TDM) é acompanhado por uma ativação do sistema de resposta inflamatória e de que citocinas pró-inflamatórias e lipopolissacarídeos (LPS) podem induzir sintomas de depressão".[16] Mais á frente, veremos como ingredientes como glúten, açúcar e adoçantes artificiais, caseínas (proteínas presente no leite e derivados) e óleos vegetais processados podem ativar o sistema imunológico e fazer com que citocinas pró-inflamatórias transitem pelo organismo. Mas vamos analisar o que o LPS pode fazer sozinho. Essa é uma área de estudo interessante que está começando a surgir.

## A bomba LPS

O lipopolissacarídeo (LPS), uma palavra difícil de pronunciar, é uma das piores ameaças biológicas. Ele "acende" as vias inflamatórias do organismo como um interruptor. Lipopolissacarídeo é uma combinação de lipídeos (gordura) e açúcares presente na membrana externa de algumas bactérias encontradas naturalmente no intestino e que representam até 50% a 70% da flora intestinal. O LPS protege essas bactérias, para que elas não sejam digeridas pelos sais biliares da vesícula biliar. Ele não deve sair do intestino, mas isso pode acontecer se o revestimento intestinal tiver algum tipo de comprometimento.

O LPS induz uma violenta resposta inflamatória no ser humano – tão violenta que também é chamado de endotoxina, que significa toxina interna.[17] Ele é usado experimentalmente em pesquisas laboratoriais para produzir inflamação instantânea em modelos animais e, dessa forma, permitir o estudo de uma série de doenças de origem inflamatória, de distúrbios inflamatórios intestinais, diabetes, lúpus, artrite reumatoide e esclerose múltipla a depressão, doença de Parkinson, Alzheimer e até mesmo autismo. Num indivíduo sadio com revestimento intestinal intacto, o LPS não consegue penetrar na corrente sanguínea através das junções intercelulares. Mas quando as células que revestem o intestino (lembre-se: a parede intestinal só tem uma célula de espessura) são danificadas ou se tornam deficientes e essas junções ficam comprometidas, o LPS consegue passar para a circulação sistêmica, onde ativa um alarme e produz inflamação. A presença de LPS no sangue na verdade indica a existência de hiperpermeabilidade intestinal e inflamação em geral.

Pesquisadores do mundo todo finalmente reconhecem o papel fundamental que o lipopolissacarídeo desempenha na depressão. Afinal de contas, os marcadores inflamatórios estão correlacionados com a depressão, e o LPS aumenta a produção dessas substâncias químicas inflamatórias. O LPS não apenas compromete o intestino tornando-o mais permeável, mas também atravessa a barreira hematoencefálica, levando a mensagem pró-inflamatória até o cérebro.[18]

Em 2008, os mesmos pesquisadores belgas que citei anteriormente documentaram um aumento significativo no nível de anticorpos contra o LPS no sangue de indivíduos com depressão maior. Curiosamente, os autores comentaram que a depressão maior costuma ser acompanhada por sintomas gastrintestinais. E uma das explicações mais lógicas, de acordo com as últimas descobertas científicas, é que isso é consequência de alterações na flora intestinal. É por isso que temos de enfocar a permeabilidade intestinal e as bactérias que habitam o intestino e que devem proteger o revestimento intestinal.

## Ecologia intestinal

Uma vez que nas conclusões do Projeto Genoma Humano, em 2002, os cientistas descobriram que o ser humano tem cerca de 23 mil genes que não contam a história toda, tivemos de começar a procurar onde muitos dos nossos processos corporais são terceirizados. Se temos o mesmo número de genes que um verme nematelminto, como é que nos tornamos uma espécie tão singular?

Nos últimos anos, as pesquisas sobre o microbioma humano revolucionaram a medicina e o nosso entendimento de saúde. Isso significa que a medicina "atual" precisa recomeçar do zero. Até agora, calcula-se que existam 300 trilhões de bactérias no nosso intestino grosso e 100 trilhões na nossa pele.[19] O corpo humano contém cerca de 30 a 50 trilhões de células, com uma média de 100 mitocôndrias por célula. Mitocôndrias são minúsculas estruturas presentes no interior das nossas células (exceto os glóbulos vermelhos) que geram energia química em forma de ATP (adenosina trifosfato). Elas têm seu próprio DNA, e acredita-se que tenham se originado das antiquíssimas proteobactérias. Em outras palavras, elas já foram organismos unicelulares de vida livre na Terra, que, no final, fizeram das nossas células sua morada permanente, oferecendo-nos os benefícios da produção de uma nova fonte de energia química. As mitocôndrias são consideradas uma terceira dimensão no nosso microbioma e têm uma relação única com o microbioma do nosso intestino. Dada sua origem bacteriana, existem 5.400 trilhões de "bactérias" intracelulares, um número dez vezes maior que o de bactérias dos microbiomas intestinal e cutâneo. Os 2 milhões de genes bacterianos únicos encontrados em cada microbioma humano podem fazer com que os nossos cerca de 23 mil genes pareçam poucos. É daí que vem o conceito de holobionte — de que somos um conjunto vivo de microrganismos internos e externos, um "metaorganismo" que obscurece os limites da nossa própria humanidade como a concebemos.

Esses microrganismos intestinais desempenham inúmeras funções, como sintetizar nutrientes e vitaminas, auxiliar na digestão dos alimentos e impedir que nos tornemos obesos. As bactérias boas também podem ajudar a manter as coisas em harmonia ao fechar a torneira de cortisol e adrenalina — os dois hormônios associados ao estresse que, em fluxo constante, podem causar uma devastação no organismo.[20] O Projeto Microbioma Humano, lançado em 2008 para catalogar os microrganismos que habitam em nosso corpo, também mudou a nossa percepção sobre onde, exatamente, reside o nosso sistema imunológico e a fonte da nossa saúde mental. Grande parte do nosso sistema imunológico — na verdade a grande maioria dele — está localizado no intestino. É chamado de tecido linfático associado ao intestino (GALT, na sigla em inglês) e é bastante significativo: representa mais de 80% do nosso sistema imunológico. Por que grande parte do sistema imunológico está no intestino? Simples: a parede intestinal constitui a fronteira com o mundo exterior; portanto, fora a pele, é nela que temos a maior probabilidade de entrar em contato com materiais e organismos estranhos. Essa parte do nosso sistema imunológico não opera num vácuo. Muito pelo contrário, mantém uma comunicação constante com todas as outras células do sistema imunológico do corpo. Se o sistema imunológico encontrar uma substância potencialmente nociva no intestino, ele avisará o restante do sistema imunológico para ficar alerta e a postos. É por isso que as opções alimentares são tão fundamentais para a saúde imunológica e, por extensão, para a saúde mental: ingerir os alimentos errados pode ser desastroso para o sistema imunológico intestinal, ao passo que ingerir os alimentos certos pode literalmente agir como uma apólice de seguro-saúde.[21]

A flora intestinal desempenha várias funções. Aqui está um resumo do que ela faz por nós:

- Cria uma barreira física contra possíveis invasores, como bactérias nocivas (flora patogênica), vírus causadores de doenças e parasitas prejudiciais à saúde.
- Auxilia a digestão e a absorção de nutrientes, alguns dos quais dependem da ação das bactérias para serem assimilados pelo organismo.
- Age como um mecanismo de desintoxicação. Os microrganismos intestinais servem como uma linha de defesa contra muitas toxinas que chegam ao intestino, aliviando a carga do fígado.

- Produz e libera importantes enzimas e substâncias, inclusive vitaminas e neurotransmissores, ácidos graxos e aminoácidos que afetam positivamente a nossa biologia.
- Ajuda-nos a controlar o estresse graças aos seus efeitos sobre o nosso sistema hormonal (endócrino).
- Influencia a atividade e a resposta do sistema imunológico. Como eu disse, o intestino é o maior órgão do sistema imunológico. Seus microrganismos apoiam o funcionamento do sistema imunológico, controlando algumas células imunológicas e prevenindo doenças autoimunes, um quadro em que o corpo ataca seus próprios tecidos. Além disso, a flora produz substâncias com potente atividade antibiótica, como as bacteriocinas.
- Ajuda a regular as vias inflamatórias do organismo que, por sua vez, influem no risco de desenvolvimento de praticamente todas as formas de doença crônica.

Talvez a complexidade dessas relações explique por que em geral elas passam despercebidas pelos médicos e pelas pessoas que estão sofrendo os efeitos de um microbioma doente ou disfuncional. Há duas maneiras de identificar o que de fato está ocorrendo entre o intestino e o cérebro: entender o papel que o intestino desempenha no sistema imunológico e também a maneira com que o intestino afeta os hormônios, principalmente o cortisol. Quando uma dessas áreas, ou ambas, não está funcionando bem o cérebro é afetado, e o humor e a memória sofrem a ponto de a pessoa ser considerada "deprimida".

Uma pergunta lógica que precisa ser respondida é como o intestino e o cérebro estão conectados. Todos nós sentimos essa conexão quando passamos por experiências angustiantes que nos fazem sentir um frio na barriga ou, pior ainda, correr para o banheiro. O nervo vago, também conhecido como décimo par de nervos cranianos, é o mais longo dos doze nervos cranianos e o principal canal de informações entre os 200 a 600 milhões de células nervosas do sistema nervoso central e do sistema nervoso intestinal. É isso mesmo: o sistema nervoso abrange mais do que o cérebro e a medula espinhal. Além do sistema nervoso central, você tem um sistema nervoso intestinal, ou entérico, que é intrínseco ao trato gastrintestinal. O sistema nervoso central e o entérico são formados a partir do mesmo tecido durante o desenvolvimento fetal, e ambos são conectados pelo nervo vago, que se estende do tronco encefálico até o abdome. Ele forma parte do sistema nervoso involuntário (autônomo) e controla muitos processos corporais que não requerem o pensamento consciente, como os batimentos cardíacos e a digestão.

O dr. Nicholas Gonzalez, já falecido, passou três décadas estudando o sistema nervoso autônomo. Empregando uma abordagem baseada em nutrientes específicos, desintoxicação e dietas personalizadas para promover o equilíbrio, ele obteve resultados clínicos inigualáveis no tratamento do câncer e de doenças crônicas. O dr. Gonzalez mostrou que, na hierarquia de sistemas orgânicos, é bem possível que o sistema nervoso implicado na psiquiatria tradicional seja o principal controlador, mas não da maneira como fomos levados a crer. O sistema nervoso autônomo divide-se em dois ramos muito bem equilibrados, o simpático e o parassimpático.

O sistema nervoso simpático é o sistema de luta ou fuga do seu corpo — que acelera seus batimentos cardíacos e eleva a sua pressão arterial para enviar sangue ao cérebro e aos músculos, para longe da digestão. Ele a mantém alerta e mentalmente capaz. O sistema nervoso parassimpático, por outro lado, é o seu sistema de repouso e digestão, que permite que você reponha suas forças, recupere-se e durma. A relação entre essas duas partes do sistema nervoso é determinada em grande parte pela herança ancestral, além da alimentação e dos níveis de estresse — físico, psicológico e espiritual. Quando descrevemos a depressão, geralmente nos referimos a um estado de predomínio parassimpático — lentidão, cansaço, confusão mental, desequilíbrio hormonal e tristeza. No entanto, muitas vezes o sistema de luta ou fuga pode ser recrutado sob estresse crônico para criar um quadro de "cansado, porém ligado", o que faz com que pacientes oscilem entre os estados parassimpático e simpático. De acordo com o trabalho de Weston A. Price, Francis Pottenger, William Donald Kelley e Nicholas Gonzalez, a nossa alimentação pode complementar um sistema nervoso em desequilíbrio. Por esse motivo, as recomendações alimentares da Segunda Parte deste livro ajudam a estimular o sistema simpático na medida certa a combater simultaneamente os sintomas intestinais, hormonais e cerebrais.

Lembre-se disso quando falarmos sobre os diversos efeitos das mudanças no estilo de vida na Segunda Parte do livro. Agora, vamos responder á próxima pergunta: Como o nosso intestino e seu conteúdo transmitem mensagens inflamatórias para o cérebro?

## DE LIVRES DE GERMES
## A REPLETOS DE GERMES

Os possíveis efeitos estressantes dos microrganismos intestinais — ou a ausência desses efeitos — foram analisados pela primeira vez no estudo dos chamados camundongos livres de germes. Esses camundongos foram especialmente criados sem microbiota intestinal, permitindo assim que os cientistas estudassem os efeitos da falta de microrganismos ou, ao contrário, expusessem esses animais a certas cepas e documentassem suas mudanças comportamentais. Um estudo histórico publicado em 2004 revelou alguns dos primeiros indícios de uma interação bidirecional entre o cérebro e as bactérias intestinais. Esse estudo demonstrou que camundongos livres de germes reagiam fortemente ao estresse, o que era evidenciado por mudanças mensuráveis na química cerebral e aumento dos hormônios do estresse. Esse quadro podia ser revertido quando os camundongos eram colonizados com uma cepa da bactéria chamada *Bifidobacterium infantis*. Desde então, foram realizados muitos estudos reveladores com animais para explorar a relação entre o modelo inflamatório da depressão e a influência das bactérias intestinais.

Em 2010, o dr. Stephen Collins, gastrenterologista, e seus colegas da Universidade McMaster, no Canadá, descobriram que outra cepa bacteriana, a *Bifidobacterium longum*, podia ser administrada como um probiótico para o tratamento de ansiedade associada com colite crônica em camundongos com doença intestinal inflamatória.[22] As alterações comportamentais dos camundongos foram tão acentuadas que Collins e sua equipe decidiram estudar a capacidade que as bactérias intestinais têm de influenciar o cérebro e o comportamento. Outros experimentos com animais realizados no laboratório de Collins confirmaram as observações iniciais dos pesquisadores. Por meio da manipulação da microbiota intestinal de camundongos, ele demonstrou que as bactérias intestinais podem influenciar comportamentos de ansiedade. Algumas das descobertas mais extraordinárias foram feitas com transplantes fecais, procedimento em que os pesquisadores transferem a microbiota intestinal de um camundongo para outro por meio de amostras de fezes contendo determinado perfil bacteriano que pode ser transplantado no intestino de outro camundongo, de maneira muito parecida com um transplante cardíaco. Depois do transplante, os pesquisadores observaram uma mudança comportamental. Em outras palavras, um camundongo ansioso adotava o comportamento menos ansioso do camundongo doador e vice-versa. Um número crescente de evidências pré-clínicas de outros laboratórios confirma a relação entre microbiota intestinal, estresse e ansiedade.[23] Agora os pesquisadores estão tentando compreender como essas conexões funcionam no ser humano.

O dr. Emeran Mayer é gastrenterologista da Universidade da Califórnia (UCLA), onde leciona e dirige o Centro de Neurobiologia do Estresse. Ele dedicou grande parte de suas pesquisas recentes ao estudo da comunicação entre o intestino e o cérebro. O dr. Mayer ressalta que, embora o estudo de camundongos livres de germes possa ajudar a responder à perguntas dicotômicas do tipo: "Os microrganismos intestinais estão envolvidos na resposta ao estresse?", a relevância clínica desses estudos é limitada. Afinal de contas, esses animais apresentam anormalidades nas funções cerebrais, imunológicas e gastrintestinais. "A magnitude desses efeitos pode ser ditada pelo desenvolvimento, pois estudos indicam que existem períodos específicos importantíssimos em que a microbiota desempenha um papel fundamental no modelamento do comportamento", afirma um artigo publicado em 2015 no *Journal of the American Medical Association* (JAMA).[24]

Esse é um ponto importante. Como também observou o dr. Collins no mesmo artigo da JAMA: "Qualquer coisa que interfira no início do processo de colonização microbiana pode preparar o cenário para problemas futuros, e a redução da robustez do microbioma com o avanço da idade provavelmente é um dos principais determinantes do envelhecimento saudável".[25] Uma afirmação corajosa dessas dá credibilidade à descoberta de que estresse materno, infecções e uso de antibióticos podem devastar o microbioma durante os importantes, porém vulneráveis, períodos pré-natal e neonatal, quando o intestino é colonizado pela primeira vez pelo microbioma da mãe. Essas alterações acabam afetando o neurodesenvolvimento normal e podem até mesmo aumentar o risco de distúrbios neuropsiquiátricos no futuro, inclusive de depressão.[26]

Minhas pacientes sempre ficam surpresas quando pergunto onde elas nasceram, se foi ou não no hospital e se foi parto normal ou cesariana. Mas a maneira como nascemos assenta as bases do nosso microbioma. Na verdade ele começa a se formar no útero, por meio da transferência das bactérias intestinais da nossa mãe. Depois, outros microrganismos são acrescentados quando passamos pelo canal vaginal e somos amamentadas. Essa é a maneira como a natureza prepara o bebê para o mundo da mãe. De acordo com vários estudos famosos, as crianças que não passam por esse batismo microbiano porque nascem de cesariana, recebem antibióticos durante o parto (intraparto) e que vão para casa com a flora cutânea de outros adultos correm maior risco de ter alergias, eczema, asma e alguns tipos de câncer. Até mesmo crianças nascidas por parto normal em ambiente hospitalar têm mais probabilidade de ter alergias por causa da colonização pela flora bacteriana hospitalar, como *Clostridium difficile*.

Em 2013, o *Canadian Medical Association Journal* expôs claramente os fatos quando um grupo de pesquisadores chamou a microbiota intestinal de "superórgão" com "diversas funções na saúde e na doença".[27] Em um comentário sobre o estudo, o dr. Rob Knight, professor da Faculdade de Medicina da Universidade da Califórnia em San Diego e líder mundial no estudo do microbioma, disse: "Crianças que nascem de cesariana ou que tomam mamadeira correm maior risco de ter diversas doenças no futuro; os dois fatores alteram a microbiota intestinal de bebês sadios, e esse pode ser o mecanismo desse risco mais elevado".[28]

Só para deixar claro, as cesarianas são necessárias em algumas raras circunstâncias, e ultimamente a tendência é minimizar os riscos dessa intervenção, tanto os riscos agudos para a mãe como os riscos em longo prazo para o bebê. O dr. Martin Blaser, diretor do Programa do Microbioma Humano da Universidade de Nova York e autor de *Missing Microbes*, observa que um terço dos bebês nos Estados Unidos atualmente nascem por cesariana, o que representa um aumento de 50% em relação a 1996.[29] Toda mulher submetida a uma cesariana também recebe antibióticos, o que significa que o bebê começa a vida com uma enorme agressão ao seu microbioma em desenvolvimento.[30] Mais adiante, vou explicar em detalhes, tanto para as gestantes como para aquelas que já deram à luz, como evitar e superar uma cesariana. Como você provavelmente imagina, sou uma grande defensora do aleitamento materno, e vou lhe dizer o que você pode fazer para ter um suprimento saudável de leite.

## DISTÚRBIO DE DÉFICIT PALEOLÍTICO[31]

Diminuir a importância fundamental da concepção, da gestação e do parto é apenas uma das maneiras pelas quais moldamos para pior a nossa saúde na vida adulta. Nós nos desviamos tanto do caminho que poderíamos nos perguntar se não é tarde demais para aprender como um intestino sadio é de fato. Ao contrário do que se possa pensar, a linha divisória entre bactérias "boas" e "ruins", ou seja, espécies benéficas e prejudiciais, ainda não está tão clara. É mais uma questão de diversidade geral e de proporção entre as cepas. Dependendo da quantidade, algumas cepas que provavelmente teriam efeitos positivos sobre a saúde podem se transformar em vilãs. A famosa *Escherichia coli*, por exemplo, produz vitamina K, mas também pode causar doenças graves.

Em 2014, um grupo internacional de pesquisadores publicou achados na revista *Nature* que comparavam a microbiota intestinal de uma comunidade de caçadores-coletores da Tanzânia, os hadza, com a de controles italianos urbanos.[32] Os hadza apresentavam níveis muito mais elevados de biodiversidade e riqueza microbiana, bem como diferenças acentuadas de gênero baseadas nas nuances alimentares de homens e mulheres. E conforme mais amostras de microbiomas de caçadores-coletores chegam aos laboratórios — perfis dos microrganismos encontrados no intestino de sociedades tradicionais como os ianomâmis da Venezuela e os matsés do Peru —, mais temos de reconhecer que não existe um único microbioma universal "sadio".

Para consternação daqueles que gostam de rotular algumas cepas de bactérias como "boas" e "ruins", o intestino dos hadza, por exemplo, quase não contém bifidobactérias, uma espécie de bactéria em geral considerada saudável pela ciência ocidental e que compreende até 10% de um microbioma intestinal ocidental. Os hadza, os ianomâmi e os matsé também têm muito mais espiroquetas, um grupo de bactérias que adoram fibras e que abrange a espécie responsável pela sífilis e bouba (infecção bacteriana comum em regiões tropicais). Está claro que essas diferenças não são prejudiciais à saúde, pois esses povos não têm doenças crônicas. Sua microbiota reflete as condições desse canto específico do mundo, seus alimentos, sua água, seu clima etc. A conclusão é que não sabemos necessariamente o que é ideal, portanto só podemos defender uma ótima alimentação para ajudar a nossa ecologia interna. A alimentação influencia mais a microbiota do que outros fatores (inclusive o fato de tomar um monte de comprimidos de probióticos), razão pela qual os atuais caçadores-coletores, mesmo de outros continentes, têm microbiomas semelhantes.

O dr. William Parker, da Universidade Duke, pesquisou outro aspecto fascinante do microbioma: a ausência atual de helmintos, organismos eucariotos como tricuros e tênias, que tiveram efeitos positivos sobre a nossa imunidade ao longo da nossa evolução, mas que há muito foram eliminados do nosso intestino pela industrialização.[33]

Sabemos que coevoluímos com o mundo microbiano ao longo de milhões de anos e que essa dança conjunta é contextualizada por práticas culturais nativas, tradições alimentares e a rede mais ampla da flora e da fauna no nosso entorno imediato. Como moradores urbanos, no entanto, sofremos de um "distúrbio de déficit paleolítico", termo cunhado por Alan D. Logan e seus colegas em seu fascinante tratado em dois volumes sobre como nos desviamos do estímulo que nossos genes esperam. Nas palavras desses pesquisadores:

> Será que esse déficit coletivo poderia se manifestar como um "distúrbio", uma espécie de distúrbio de déficit paleolítico que, embora não seja patológico em si, se traduz como qualidade de vida ruim, falta de empatia e perspectiva, ansiedade leve, angustia psicológica, resiliência e atitude mental negativa. Será que esse déficit poderia acelerar a evolução de um indivíduo para os requisitos clínicos de um diagnóstico medicalizado? Será que o déficit coletivo de "experiências paleolíticas" prejudica a capacidade do indivíduo de conservar sua saúde emocional e, por extensão, impede a saúde ideal de bairros, cidades, sociedades e nações, sobretudo aqueles que estão passando por rápida urbanização?[34]

Como eu disse, estamos aprendendo que não somos plantas que podem ser mantidas com lâmpada fluorescente, recirculação de ar e fertilizantes. A nossa vitalidade está inextricavelmente conectada ao nosso ecossistema maior, e depende dele. Esse ecossistema abrange nossos alimentos e seus ecossistemas, mas também caminhadas junto à natureza, exposição à luz do dia nas primeiras horas da manhã, contato com a terra e com comunidades – estratégias que detalharei na Segunda Parte deste livro. Logan analisa os princípios do microbiologista René Dubos:

> [...] a desconexão atual das influências ancestrais – ambientes naturais, hábitos alimentares tradicionais e exposição incidental a microrganismos não patogênicos – se refletiria nas estatísticas de saúde e bem-estar (ou em desfechos relacionados com a natureza humana, como empatia) [...]. Dubos dizia que, como os seres humanos são bastante adaptáveis, a relação entre descompasso evolutivo e erosão da saúde seria sub-reptícia; haveria apenas uma conscientização mínima da associação, especialmente no início da era da alta tecnologia e urbanização.[35]

Vamos promover essa conscientização e tentar acabar com o nosso déficit paleolítico. Caso contrário, continuaremos a sofrer de um descompasso evolutivo que alimenta os transtornos debilitantes do humor, sem falar de todas as formas de doenças crônicas causadas por inflamação.

## AS MAIORES BOMBAS INTESTINAIS DO ESTILO DE VIDA ATUAL QUE PROVOCAM INFLAMAÇÃO

Sempre me perguntam quais são os fatores diários que podem afetar de maneira adversa o microbioma e como podemos restaurar o equilíbrio da nossa ecologia intestinal. As duas perguntas podem ser respondidas com uma única palavra: alimentação. A alimentação é o fator que mais determina quais micróbios estão mais ativos no nosso intestino e a forma como eles reagem aos agentes capazes de causar inflamação.

Vários estudos começaram a analisar como a alimentação pode ser a principal responsável pelo aumento da permeabilidade intestinal e pela perda da diversidade bacteriana — ambos os fatores diminuem a distância entre a alimentação e o risco de depressão.[36] O que a ciência está revelando é que as pessoas que seguem uma dieta rica em gorduras e proteínas saudáveis e anti-inflamatórias apresentam índices significativamente menores de depressão. Em contrapartida, uma dieta com alto teor de carboidratos e açúcares aviva as chamas da inflamação. Podemos examinar os efeitos de ingredientes como glúten e frutose nas vias inflamatórias do corpo; demonstrou-se que a frutose aumenta em 40% os níveis de lipopolissacarídeos (LPS) na corrente sanguínea.[37] Mas esse quadro pode ser revertido quando o equilíbrio dos microrganismos intestinais é restaurado, o que comprova que os níveis elevados de LPS causados pela frutose estão relacionados com alterações nas bactérias intestinais. A frutose é encontrada naturalmente nas frutas, mas a maior parte da frutose que consumimos é proveniente de fontes industrializadas. Nossos ancestrais que viviam nas cavernas ingeriam frutose ao comer frutas, mas apenas durante alguns períodos do ano quando elas estavam disponíveis. O nosso organismo ainda não consegue lidar com as quantidades maciças de frutose que consumimos atualmente. Hoje, o xarope de milho com alto teor de frutose representa 42% de todos os adoçantes calóricos. E isso conecta firmemente a alimentação ocidental, tão rica em frutose processada, aos índices cada vez maiores de depressão. E também ajuda a explicar a conexão entre obesidade e depressão.

Apesar de requerer diversas intervenções, a restauração da flora intestinal começa simplesmente com uma alimentação sem cereais e laticínios, bem como açúcar e alimentos geneticamente modificados (GM), que de forma invariável estão contaminados com o herbicida Roundup (glifosato). Se você seguir o protocolo que apresento na Segunda Parte do livro, fará esses ajustes na sua alimentação e aprenderá outras estratégias alimentares e de estilo de vida que poderão ajudá-la a ter uma flora intestinal saudável. Minhas pacientes sabem que sou um tanto fanática com a questão da alimentação e que só as recebo numa segunda consulta depois que elas seguiram o meu protocolo alimentar (o mesmo deste livro), sem exceção. A mudança nos hábitos alimentares é o primeiro passo, pois em 72 horas podemos alterar a composição da microbiota fazendo mudanças simples para eliminar possíveis desencadeantes do sistema imunológico e reequilibrar a flora intestinal.

A seguir, apresento um resumo das principais bombas intestinais. Nos próximos capítulos vamos analisar em mais detalhes esses ingredientes e outros geralmente encontrados em nossos armários de cozinha e do banheiro, mas antes quero adiantar algumas informações para que você comece a refletir sobre os maiores vilões diários.

## Glúten

Glúten, palavra derivada do latim que significa "cola" ou "grude", é uma proteína encontrada no trigo, mas existem também proteínas semelhantes ao glúten conhecidas como prolaminas, encontradas na cevada (hordeína), no centeio (secalina) e no milho (zeína). Essas proteínas estão entre os ingredientes mais inflamatórios da era moderna. Embora uma pequena porcentagem da população seja altamente sensível ao glúten e tenha doença celíaca, qualquer pessoa pode ter uma reação negativa, porém não detectada. No trigo, o glúten é composto por dois grupos principais de proteínas, as gluteninas e as gliadinas. Pode-se ser sensível a uma dessas proteínas ou a uma das doze unidades menores que compõem a gliadina. Uma reação a qualquer uma delas pode causar inflamação, com consequências biológicas e psicológicas.

Em geral processado com óleos modificados em alimentos refinados, o glúten pode ser um veneno para o corpo e para o cérebro. Seu estrago começa no intestino, onde aumenta a permeabilidade intestinal ao aumentar um composto chamado zonulina. O atributo "grudento" do glúten interfere na decomposição e absorção dos nutrientes, fazendo com que os alimentos sejam mal digeridos e, consequentemente, disparem o alarme do sistema imunológico. O resultado é uma agressão ao revestimento do intestino delgado e mais inflamação. Quem tem sintomas de sensibilidade ao glúten queixa-se de dor abdominal, náusea, diarreia, prisão de ventre e desconforto intestinal. Mas muitas pessoas que não apresentam esses sinais evidentes de problemas gastrintestinais poderiam estar passando por uma crise silenciosa. De acordo com o dr. Marios Hadjivassiliou, renomado pesquisador sobre glúten, a sensibilidade ao glúten pode ser, sobretudo, e às vezes exclusivamente, uma doença neurológica".[38]

Os efeitos neurológicos da intolerância ao glúten são depressão, convulsões, dores de cabeça, esclerose múltipla/dismielinização, ansiedade, sintomas associados com diagnóstico de déficit de atenção e hiperatividade (TDAH), ataxia (perda de controle dos movimentos corporais) e lesão nervosa.[39] De fato, o site de pesquisas GreenMedInfo.com catalogou mais de duzentas doenças ligadas ao consumo de trigo, que contém glúten; e dos 22 tipos de toxicidade, a neurotoxicidade figura no topo da lista. Quando recomendo uma dieta sem glúten às minhas pacientes, às vezes elas me dizem que já fizeram testes para ver se têm doença celíaca, o transtorno autoimune associado com a sensibilidade ao glúten, e que deram negativo. Saiba que os testes convencionais disponíveis atualmente têm limitações. A maioria dos médicos pede um exame que testa somente um pequeno número das possíveis respostas imunológicas a esse alimento. Mas o glúten consiste em seis grupos de cromossomos capazes de produzir mais de 23 mil proteínas. Portanto, esses exames podem ser tão limitados que chegam a ser inúteis. Em um estudo, foi observada uma resposta inflamatória nas células intestinais de voluntários sadios, indicando que o glúten pode provocar reações em *qualquer pessoa*.[40]

## Laticínios

Eu era viciada em laticínios. Há seis anos, quando o naturopata pediu para que eu cortasse o glúten e os laticínios, só depois de uns dois anos é que eu deixei de pensar em queijo, leite, sorvete, ricota (sim, eu sou italiana) e iogurte. Acontece que temos uma boa explicação para o grande prazer associado aos produtos lácteos e seu melhor amigo, o trigo. São as exorfinas, compostos semelhantes à morfina presentes nesses alimentos, que interagem com os receptores opioides no cérebro e em outros tecidos corporais.

Existe farta literatura na psiquiatria que comprova que as respostas imunológicas à caseína dos laticínios, sobretudo de leite de vaca, desempenham um papel em quadros como depressão e esquizofrenia.

Isso não quer dizer que os laticínios representam um problema para todo mundo, ou que todos os laticínios sejam um problema para algumas pessoas. Segundo minha experiência, a reintrodução de laticínios depois de um mês de eliminação é suficiente para lhe dizer de que lado você está. De fato, tive pacientes que dizem ter vomitado depois de reintroduzir os laticínios na alimentação, algo que elas tinham consumido diariamente durante décadas! Portanto, eu vou lhe pedir para deixar de consumir laticínios durante pelo menos trinta dias e lhe mostrar como reintroduzi-lo na sua alimentação, se você conseguir (e que tipo de laticínios você deve consumir; há uma diferença!).

# OGMs*

Nos últimos anos, muitos cientistas começaram a avaliar o impacto de herbicidas como o Roundup da Monsanto (glifosato) no microbioma intestinal humano. O glifosato é usado em mais de 750 produtos e desempenha um grande papel na produção de culturas geneticamente modificadas, como soja, canola e milho. Infelizmente, é encontrado até mesmo em alimentos que não foram geneticamente modificados, como trigo e aveia, porque são usados como dessecantes antes da colheita (um agente secante que prepara o solo para uma nova safra). Acontece que essa substância química é bastante tóxica para as bactérias benéficas devido ao seu impacto sobre a via metabólica do ácido chiquímico, uma importante via metabólica que muitos microrganismos e plantas usam para produzir alguns aminoácidos — aminoácidos de que precisamos, mas que não podemos produzir porque a nossa biologia não inclui essa via.[41] Ao promover o desequilíbrio dessa flora, os pesticidas e herbicidas impedem a produção de aminoácidos essenciais como o triptofano, o precursor da serotonina, e promove a produção de *p*-cresol, um composto que interfere no metabolismo de outros xenobióticos, ou substâncias químicas ambientais, tornando o indivíduo mais vulnerável aos seus efeitos tóxicos. Até mesmo a ativação da vitamina $D_3$ no fígado pode ser afetada de maneira negativa pelo efeito do glifosato sobre as enzimas hepáticas, o que possivelmente explica os níveis epidêmicos de deficiência de vitamina D.

A literatura científica também contém evidências de que toxinas inseticidas, como a toxina Bt presente no milho geneticamente modificado, são transferi-

---

* Organismos Geneticamente Modificados. (N. da T.)

das para a corrente sanguínea das gestantes e dos fetos, e de que o herbicida glifosato passa para o leite materno. A modificação genética de alimentos, além de garantir a exposição a pesticidas e herbicidas, acarreta risco de transferência gênica para as bactérias intestinais humanas, transformando-as em fábricas produtoras de pesticida.

## Açúcares artificiais

No próximo capítulo, vou falar em detalhes sobre o impacto que o açúcar pode ter em toda a sua fisiologia e no seu bem-estar mental. Quero salientar aqui o efeito dos gêmeos maléficos do açúcar: os adoçantes artificiais. Na verdade, só recentemente estudos sobre adoçantes *artificiais* revelaram que o açúcar que consumimos afeta nossas bactérias intestinais. O corpo humano não consegue digerir os adoçantes artificiais, e é por isso que eles não têm calorias. Mas eles ainda conseguem passar pelo trato gastrintestinal. Durante muito tempo nós presumimos que os adoçantes artificiais eram, em sua maior parte, ingredientes inertes sem efeito sobre a nossa fisiologia. Isso está longe de ser verdadeiro. Em 2014, um artigo bombástico publicado na revista *Nature* comprovou que os açúcares artificiais afetam as bactérias intestinais saudáveis de maneiras que causam síndromes metabólicas no hospedeiro humano, como resistência insulínica e diabetes, contribuindo para a mesma epidemia de sobrepeso e obesidade que eles prometiam combater.[42]

## Antibióticos

A maioria das mulheres que tiveram candidíase depois de tomar antibióticos sabe que esses medicamentos matam importantes bactérias reguladoras. Elas pensam: "É só tomar um pouco mais de iogurte ou então um probiótico" (para restaurar mudanças profundas que não são facilmente desfeitas). A segurança dos antibióticos, que foram inventados e estudados antes do nosso conhecimento do microbioma e do papel da disfunção mitocondrial nas doenças crônicas, nunca foi bem estudada. Estamos aprendendo que os efeitos da exposição aos antibióticos sobre as bactérias intestinais podem persistir por meses depois do tratamento e às vezes resultam em incapacidade permanente. De fato, o site HormonesMatter.com documentou extensamente os quadros neurológicos e psiquiátricos observados após a administração de antibióticos comuns como as fluoroquinolonas, como Cipro (ciprofloxacino).

Os antibióticos são um bom exemplo de como nossos conceitos antiquados estão guiando a imprudência da medicina convencional. Eles são empregados com base numa atitude de "nós contra eles", e não da realidade emergente de que precisamos de microrganismos e temos de trabalhar *com* eles para ter boa saúde. Dessa forma, os antibióticos, assim como as vacinas, são como beber veneno para matar o inimigo.

Quarenta por cento dos adultos e 70% das crianças tomam antibióticos, assim como bilhões de animais criados em regime de confinamento. Eu peço às minhas pacientes que saiam desse pesadelo estatístico. Eu peço a elas que reforcem sua imunidade naturalmente por meio da medicina de estilo de vida, que deixem de lado o medo de infecções que dificilmente matariam um indivíduo sadio e que fortaleçam seu organismo por meio de uma alimentação nutritiva rica em vitaminas A, D e C e do uso de antimicrobianos e imunomoduladores naturais. Proteja seus micróbios e eles protegerão você. Eu vou lhe mostrar como fazer isso na Segunda Parte do livro.

## ANTI-INFLAMATÓRIOS NÃO ESTEROIDES E INIBIDORES DA BOMBA PROTÔNICA (MEDICAMENTOS ANTIRREFLUXO ÁCIDO)

Talvez você pense que o ibuprofeno, vendido sem receita médica, seja um medicamento inócuo para aliviar a dor. O mesmo vale para os antiácidos atuais como Nexium (esomeprazol) e Prevacid (lansoprazol). Algumas pessoas, levadas por uma falsa sensação de segurança e eficácia, deixam esses comprimidos na bolsa e na mesinha de cabeceira para uso diário. Mas, como veremos no Capítulo 5, esses medicamentos estão longe de serem inofensivos, sobretudo no que ser refere ao trato intestinal e aos seus habitantes microbianos. Em poucas palavras, eles podem provocar hemorragia, levar à depleção de nutrientes, aumentar a permeabilidade intestinal, debilitar o sistema imunológico e desencadear processos autoimunes e inflamatórios. Preciso dizer mais alguma coisa? Mas eu vou dizer: eles também podem promover disbiose, ou seja, um desequilíbrio do microbioma – o delicado microbioma necessário para impedir essas agressões ao revestimento intestinal e ao sistema imunológico!

## Está tudo conectado

Nunca é demais repetir: a interconexão entre o intestino, o cérebro e os sistemas imunológico e hormonal é extremamente difícil de desvendar. Até que comecemos a reconhecer essa complexa relação, não seremos capazes de prevenir ou tratar com eficácia a depressão. Para curar e prevenir de fato, precisamos enviar todos os dias ao nosso corpo a mensagem de que não estamos sendo atacados, de que não estamos correndo perigo e de que estamos bem-nutridos, com bom suporte e calmos.

Como sociedade, podemos começar a pensar em proteger o microbioma por meio da desmedicalização do nascimento e da nutrição do bebê; como indivíduos, podemos evitar os antibióticos, os AINEs, os cereais que contêm glúten, os laticínios processados repletos de hormônios sintéticos, os alimentos geneticamente modificados e os alimentos não orgânicos. Intervenções promissoras para a depressão de uma perspectiva do intestino-cérebro incluem probióticos, alimentos fermentados e gorduras naturais, bem como estímulo a uma resposta de relaxamento para ter uma boa digestão, com efeitos anti-inflamatórios e sensibilizadores à insulina. Essa é uma abordagem psiconeuroimunológica, que provavelmente representa o futuro do tratamento da saúde mental. Essa abordagem levará os médicos e pesquisadores a reconhecerem a interação inexorável de vários sistemas orgânicos e a nossa conexão com o ecossistema ambiental interno e externo.

CAPÍTULO 4

# Os Falsos Quadros Psiquiátricos

*Dois problemas comuns e curáveis que podem
levar a um diagnóstico psiquiátrico*

Seus hábitos alimentares "saudáveis" estão roubando a sua vitalidade?

O resultado "normal" do seu exame de tiroide está escondendo uma fonte secreta de depressão?

À s vezes é preciso uma crise de saúde pessoal para fazer um médico convencional parar, olhar e ouvir outra voz. Foi exatamente isso que aconteceu comigo. Eu era uma médica de formação tradicional, mas depois de me deparar com as grandes limitações da medicina ortodoxa fui compelida a passar para o outro lado e a deixar para trás tudo o que havia aprendido sobre tratamento. Isso teve suas vantagens e desvantagens. Veja bem, eu era o tipo de garota que podia comer o que quisesse, não fazer exercício e ficar acordada até tarde sem engordar. E foi o que fiz por quase trinta anos. Durante todo o período da minha residência médica eu comia no McDonald's e no White Castle, tomava Red Bulls e tinha sempre barrinhas de chocolate Snickers na bolsa para me manter acordada com poucas horas de sono. Antes de decidir ter filhos eu tomava pílula anticoncepcional, ibuprofeno para as dores de cabeça ocasionais e até mesmo betabloqueadores para minha inexplicável taquicardia. Tive minha primeira filha durante o meu curso de especialização, e depois de três semanas já estava de volta ao trabalho, cheia de energia. Perdi rapidamente os quilos extras adquiridos durante a gravidez, e me sentia muito bem apesar das 84 horas de trabalho semanal.

Nove meses depois, porém, tudo mudou. Parecia que eu estava ficando louca. Eu adorava ser mãe e conciliar minha nova vida doméstica com o trabalho no hospital e em meu novo consultório particular, que estava indo muito bem, mas estava tão cansada que tinha a sensação de que minhas pernas eram feitas de chumbo. Além disso, comecei a ter lapsos mentais preocupantes e a ficar distraída como nunca tinha sido antes: eu me trancava com frequência fora do consultório; esquecia minha senha do caixa eletrônico, que era antiga; agendava consultas para dois pacientes no mesmo horário; e tinha de enviar cheques pelo correio aos taxistas quando esquecia a carteira em casa (almas caridosas!). Isso não era bom para a minha carreira, além de me deixar insegura como mãe de primeira viagem. Apesar de não me sentir triste, como psiquiatra e puérpera eu sabia que muitos desses sintomas poderiam ser classificados sob o diagnóstico abrangente de depressão, que requeria o uso automático da "panaceia" chamada antidepressivo.

Exames laboratoriais de rotina por fim identificaram o problema: minha tireoide, uma glândula superimportante responsável pela produção de hormônios que influenciam quase todos os processos metabólicos do organismo, inclusive aqueles relacionados ao humor e à memória, estava sendo atacada. Os exames mostraram sinais de tireoidite de Hashimoto, um transtorno autoimune em que o próprio organismo ataca e destrói o tecido tireoidiano. Essa doença é caracterizada por inflamação, aumento de volume, destruição do tecido e redução da atividade da glândula. (A tireoidite de Hashimoto, descrita pela primeira vez em 1912, foi a primeira doença autoimune a ser identificada.)[1] Meu médico disse que era uma doença crônica, mas não explicou por que eu tinha chegado a esse ponto nem como tratar o problema sem medicamentos. Ele me receitou um hormônio tireoidiano sintético, que eu teria de tomar para o resto da vida. Não era nenhum bicho de sete cabeças.

Mas para mim era. Eu nunca tinha ficado doente antes, e estava diante do meu primeiro diagnóstico e da perspectiva de um tratamento vitalício. Eu sabia, com base em minhas pesquisas durante a gravidez, que as doenças autoimunes da tireoide (mesmo com níveis hormonais normais) podiam causar aborto espontâneo e parto prematuro, e eu queria ter mais filhos. Em geral sou bastante desconfiada em relação às recomendações que me fazem, inclusive dos médicos, e sempre fui um pouco rebelde. Procurei, então, um excelente naturopata que me introduziu ao mundo suave e esperançoso da autocura. Fiz minhas próprias pesquisas, não apenas como médica, mas como paciente desesperada. E logo descobri que o meu não era, em essência, um problema de tireoide – mas sim uma grave falha do meu sistema imunológico, desencadeada por alterações pós-parto, desequilíbrio intestinal crônico e hábitos alimentares que deixavam a desejar (sim, aqueles Big Macs e aquelas bebidas energéticas estavam começando a causar danos à minha saúde). Tudo isso se manifestava como disfunção tireoidiana. Ao que tudo indica, havia também problemas de glicose no sangue, pois todos aqueles alimentos processados deviam estar me matando aos poucos. Basta dizer que aquela experiência me fez avaliar a interligação de todos os sistemas orgânicos. O lado positivo é que foi graças a essa experiência que pude ajudar muitas outras mulheres que hoje estão na mesma situação que eu estava, e a fazer o papel de guardiã, mantendo-as longe da prescrição indiscriminada de medicamentos psiquiátricos.

Sete anos depois, e após outra gravidez saudável, hoje eu sei que a desregulação da tireoide decorrente de uma resposta do sistema imunológico é uma causa comum, porém não identificada, de depressão e ansiedade (e não é preciso ter dado à luz recentemente para ter problemas de tireoide). Sei também que existem estratégias claras baseadas em evidências científicas para restaurar a função tireoidiana, *sem necessidade de medicamentos*. Eu descobri uma maneira de acabar com o problema de esquecimento. Assim que mudei minha alimentação e comecei a tomar suplementos alimentares específicos, a fazer exercícios regularmente e a meditar, obtive alívio total (ausência de anticorpos e níveis saudáveis de hormônios tireoidianos). O protocolo apresentado neste livro se baseia nessa experiência.

Não me entenda mal: minha jornada pessoal nem sempre foi fácil, e levou quase dois anos de disciplina férrea para que todos os meus problemas fossem solucionados. Tive de aprender mais sobre biologia humana do que jamais pensei que precisaria (sobretudo como uma psiquiatra tradicional), e esse novo conhecimento subverteu quase tudo o que eu tinha estudado durante a minha longa formação médica que se estendeu por mais de uma década. Fui obrigada a *desaprender* a maior parte daquilo que tinha me custado centenas de milhares de dólares, noites sem dormir, estresse excessivo e servidão voluntária. Colocar em prática essas informações tem sido um verdadeiro exercício de amor-próprio. Mas tive a minha recompensa, não apenas em estabilidade mental, mas também em excelente saúde física. E tudo o que eu quero é que você consiga fazer o mesmo.

A essa altura, você já sabe que a depressão está longe de ser apenas um distúrbio cerebral. Mas você sabia que alguns problemas bastante comuns que não são diagnosticados na verdade apresentam os sintomas típicos dos transtornos psiquiátricos descritos nos livros didáticos? São o que eu chamo de falsos quadros psiquiátricos, e o distúrbio tireoidiano — e não um desequilíbrio químico cerebral — é um dos mais frequentes em mulheres atualmente. De fato, tireoide hipoativa (hipotireoidismo) é uma das doenças mais subdiagnosticadas nos Estados Unidos, apesar de ser muito comum, sobretudo em mulheres. Mais de 20% das mulheres têm tireoide "preguiçosa", mas apenas a metade delas é diagnosticada (e esse diagnóstico não é tão fácil como você imagina). O outro falso quadro — desequilíbrio glicêmico — também atingiu proporções endêmicas nos dias de hoje, e poucos médicos estabelecem uma relação entre o fato de estar pré-diabético (se não já diabético) e a depressão. Mas, como você verá em breve, esses dois falsos quadros têm muito em comum.

## Caos na tireoide

Melissa tinha apenas 31 anos quando me procurou queixando-se de nervosismo, taquicardia, insônia e ansiedade. Ela não tinha nenhum antecedente psiquiátrico. Outro psiquiatra lhe havia receitado Ativan, um ansiolítico, e Zoloft, um antidepressivo. Mas ela me procurou em busca de melhores soluções, pois tinha esperança de não precisar tomar esses medicamentos. A primeira coisa que fiz foi pedir exames para identificar com precisão qualquer alteração fisiológica. Embora seus níveis de hormônio tireoestimulante (TSH) estivessem normais no exame de rotina que a maioria dos médicos pede, eu descobri que ela tinha níveis excessivamente elevados de anticorpos antitireoidianos em exames de rotina que a maioria dos médicos *não* pede. Isso indicava que o sistema imunológico dela estava atacando seu próprio tecido tireoidiano. Era o primeiro estágio da tireoidite de Hashimoto, um diagnóstico que pode anteceder em até sete anos um diagnóstico formal dessa doença.

Como eu disse, hipotireoidismo, um distúrbio em que a glândula tireoide não produz quantidade suficiente de alguns hormônios tireoidianos importantes, atualmente constitui uma epidemia entre as mulheres. Quase 60 milhões de americanos, a maioria mulheres, têm algum tipo de problema de tireoide e são tratados com hormônios tireoidianos sintéticos, como Synthroid. Muito embora nunca pensemos na tireoide, essa glândula em forma de borboleta localizada na base do pescoço tem importantes funções, como produzir hormônios que regulam o metabolismo (inclusive a criação de novas mitocôndrias, as usinas energéticas das células), controlar a síntese de proteínas e ajustar a sensibilidade do organismo a outros hormônios. A tireoide também está envolvida com os mecanismos de desintoxicação, as funções de crescimento, a imunidade e a função cognitiva.

Muitas substâncias químicas e aditivos alimentares podem alterar a função tireoidiana, de refrigerantes (que contêm substâncias químicas chamadas emulsificantes) e plásticos (que contêm a substância química sintética bisfenol A e seus parentes) a água encanada (que em geral contém flúor) e o mercúrio dos peixes de grande porte que nadam em nossos oceanos contaminados. Especificamente, a tireoide é responsável pela produção de T0, T1, T2, T3 e T4. Os primeiros três (T0, T1 e T2) são precursores hormonais e subprodutos da produção de hormônios tireoidianos; como tal, na verdade eles não agem sobre o receptor de hormônios tireoidianos e o seu papel ainda não foi totalmente elucidado. Os dois hormônios tireoidianos mais ativos são T3 e T4. A maior parte do T4, a forma de armazenamento do hormônio tireoidiano, é convertida em T3, sua forma ativa, nos tecidos de todo o corpo, inclusive do cérebro. Esse processo depende da ação de enzimas especializadas, de níveis adequados de cortisol (o hormônio do estresse) e de alguns nutrientes como ferro, iodo, zinco, magnésio, selênio, vitaminas do complexo B, vitamina C e vitamina D.

Como os hormônios tireoidianos têm importância vital no metabolismo de cada célula do corpo, o certo seria cuidar de uma fonte de saúde importantíssima como essa. Mas a saúde da tireoide costuma ficar, na melhor das hipóteses, em segundo plano. A deficiência ou mau funcionamento do hormônio ativo da tireoide pode produzir uma série de sintomas semelhantes aos observados na depressão, como cansaço, prisão de ventre, queda de cabelo, desânimo, falta de clareza mental, sensação de frio constante, metabolismo baixo, aumento de peso, pele seca, dores musculares e intolerância ao exercício. Você dorme de meias, evacua somente uma vez por semana e usa lápis de sobrancelha para disfarçar as falhas. A tireoidite pós-parto, que eu tive, costuma ser precedida por um período de *hiper*tireoidismo funcional, caracterizado por níveis elevados de energia, insônia, diarreia, ansiedade e perda rápida de peso. Essas são as mulheres que recuperam a forma rapidamente depois do parto, mas que nove meses depois estão se "arrastando", sem energia. O hipertireoidismo, em que a glândula produz uma quantidade excessiva de hormônio, é mais raro, mas também tem efeitos negativos sobre o corpo, como desencadear problemas cardíacos e ósseos.

## Você tem mesmo uma doença mental?

Então, quanto do que chamamos de doença mental tem raízes na tireoide e, um passo atrás, no sistema imunológico? Segundo minha experiência, grande parte. Há muito tempo os cientistas estabeleceram uma relação entre disfunção tireoidiana e sintomas de depressão. Um dos primeiros estudos a demonstrar a conexão entre tireoidite autoimune "assintomática" e depressão foi publicado em 1982 pelo dr. Mark S. Gold e seus colegas.[2] Gold é um especialista em vício de renome mundial que ao longo da sua longa carreira estudou e pesquisou os efeitos das drogas sobre o cérebro e o comportamento. Ele também estudou como disfunções orgânicas que passam despercebidas podem se manifestar em sintomas depressivos. Dez anos depois do histórico estudo de Gold, o *British Medical Journal* publicou outro que corroborava a relação entre disfunção tireoidiana e depressão. E essa relação continua a ser validada: em 2015, a revista *European Archives of Psychiatry and Clinical Neuroscience* publicou um novo artigo original que confirmava a associação entre tireoidite autoimune e depressão. Seus autores escreveram: "Nosso estudo demonstra uma forte associação entre os níveis [de anticorpos antitireoidianos], considerados de valor diagnóstico para tireoidite autoimune [...] e depressão unipolar ou bipolar".[3]

Mas hoje em dia geralmente os médicos não levam em consideração a tireoide quando são procurados por uma mulher com essas queixas vagas, porém insidiosas.[4] Em vez de pedir exames para identificar o problema real, eles receitam medicamentos. Infelizmente, é preciso pesquisar a fundo para detectar um problema de tireoide.

Mesmo quando pedem exames de tireoide, nem sempre os médicos obtêm resultados precisos. Isso acontece porque os exames convencionais analisam somente um hormônio no sangue que é produzido pela hipófise, glândula localizada no cérebro: o TSH. Em geral a hipófise libera TSH quando o nível de hormônio tireoidiano está baixo, de modo que um nível elevado de TSH muitas vezes indica uma tireoide hipoativa. Porém, para muitas mulheres, isso é como deixar as luzes do quarto apagadas e dizer que não consegue encontrar as chaves.

O problema com os valores de referência estabelecidos para o que é considerado normal e anormal é que os pontos de corte dos testes de função tireoidiana baseiam-se numa amostra populacional que não foi avaliada e que provavelmente inclui pessoas com disfunção tireoidiana não diagnosticada. Trocando em miúdos, os valores de referência são enganosos, por esse motivo a disfunção tireoidiana é tão subdiagnosticada — muitas pessoas com resultados normais na verdade têm problema de tireoide. Determinar que uma faixa de referência é normal implica um grau de precisão que os exames não têm. Todos nós temos o nosso próprio ponto de ajuste, que difere ligeiramente, para o que é considerado normal ou anormal em relação à atividade tireoidiana, algo que os exames não incluem na equação.

Os médicos não sabem como analisar o quadro geral. Raramente eles verificam os níveis de hormônios livres, ou seja, os níveis sanguíneos de hormônios tireoidianos que não estão ligados a proteínas e que, em geral, não são quantificados nos exames de rotina. Eles não avaliam a relevância do sistema imunológico como uma alavanca para a reversão da doença. Por esse motivo, não pesquisam a presença de anticorpos antitireoidianos e não mudam o tratamento considerado "critério de referência"; quer dizer, uma abordagem única para todas as pacientes, a prescrição de hormônio tireoidiano sintético. Não admira que o Synthroid (levotiroxina sódica) seja o medicamento mais receitado nos dias de hoje.[5] Mas raramente é uma solução. O meu protocolo pode ajudar a normalizar a função tireoidiana, e por certo existem alternativas para aquelas que de fato precisam de suplementação de hormônio tireoidiano. (Ver o Capítulo 10, em que eu também especifico quais são os exames que devem ser feitos para identificar uma tireoide hipoativa.)

A medicina convencional não avalia a interação entre muitos fatores que são fáceis de compartimentalizar. E quando uma paciente não é devidamente diagnosticada ou não responde a um tratamento com hormônio tireoidiano, bem então... ela precisa de um psiquiatra. Afinal de contas, seus sintomas de "névoa mental", cansaço, insônia, agitação e ansiedade estão correlacionados com depressão e seus níveis de TSH estão "normais". Tratar essas mulheres com antidepressivos é como colocar um curativo sobre uma farpa encravada na pele. Significa perder a oportunidade de resolver a raiz do problema. E é um exemplo revelador de como a medicina tradicional pode cometer graves erros.

Como é que a tireoide afeta a saúde mental? Em primeiro lugar, é importante entender que a função de uma tireoide sadia não é apenas bombear hormônios — há uma comunicação sofisticada entre o cérebro, a glândula tireoide, os hormônios e as células e tecidos receptores. Na verdade, não podemos nem mesmo abordar a saúde da tireoide sem analisar as mitocôndrias, as pequeninas organelas no interior das células que contêm seu próprio DNA e que são responsáveis por uma longa lista de tarefas que vão desde gerar a energia que mantém a vida até determinar quando uma célula deve morrer. Por esse motivo, as mitocôndrias se tornaram cada vez mais o foco das pesquisas sobre doenças crônicas, e quem mantém as mitocôndrias é o hormônio tireoidiano. É por isso que se a sua tireoide não estiver funcionando como deveria, você pode apresentar a série de sintomas que mencionei anteriormente. E tem mais, o bom funcionamento da tireoide depende do cortisol, hormônio do estresse produzido pelas glândulas suprarrenais mediante sinalização do cérebro.

Para mim, a pergunta crucial é por que a produção das glândulas suprarrenais está anormal. Por que o cérebro está interrompendo a secreção de cortisol, deixando as pacientes cansadas, porém nervosas? Quando estamos tentando restabelecer a função tireoidiana, não podemos simplesmente ignorar as suprarrenais. Essas pequenas glândulas localizadas sobre os rins produzem diversos hormônios e substâncias neuroquímicas que nos ajudam a responder às demandas diárias. Essas substâncias que regem grande parte do nosso sistema biológico de resposta ao estresse incluem cortisol, DHEA, aldosterona, norepinefrina e epinefrina. Para que o hormônio tireoidiano seja convertido e desempenhe a sua função de maneira ideal, o padrão de cortisol ao longo do dia deve ser otimizado. Por essa razão, faço com que minhas pacientes meçam seus níveis de cortisol durante todo o dia (ver p. 231); assim eu obtenho um quadro mais amplo da função tireoidiana. Os padrões ideais de cortisol não dependem unicamente do controle do estresse. Como explicarei na Segunda Parte do livro, uma dieta com baixo teor de açúcar e a adição de algumas vitaminas e ervas anti-inflamatórias são instrumentos fundamentais para que você possa retomar o controle total da sua saúde.

Ao analisar quais são os estressores que recrutam as glândulas suprarrenais, devemos levar em consideração os seguintes agressores:

*Pílulas anticoncepcionais*
Os hormônios sintéticos dessas pílulas populares reduzem os níveis do hormônio tireoidiano disponível no organismo (embora os resultados dos exames de tireoide sejam normais) ao elevar os níveis de globulina ligadora de tiroxina (TBG). Em linguagem simples, globulina ligadora de tiroxina é uma proteína que se liga ao hormônio da tireoide na corrente sanguínea. Quando os níveis de globulina ligadora de tiroxina sobem, os níveis de hormônio da tireoide caem. Demonstrou-se que os anticoncepcionais orais também promovem inflamação ao mesmo tempo em que causam a depleção de nutrientes e antioxidantes superimportantes. Falarei mais sobre anticoncepcionais orais no próximo capítulo. Não quero que minhas pacientes tomem pílulas anticoncepcionais, e sugiro outras opções como preservativos, DIU não hormonal e "tabelinha".

## Glúten

Como falei no capítulo anterior, as proteínas "grudentas" presentes no trigo, bem como as proteínas semelhantes ao glúten, como as prolaminas presentes na cevada, no centeio e no milho, têm efeitos diretos no cérebro e efeitos indiretos no restante do corpo. A glândula tireoide é particularmente afetada. Está bem documentado que a sensibilidade a cereais que contêm glúten, que muitas vezes pode passar despercebida e não ser diagnosticada, causa doença celíaca e tireoidite de Hashimoto, entre mais de duzentos problemas de saúde. Isso ocorre, em parte, porque a própria tireoide contém sequências de aminoácidos (ou seja, proteínas) que se assemelham às encontradas no glúten. É por isso que o sistema imunológico pode ficar confuso e começar a atacar a tireoide como se ela fosse um invasor estranho. Em 2001, o *The American Journal of Gastroenterology* publicou um estudo memorável que mostrava que os indivíduos com as piores reações ao glúten, ou seja, os celíacos, correm um risco três vezes maior de ter disfunção tireoidiana, e que com a eliminação do glúten os sintomas podem desaparecer por completo.[6] Além disso, estudos realizados na década de 1980 mostram uma forte associação entre a doença celíaca não tratada e a depressão.

## Flúor

Historicamente, o flúor era usado para suprimir a função tireoidiana em pacientes com tireoide hiperativa. Ele interfere em diversos aspectos dos tecidos tireoidianos, desregula a fisiologia hormonal, desloca o iodo e diminui a quantidade de selênio, dois elementos essenciais à função tireoidiana. O flúor está onipresente atualmente, sendo encontrado na água potável, em medicamentos, em utensílios antiaderentes de cozinha e nas pastas de dente. Pesquisas recentes mostram que o flúor na água não apenas aumenta em 30% o risco de doença da tireoide como também não previne cáries — a principal razão pela qual ele é adicionado à água.[7] No meu protocolo, vou ajudá-la a reduzir ao mínimo a sua exposição.

## Desreguladores endócrinos

Desde que estava no útero materno, você foi exposta a milhares de substâncias químicas ambientais, muitas das quais podem perturbar a sua fisiologia normal.

As substâncias químicas utilizadas atualmente na indústria e na agricultura, como ftalatos, retardadores de chama e PCBs (pesticidas e bifenilos policlorados), são agentes tóxicos de uso disseminado que interferem na biologia da tireoide. Esses agentes tóxicos, sobre os quais falarei com mais detalhes no Capítulo 5, também provocam desequilíbrio hormonal, promovem inflamação e estimulam de modo negativo o sistema imunológico.

A tireoide é como um canário na mina de carvão, ou seja, é um sinal de alerta. No mundo acelerado, sem nutrientes e repleto de substâncias tóxicas em que vivemos, a glândula tireoide pode ser a primeira a ser ameaçada. Talvez você não sinta o ataque na própria tireoide, mas com certeza sente no seu humor. Promover a saúde da tireoide é um verdadeiro exercício da medicina holística, que começa com o reforço do sistema imunológico para que ele não ataque os tecidos do próprio corpo e se manifeste como sintomas de depressão. Outra importante razão para corrigir a disfunção tireoidiana autoimune é diminuir o risco de desenvolver outras doenças autoimunes, como artrite, lúpus e esclerose múltipla.

O desafio consiste em saber se você corre o risco de ter efeitos adversos e que grau de exposição fará seu organismo responder de forma negativa. Nós vivemos num mundo com excesso de estímulo, e é difícil prever quais são os sistemas orgânicos que vão se rebelar contra esses estímulos. Estabelecer os pontos de ligação entre o sistema imunológico e a saúde mental pode parecer intricado e difícil a princípio, mas não depois que você entender a relação direta e íntima entre essas duas redes no corpo. Então, vamos lá!

## É O SISTEMA IMUNOLÓGICO!

Assim como qualquer ser vivo neste lindo e estranho planeta, o nosso corpo deseja sobreviver como um organismo individual, junto com bilhões de outros organismos que competem pelos mesmos recursos. Além da clássica resposta de luta ou fuga com a qual todos nós nascemos para conseguir sobreviver aos embates com os predadores do mundo exterior, o corpo humano também desenvolveu métodos para atacar e matar quaisquer ameaças internas que coloquem em risco a nossa sobrevivência. As células do nosso sistema imunológico supervisionam constantemente o ambiente para detectar organismos e moléculas estranhas e potencialmente hostis, e fazem isso reconhecendo estruturas de superfície que identificam como "alheias".[8]

Quando somos bebês, o nosso sistema imunológico é deliberadamente reprimido para que possamos aprender, pelo leite materno, ao que devemos responder, mas também ao que *não* devemos responder. Os níveis de hormônio do estresse durante a gestação e até mesmo durante o período de lactação transmitem continuamente importantes informações para o bebê sobre a natureza da sua nova casa.[9] É essa complexa parceria com o mundo microbiano que uma mãe tem de ensinar ao bebê, e tem sido assim há milhões de anos.

Lembre-se de que o tecido linfático associado ao intestino (GALT) é responsável por mais de 80% da primeira linha de defesa do nosso corpo. Provavelmente seu médico não vai pensar no conceito de que o sistema imunológico entérico e a saúde mental trabalham em conjunto, portanto ele não vai perguntar o que você come nem como é a sua digestão quando você se queixar dos clássicos sintomas de depressão. Mas se tiver alguma coisa errada no seu sistema imunológico, certamente poderá desencadear sintomas psiquiátricos devido à intrincada relação entre o sistema imunológico, o intestino, as glândulas hormonais e o cérebro. Muitos alimentos bastante consumidos no Ocidente contêm ingredientes que causam efeitos de longo alcance no sistema imunológico, que em geral passam despercebidos. Às vezes esses efeitos ocorrem totalmente *fora* do intestino (portanto, aquelas fezes perfeitas não significam que você não tenha problemas intestinais). Respostas imunológicas aparentemente insignificantes no intestino afetam o humor e a memória, mas também nesse caso pode ser que você não sinta essas reações iniciais. No Capítulo 7, falarei sobre os principais ingredientes que desencadeiam respostas imunológicas (se quiser dar uma olhadinha, veja o quadro da p. 115). Os seres humanos não foram projetados para comer esses alimentos, e *ninguém deveria consumi-los*. Eles são muito tóxicos para o organismo. A boa notícia é que é relativamente simples eliminar da alimentação esses potenciais desencadeantes do sistema imunológico. Algumas pessoas também têm intolerância ou alergia a outros alimentos e precisam evitá-los, embora eu os recomende em meu programa. Os vegetais da família das solanáceas (batata, tomate, beringela e pimentão), ovos e frutos secos, por exemplo, são problemáticos para um pequeno número de pessoas, que podem fazer substituições. Se você tem alergia a esses alimentos pode ser que já saiba disso e que consiga modificar devidamente meu protocolo alimentar.

> **PRINCIPAIS INGREDIENTES (TÓXICOS) QUE DEVEM SER ELIMINADOS IMEDIATAMENTE**
>
> - Proteínas que contêm glúten (presentes no trigo, na cevada e no centeio).
> - A maior parte dos açúcares (açúcar refinado, xarope de milho com alto teor de frutose e açúcares artificiais, inclusive aspartame e sucralose).
> - Alimentos não orgânicos e alimentos geneticamente modificados (GM), como óleo de milho, soja e canola (os alimentos geneticamente modificados estão escondidos em toda parte hoje em dia, muitas vezes onde você menos espera que eles estejam).
> - Gorduras prejudiciais à saúde (óleos vegetais processados).
> - Caseína (a proteína presente nos laticínios, inclusive no leite e no queijo).

Saiba que a inflamação ocorre quando uma série de substâncias químicas reparadoras no sangue é ativada em decorrência de ferimento, infecção ou até mesmo estresse psicológico. A inflamação é, sem dúvida, uma das maneiras pelas quais o sistema imunológico reage a uma ameaça com a intenção de se curar. Como a maioria das ameaças entra em contato com o nosso organismo no intestino, e a maior parte do sistema imunológico está localizado nesse órgão, é provável que a inflamação comece com uma disfunção intestinal. Há muito tempo na nossa evolução, essa resposta era adaptativa, mas a realidade dos nossos hábitos de vida atual deixou muitos de nós com uma resposta inflamatória permanentemente ativada.

Uma das maneiras mais eficazes de restabelecer a saúde do sistema imunológico – e da tireoide – é eliminando o açúcar e controlando a glicose sanguínea.

Sim, você leu direito: o segredo para acabar com a sua depressão pode muito bem ser colocar um fim nos altos e baixos (a montanha-russa da glicose) na sua corrente sanguínea e, por implicação, no seu cérebro.[10] E ao equilibrar seus níveis de glicose sanguínea, você também poderá ser poupada do diagnóstico de transtorno do pânico, ansiedade generalizada, sintomas associados com diagnóstico de TDAH e até mesmo transtorno bipolar, além de não precisar tomar medicamentos que possam causar danos à sua mente e ao seu corpo.

## Glicose sanguínea caótica

Provavelmente você conhece a sensação de cansaço e confusão mental depois de um "banquete de doces", e também já sentiu a irritação provocada pelo baixo nível de glicose no sangue, ou observou essa reação em seu filho ou em alguém próximo. Mas os desequilíbrios glicêmicos também podem ser crônicos e se agravarem progressivamente. A resistência à insulina, "primeira parada do trem expresso" para um diagnóstico de diabetes, é um problema muito grave que está afetando um número astronômico de pessoas nos Estados Unidos. Embora o diabetes e a obesidade sejam muitas vezes o foco de atenção, a resistência prolongada à insulina e sua companheira, a hipoglicemia reativa, se manifestam com frequência como sintomas psiquiátricos clássicos. A alimentação de muitas pessoas, rica em carboidratos refinados e processados e pobre em gorduras saudáveis, acaba levando-as a tomar medicamentos psiquiátricos, em vez de resolver os problemas de glicose sanguínea que são a origem do problema. E a situação fica ainda mais complicada quando levamos em conta que, *além* dos problemas de glicose sanguínea, há o impacto oculto que ingredientes como glúten, adoçantes artificiais e proteínas lácteas podem estar exercendo sobre o sistema imunológico.

A insulina, como provavelmente você já sabe, é uma das substâncias mais importantes do organismo. Trata-se de um hormônio que nos ajuda a levar a energia proveniente do carboidrato contido nos alimentos para as células, para que estas possam usá-la. O processo pelo qual as células absorvem e utilizam a glicose, molécula vital de açúcar e principal fonte de energia do organismo, é bastante complexo. As nossas células não conseguem recolher a glicose que passa pela corrente sanguínea. Elas têm de transportar a molécula com o auxílio da insulina, que é produzida pelo pâncreas. A insulina transporta rapidamente a glicose da corrente sanguínea para os músculos, o fígado e, em especial, para as células adiposas, para que possa ser usada como combustível ou ser armazenada como energia na forma de gordura.

As células sadias normais não têm dificuldade para responder à insulina. Mas quando são constantemente expostas a níveis elevados de insulina em consequência de picos persistentes de glicose – em geral causados pelo consumo excessivo de muitos carboidratos atuais –, as células se adaptam e se tornam "resistentes" ao hormônio. Isso faz o pâncreas produzir mais insulina, pois são necessários níveis mais elevados desse hormônio para que a glicose penetre nas células. Mas esses níveis mais altos também reduzem drasticamente a glicose no sangue, gerando ansiedade e desconforto físico. Na verdade, muitas das palavras usadas para descrever a sensação produzida por níveis baixíssimos de glicose no sangue são sinônimos de depressão.

Como você pode imaginar, cria-se um ciclo vicioso que com o tempo pode culminar em diabetes tipo 2. Quem sofre de diabetes, por definição tem níveis elevados de glicose no sangue, porque o organismo não consegue transportar a tão necessária glicose para as células, onde ela pode ser armazenada com segurança para gerar energia. E se essa glicose permanecer na corrente sanguínea, vai causar muitos problemas. Não admira que a morbimortalidade associada com níveis elevados de glicose no sangue seja a principal causa de morte no mundo ocidental: doença cardíaca. Como falei no Capítulo 1, não admira também que um dos principais fatores de risco de depressão seja o nível elevado de glicose no sangue. Mulheres diabéticas têm quase 30% a mais de probabilidade de desenvolver depressão. Em 2015, um estudo conduzido por uma equipe de cientistas da Universidade do Estado de Michigan e da Universidade Dankook, na Coreia do Sul, descobriu que inflamação (determinada por níveis elevados de proteína C reativa) e distúrbios metabólicos, como níveis altos de glicose em jejum e hemoglobina glicada, eram extremamente preditivos de depressão em mulheres, muito mais do que em homens.[11]

Essa pode ser uma lição aprendida a duras penas, sei disso porque eu mesma era viciada em açúcar. Mas nós não fomos feitos para ingerir as quantidades e os tipos de açúcar que consumimos nos dias de hoje, alguns dos quais estão ocultos em alimentos aparentemente inócuos comercializados como saudáveis (como cereais integrais ricos em carboidratos complexos, iogurtes com baixo teor de gordura e refrigerantes *diets*). A reação que ocorre no organismo em resposta a essa ingestão elevada de várias formas de açúcar é chamada de hipoglicemia reativa, que pode ser mascarada por diversos sintomas compatíveis com depressão e ansiedade.

Eis um resumo do que acontece: quando você ingere açúcar em uma forma óbvia, como uma barra de chocolate, ou até mesmo numa forma não óbvia, como pão ou macarrão feito com farinha refinada, você tem uma elevação da glicose no sangue seguida por um aumento compensatório dos níveis de insulina. E esse aumento de insulina acaba levando a uma queda da glicose no sangue e a uma resposta compensatória de cortisol (responsável por fazer com que o açúcar armazenado seja transportado para a corrente sanguínea), o que gera um ciclo vicioso: vontade de comer mais carboidratos e açúcares. (Lembre-se, seu cérebro só pode subsistir alguns minutos sem uma fonte estável de combustível. Se ele depende do açúcar, e não de gordura, uma fonte mais estável de energia, você terá muitos problemas quando seus níveis de glicose despencarem!) Nesse estado, provavelmente você se sentirá nervosa, ansiosa, irritada, mal-humorada, cansada, com dores de cabeça, náusea e confusa. Isso soa familiar? Todos esses sintomas podem se encaixar no diagnóstico de depressão e ansiedade. E esses sintomas podem durar o dia todo, uma semana ou um mês, contribuindo para uma sensação generalizada de inquietação e nervosismo que pode levar você a consultar um médico e sair com uma receita de antidepressivos na mão.

Além disso, o açúcar pode danificar as células nervosas em áreas como o hipocampo, por exemplo, que é responsável pelo controle da oferta e da demanda de cortisol. Mas felizmente há uma solução simples para isso, que vamos explorar no Capítulo 6: eliminar da alimentação os açúcares e as farinhas refinadas e consumir mais proteínas de alta qualidade e gorduras naturais, sobretudo no café da manhã.

Vamos dar um exemplo: Jessica tinha 23 anos quando entrou no meu consultório queixando-se de TPM, com acne e sensação generalizada de inquietação, sintomas típicos de depressão segundo os livros didáticos. Ela acordava no meio da noite para comer, mas não tinha fome quando se levantava com esforço pela manhã. Isso foi suficiente para eu perceber que ela tinha desequilíbrio glicêmico. Ela também mencionou confusão mental, falta de energia, baixa libido e taquicardia — detalhes que confirmavam sua glicemia caótica. Eu a coloquei imediatamente sob um protocolo alimentar que estabilizaria seus níveis de glicose sanguínea e a ajudaria a evitar os lanchinhos de madrugada. Entre outras coisas ela teve de eliminar o açúcar e cereais da alimentação, incluir manteiga clarificada (*ghee*) e óleo de coco e tomar suplemento com L-carnitina e cromo. Poucas semanas depois ela tinha perdido cerca de 3,5 kg, dormia a noite toda pela primeira vez em quatro anos, não tinha queixas menstruais em seu terceiro ciclo e se sentia livre. Seu problema de ansiedade desapareceu.

## Lembre-se, você está no controle

Quando falo sobre os tópicos que abordei neste capítulo em minhas palestras, sempre me perguntam sobre o papel da genética. Apesar de ser verdadeiro que uma pessoa possa ser mais suscetível a doenças como hipotireoidismo e diabetes devido a fatores hereditários impressos em seu DNA, esses fatores não precisam ser transformados em destino. Nem mesmo as pessoas que apresentam maior risco de ter sintomas depressivos em decorrência de padrões familiares estão fadadas a sofrer de depressão. O seu DNA e a forma como ele é expresso estão constantemente à mercê dos fatores ambientais (ou seja, seus hábitos de vida — o que você come, o grau de estresse a que está sujeita, as substância tóxicas com as quais você entra em contato e até mesmo seus pensamentos). Uma maneira simples de entender isso é analisar uma pessoa obesa que perde todos os quilos extras. Ela ainda tem o mesmo DNA, mas sem dúvida os genes estão se expressando de modo muito diferente em consequência de mudanças relacionadas com escolhas alimentares e programas de exercício. E esse processo funciona nos dois sentidos: pode ser que você não tenha fatores de risco genéticos para hipotireoidismo (ou diabetes, obesidade, depressão) e ainda assim desenvolva essas doenças por causa de seus hábitos diários.

Disfunção tireoidiana e distúrbios glicêmicos são apenas dois falsos quadros psiquiátricos que em geral não são identificados nem tratados quando uma pessoa é rotulada como deprimida; outros são provenientes de fontes externas, como os produtos de beleza que você compra e os comprimidos que toma para azia. Os sintomas cerebrais que se tornam parte de um diagnóstico de depressão quase sempre são originados por alguma combinação de incompatibilidades alimentares e exposição a substâncias químicas, inclusive a medicamentos e vacinas. No próximo capítulo, veremos que tipos de agentes tóxicos ambientais podem ter efeitos nocivos sobre o organismo que se convertem em problemas mentais, do humor e da memória.

CAPÍTULO 5

# Por Que Cremes Hidratantes, Água da Rede Pública e Analgésicos Vendidos sem Receita Deveriam Trazer Novos Avisos de Advertência

*Agentes tóxicos ambientais e medicamentos comuns que podem causar depressão*

---

Advil, Lípitor, Nexium, flúor, "fragrância," vacinas e anticoncepcionais orais têm muito em comum: depressão

---

Quando Monica, 56 anos, executiva de uma empresa de relações públicas, me procurou, suas principais queixas eram esquecimento (a ponto de achar que estava com Alzheimer de início precoce) e tristeza intensa. Chegou até mesmo a pensar em suicídio. Ela nem sempre tinha sido assim, e queria voltar a ser a mesma de antes. Além dos problemas de memória e humor, Monica também tinha falta de energia, dor generalizada, pele ressecada, prisão de ventre e aumento de peso. Assim como muitas mulheres de meia-idade, ela estava tomando uma estatina para o problema de colesterol alto e também um antidepressivo muito conhecido. Sua médica, uma clínica geral, lhe disse que de nada adiantaria mudar seus hábitos alimentares. Os exames que pedi mostraram que ela tinha o mesmo que eu havia tido — tireoidite de Hashimoto.

Descobri também que ela apresentava os primeiros sinais de diabetes; sua glicemia estava fora de controle.

A médica havia assegurado a Monica que a estatina era um medicamento bastante seguro, um dos mais receitados, que milhões de pessoas tomavam diariamente. Ela não disse que ele poderia causar graves problemas de humor e memória, entre outros efeitos colaterais.

Quando soube disso, Monica parou de tomar o medicamento e tentou baixar os níveis de colesterol tratando da sua disfunção tireoidiana, uma causa comum de aumento do colesterol. Além da recomendação usual para que cortasse o consumo de alimentos processados, eu lhe pedi que eliminasse o glúten da sua alimentação (e a inflamação que ele causa). Monica também recebeu um hormônio tireoidiano natural (e não sintético, como os médicos costumam receitar). Depois de três meses seus sintomas tinham desaparecido por completo e sua glicose sanguínea estava normalizada. Em pouco tempo Monica ficou livre da depressão e com níveis saudáveis de colesterol. Parecia um milagre! Além de sua memória voltar ao normal, ela começou a emagrecer. Começamos, então, a reduzir gradualmente a dose de antidepressivo.

Embora seja de conhecimento geral que a exposição à poluição e a substâncias químicas sintéticas é uma realidade cotidiana no mundo de hoje, não se conhece bem o impacto das exposições químicas sobre o corpo feminino, que podem acabar se manifestando por meio de problemas cognitivos e mentais. Não estou falando apenas dos suspeitos habituais, como plásticos e recibos impressos que contêm bisfenol A, os pesticidas presentes nas frutas e hortaliças, os antibióticos na carne e em seus derivados, o mercúrio no peixe e a poluição ambiental. Eu me refiro também às substâncias químicas que alteram a mente e que introduzimos em nosso organismo por intermédio de medicações aparentemente inócuas: pílulas anticoncepcionais, estatinas, medicamentos para refluxo ácido como o Nexium (omeoprazol) e anti-inflamatórios não esteroides (AINEs) como ibuprofeno (Advil) e naproxeno (Aleve).

Já falei sobre alguns desses medicamentos e seus efeitos prejudiciais. Agora vou falar claramente sobre os medicamentos "não psiquiátricos" que podem desencadear sintomas de depressão, bem como revelar fontes comuns de toxinas ambientais que podemos facilmente restringir no nosso dia a dia. Vamos começar com os três com os quais tenho mais implicância — os que eu mais insisto para que minhas pacientes parem de tomar. Não é tão difícil, sobretudo em comparação com os antidepressivos, mas ainda tenho de argumentar quando as pacientes apresentam o que consideram boas razões para continuar a tomar esses medicamentos. Em seguida, faço uma relação de outros medicamentos problemáticos que hoje em dia as pessoas costumam ter na bolsa e no armário de remédios e termino com uma nota de advertência sobre as vacinas.

## Implicância nº 1: anticoncepcionais orais

Quando as pacientes se queixam de baixa libido, apatia ou indiferença emocional, aumento de peso, queda de cabelo e confusão mental, uma das minhas primeiras perguntas é: "Você está tomando anticoncepcional?" Quando elas reclamam de irritabilidade pré-menstrual, insônia, choro frequente, distensão abdominal e sensibilidade nas mamas como um preâmbulo para perguntar se eu acho que elas devem tomar anticoncepcionais orais e talvez antidepressivos — a panaceia dos psiquiatras e ginecologistas de todo o país — eu respondo simplesmente: "Tem uma maneira melhor".

Eu considerava o controle de natalidade uma conquista feminina, um direito da mulher moderna. Levou anos para que eu mudasse radicalmente a minha maneira de pensar. Eu comecei a refletir sobre o fato de que a pílula anticoncepcional coloca toda a responsabilidade de evitar uma gravidez indesejada nas costas das mulheres, desconsiderando e ignorando uma série de efeitos colaterais, que variam de vagos e insidiosos até mortais.

Mais de 100 milhões de mulheres em todo o mundo usam essa forma de supressão hormonal, e eu me pergunto quantas delas tiveram acesso a informações sobre os problemas sutis causados pelas pílulas anticoncepcionais, sem mencionar os riscos de tromboembolia (grandes coágulos sanguíneos), hipertensão (pressão alta), eventos cerebrovasculares, cálculos biliares e câncer.[1]

Apesar dos devastadores efeitos negativos que nossos hormônios podem causar, são eles que nos deixam a todo vapor — eles nos estimulam, nos movem, nos impulsionam e nos animam. As complexas relações entre os hormônios sexuais, hormônios tireoidianos e hormônios da glândula suprarrenal são como a magia dos óculos em 3D: se você cobrir uma lente, as coisas simplesmente não parecem tão fascinantes.[2]

Quando uma mulher está sentada no meu consultório, eu sei que ela tem lutado com problemas de humor e ansiedade, e que a última coisa que deve fazer é prejudicar a sua própria recuperação com hormônios sintéticos e a carga farmacológica que eles carregam consigo. Desde a década de 1960, há controvérsia sobre os possíveis efeitos dos anticoncepcionais orais sobre o humor, e mais de cinquenta anos depois a questão ainda não foi elucidada.

No entanto, sabe-se que a depressão é a razão mais comum para parar de tomar a pílula. Eu não preciso ser persuadida pelos estudos que demonstram que as mulheres que tomam pílula são significativamente mais deprimidas que as mulheres do grupo de controle que não tomam pílula. Eu vejo esse fenômeno no dia a dia, sobretudo nas mulheres que utilizam contracepção após o parto.

Embora os dados que apontam para a existência de uma relação entre a pílula e os transtornos do humor sejam comprometidos por estudos malfeitos, o que podemos extrair dos achados é que, para algumas mulheres, os anticoncepcionais orais representam um importante fator de risco para depressão e/ou distúrbios relacionados ao humor. Quem seriam essas mulheres? Com base em treze estudos clínicos prospectivos, parece que elas são jovens, têm histórico psiquiátrico pessoal ou familiar (mas isso não incluiria toda a população feminina?) exacerbado por experiências de gravidez/pós-parto e períodos pré-menstruais.[3,4] Mais especificamente, as mulheres que têm sintomas de humor pré-menstrual antes de tomar pílulas anticoncepcionais têm mais efeitos adversos com as pílulas que contêm doses menores de progestina, ou anticoncepcionais orais trifásicos; as mulheres sem esse histórico têm mais efeitos colaterais psiquiátricos com pílulas que contêm níveis mais elevados de progestina.

Será que esses efeitos colaterais poderiam ser mera coincidência? Será que poderiam representar um "viés de indicação" ou o fato de que muitas mulheres que optam por suprimir seu ciclo menstrual já seriam propensas a depressão? É possível, mas o mesmo se pode dizer dos importantes aspectos biológicos a seguir.

Em primeiro lugar, hormônios sintéticos como os dos anticoncepcionais orais combinados que contêm estrogênio e uma progestina aumentam os níveis de globulina ligadora de tiroxina (TBG) e globulina ligadora de hormônios sexuais (SHBG), reduzindo a testosterona e o hormônio tireoidiano disponíveis na circulação, o que pode resultar em baixa libido, hipotireoidismo funcional, depressão, prisão de ventre, sobrepeso, confusão mental e, além disso, ressecamento da pele e do cabelo! Um estudo clínico aleatorizado de nove semanas que analisou três tipos de pílulas anticoncepcionais descobriu que todas elas aumentavam os níveis de SHBG e de marcadores inflamatórios como a proteína C reativa (PCR), bem como a resistência à insulina.[5] Outro estudo descobriu que o aumento da SHBG pode persistir por muito tempo depois que a mulher para de tomar a pílula, contribuindo para a disfunção sexual/baixa libido.[6] A propósito, tanto as substâncias químicas industriais que estão onipresentes na nossa sociedade, como PCBs, bisfenol A e ftalatos, quanto a excreção deficiente de estrogênio, que ocorre em caso de disbiose intestinal, podem levar a estados indesejáveis de predominância estrogênica. Isso significa que há um desequilíbrio entre o estrogênio e a progesterona.

Em segundo lugar, os anticoncepcionais orais promovem estresse oxidativo. O estresse muitas vezes é definido como incapacidade de atender às exigências cotidianas, e o estresse oxidativo é uma força destrutiva no organismo perpetuada por espécies reativas de oxigênio ("radicais livres") que superam em número as enzimas e os fatores antioxidantes disponíveis. Demonstrou-se que uma medida do estresse oxidativo, a peroxidação lipídica (basicamente um marcador do grau de ranço das gorduras no sangue), era mais elevada nas mulheres que tomavam anticoncepcionais orais e que melhorava (não exatamente a ponto de se igualarem aos controles do início do estudo) quando elas eram tratadas com vitaminas E e C, dois conhecidos antioxidantes.[7]

Em terceiro lugar, os anticoncepcionais orais reduzem a quantidade de vitaminas, sais minerais e antioxidantes.[8] Mais especificamente, eles reduzem os níveis de vitamina B6, um cofator na produção de importantes neurotransmissores que ajudam a regular o humor, como a serotonina e o ácido gama--aminobutírico (GABA), bem como zinco, selênio, fósforo e magnésio.[9] Além disso, o uso de pílulas anticoncepcionais está associado com níveis elevados de cobre (que pode produzir sensação de superestimulação), ferro (que pode induzir estresse oxidativo, cálcio e cádmio, comparado com controles. Como pode ser difícil repor e corrigir os níveis dessas vitaminas, talvez seja melhor não mexer com elas!

Não se esqueça de que os anticoncepcionais orais são medicamentos idealizados para pessoas sadias. Portanto, os critérios utilizados para avaliar seus riscos e benefícios devem ser distintos dos utilizados para um tratamento terapêutico. Como ainda há muitas dúvidas sobre o que acontece quando manipulamos as vias hormonais e alças de retroalimentação do organismo, nós dependemos de estudos observacionais realizados com mulheres que já estão tomando pílula para avaliar esses riscos e benefícios. Infelizmente, isso quer dizer que são documentadas aquelas que apresentam graves complicações relacionadas com a pílula, de infarto e AVC até convulsões, tumores hepático, grandes oscilações de humor e suicídio. Esse grupo inclui meninas e mulheres que tomam pílula para tratar problemas de acnes e ciclos menstruais irregulares e aquelas que só querem evitar um ciclo inconveniente. Essas reações perigosas permeiam um panorama de apatia, baixa libido, mudanças de personalidade e doença autoimune, todos esses fatores relacionados com os efeitos de estrogênios e progesterona (conhecida como progestina) sintéticos, que provocam alterações adversas no microbioma, no metabolismo e nas vias inflamatórias.

Quem é que acaba tratando esses efeitos colaterais insidiosos?

Acertou! O psiquiatra, com o receituário na mão.

É por isso que os estudos podem acabar fornecendo novos dados associando a pílula anticoncepcional com alterações cerebrais, confirmando o que milhões de mulheres em todo o mundo têm se queixado há décadas: que a pílula as deixa loucas, deprimidas e ansiosas. Vale a pena repetir que o tratamento farmacológico nunca é inócuo, e é muito difícil fazer uma análise dos riscos e benefícios quando não sabemos quais são os riscos ambientais e genéticos a que uma pessoa está exposta. Se você não sabe se vai acabar deprimida ou, pior ainda, morrer por causa da pílula, por que se arriscar? Se existe uma opção de tratamento que apresenta riscos mínimos ou insignificantes e algum grau de benefício baseado em evidências científicas, na minha opinião esse seria o caminho mais brando e mais suave para a saúde. Hoje em dia, a libido das mulheres parece muito mais um ciclo menstrual sadio, feliz livre das garras dos medicamentos.

# Implicância nº 2: estatinas[10]

É melhor prevenir do que remediar, certo? Essa é a lógica que define o domínio que os laboratórios farmacêuticos têm sobre a nossa psique. É bem possível que você ou alguém que você conheça tome um medicamento para baixar o colesterol, como Crestor, Lípitor e Zocor. Talvez sua mãe, seu pai, irmão ou namorado tome um desses medicamentos sob a pressuposição de que uma estatina ajudará a evitar um infarto fatal. Diretrizes recentes ampliaram o leque de possíveis usuários de estatinas; portanto, aparentemente pouquíssimos de nós temos níveis aceitáveis de gordura em nossas artérias. As novas diretrizes, publicadas em 2013, acrescentaram 13 milhões de pessoas ao grupo de candidatos a tratamento com estatinas.[11] Muitos desses novos pacientes fazem parte da população mais velha, entre 60 e 65 anos de idade. Estima-se que quase 80% das pessoas dessa faixa etária teria de tomar uma estatina com base no novo algoritmo baseado nos riscos. E que esse novo algoritmo não inclui apenas o risco de um evento cardiovascular. Atualmente, as estatinas são recomendadas para pessoas que não têm colesterol alto nem risco de doença cardíaca.

Mas como é que os laboratórios farmacêuticos convencem os médicos de que seus pacientes precisam desses medicamentos, e de que precisam deles agora? Eles estão partindo do princípio de que você não tem repassado seus conhecimentos de estatísticas ultimamente.

Acontece que a literatura médica recorre a um truque comum com a popularização de alegações sobre "redução relativa de risco", que pode fazer com que um efeito pareça significativo quando a "redução absoluta de risco" revela a sua insignificância. Esse artifício foi descrito com eloquência pelo dr. David M. Diamond, professor de psicologia, farmacologia molecular e fisiologia na Universidade do Sul da Flórida, e pelo dr. Uffe Ravnskov, pesquisador independente da área da saúde e especialista em colesterol e doenças cardiovasculares. Em seu artigo publicado em 2015 na revista *Expert Review of Clinical Pharmacology*, eles mostram que os benefícios das estatinas foram exagerados e que seus defensores usam "truque estatístico" para inflar os resultados sobre a sua eficácia e minimizar seus efeitos colaterais.[12] Como explicam Diamond e Ravnskov, digamos que cem pessoas sejam tratadas com estatinas e o tratamento só apresentou eficácia em uma delas. As estatinas beneficiam apenas 1% da população, o que significa que elas só ajudarão a prevenir infarto em uma de cada cem pessoas. Mas nós não ficamos sabendo do efeito em 1%. Em vez disso, os pesquisadores transformam o efeito em 1% usando o "risco relativo", outro cálculo estatístico que cria a impressão de que as estatinas beneficiam de 30% a 50% da população. De modo que nesse caso a mudança de uma porcentagem de 2% para 1% no índice de infarto é computada como uma redução de 50%, e não como uma melhora de 1%, *que é o que de fato acontece*.

Talvez essa porcentagem ainda se encaixasse na máxima de "melhor prevenir do que remediar" se esses medicamentos não fossem algumas das substâncias químicas mais tóxicas ingeridas de maneira voluntária, com pelo menos trezentos efeitos adversos à saúde documentados até o momento, inclusive lesões musculares e nervosas, câncer, lesão hepática, caos hormonal e anomalias congênitas em crianças que foram expostas a elas no útero. Ironicamente, as estatinas, classe de medicamentos mais receitada para baixar o colesterol, estão sendo apregoadas como uma maneira de reduzir os níveis gerais de inflamação. Mas novas pesquisas também revelam que as estatinas *podem reduzir a função cerebral e aumentar o risco de diabetes, doença cardíaca e depressão*. A razão é simples: o corpo e, sobretudo, o cérebro precisam de colesterol. Pilhas de dados científicos mostram reiteradamente que níveis baixíssimos de colesterol estão associados com depressão, perda de memória e até mesmo violência contra si próprio e contra os outros.[13]

Desde a década de 1950 nos dizem que comer gordura engorda e que é altamente recomendável evitar as gorduras tradicionais (como manteiga, carnes e ovos) e consumir substitutos de gordura artificiais industrializados.[14] Por que é que concordamos em virar as costas para vários milênios de alimentação instintiva em favor de uma dieta com alto teor de carboidratos e açúcar e com deficiência desse alimento básico?

Tudo começou com uma interpretação errada de um estudo manipulado.[15] Em 1958, Ancel Keys se propôs a "provar" a existência de uma correlação entre consumo de gordura saturada (considerada sinônimo de gordura animal, que em geral é rica em gorduras poli-insaturadas e monoinsaturadas) e doença coronariana. Ele tabulou a incidência dessa doença crônica multidimensional em 22 países. Keys deve ter ficado decepcionado com os pontos dispersos no seu diagrama, de modo que ele obscureceu alguns deles até que descobriu uma relação linear entre seis dos países pesquisados.

Aparentemente, esse estudo foi o sinal verde que os executivos de empresas alimentícias precisavam para começar a fabricar e distribuir gorduras hidrogenadas e óleos vegetais processados. Na esteira dessa tremenda mudança nutricional, de alimentos de verdade para alimentos manufaturados, os índices de doenças inflamatórias crônicas como diabetes e doença coronariana, exatamente a doença que estamos tentando evitar, subiram cada vez mais. Mas com o que é que temos de nos preocupar nesse mundo de baixo teor de gordura, além de sobrecarga do pâncreas e irritação do sistema vascular?

Minha recomendação é que as mulheres que sofrem de desequilíbrio hormonal e sintomas de humor ouçam com atenção, pois o colesterol é um nutriente vital para a saúde do cérebro, fato que se perdeu em meio a tantas críticas à gordura. Você já notou que nos exames laboratoriais há um limite superior para o colesterol, mas não um limite inferior? Isso pode estar relacionado com uma falta de compreensão dos riscos associados à hipocolesterolemia, ou seja, níveis anormalmente baixos de colesterol no sangue. O colesterol desempenha muitas funções vitais, mas vamos nos concentrar em três especificamente: estrutura e reforço da membrana celular, síntese hormonal e produção de vitamina D.

Quando chegam os resultados dos exames laboratoriais das minhas pacientes, eu sempre noto que aquelas que têm sintomas relacionados com o humor invariavelmente têm colesterol em jejum abaixo de 160. Os médicos internistas podem ficar impressionados e satisfeitos com suas dietas com baixo teor de gordura, mas eu não. Em vez de ficar tranquila porque as artérias das minhas pacientes não estão entupidas, eu visualizo membranas celulares flácidas e decrépitas à deriva em um terreno baldio com deficiência de hormônios.

A membrana celular é um portão mágico com espessura de oito nanômetros por onde passam informações, nutrientes e mensageiros celulares através de portões proteicos reforçados por fosfolipídios e seus ácidos graxos poli-insaturados. O colesterol e a gordura saturada fornecem rigidez essencial em equilíbrio com outros componentes da membrana. Sem eles a membrana se torna um portão basculante poroso e disfuncional. O colesterol também participa da produção de ácidos biliares, necessários à degradação e absorção das gorduras essenciais da alimentação. Além disso, o colesterol é um combustível essencial para os neurônios. Na verdade, 25% da quantidade total de colesterol presente no corpo humano está localizada no cérebro, a maior parte — até 70% — na bainha de mielina que reveste e isola os nervos. Em outras palavras, o cérebro é o órgão mais rico em colesterol do corpo humano.[16]

O organismo também recruta colesterol para produzir pregnenolona, molécula precursora de hormônios sexuais como testosterona e estrogênio; portanto, sem ele nossos sistemas reprodutivos e endócrinos podem ter muitos problemas. Pense em libido, ciclo menstrual harmonioso, pele boa, metabolismo equilibrado e cognição. Além disso, a vitamina D, um hormônio miraculoso semelhante a um esteroide, é produzida a partir de precursores de colesterol, e sua carência parece estar correlacionada com um número tão grande doenças que é impossível enumerá-las (sim, inclusive a depressão). O corpo fabrica vitamina D a partir do colesterol na pele mediante exposição aos raios ultravioletas do sol. Se você visse a fórmula química da vitamina D, teria dificuldade de distingui-la da fórmula do colesterol; elas são praticamente idênticas.

Portanto, não é nenhuma surpresa, pelo menos para mim, que baixos níveis de colesterol tenham sido associados com suicídio e depressão, bem como outros distúrbios neurológicos.[17] Em indivíduos hospitalizados por depressão, transtorno bipolar e transtorno de ansiedade, o número de pacientes com baixos níveis séricos de colesterol é significativamente maior do que os de controles.[18] Quando uma equipe da Universidade Duke avaliou a correlação entre traços de personalidade depressiva e ansiosa e colesterol baixo, os pesquisadores descobriram uma inegável conexão.[19] Outra equipe que analisou o Projeto de Saúde de Mulheres de Meia-Idade de Melbourne (Melbourne Women's Midlife Health Project) afirmou que o desempenho nos testes de memória melhorava de acordo com o aumento dos níveis de colesterol total em mulheres monitoradas ao longo do tempo.[20]

Mas o complexo médico-industrial quer que acreditemos que os medicamentos redutores do colesterol — as estatinas — são sinônimo de medicina preventiva. Essa é uma área em que deveríamos de fato ser mais prudentes. Primeiro temos de entender melhor e questionar alguns dos supostos mecanismos de doença coronariana e compreender por que há tantas exceções à teoria do modelo linear "colesterol alto = mortalidade".

Ao contrário do que mostram os estudos que apoiam a indústria farmacêutica, temos evidências de sobra de que alguns efeitos colaterais das estatinas podem ser muito ruins. Em um estudo retrospectivo com oito anos de duração, 20% dos pacientes tratados com estatinas tiveram efeitos colaterais intoleráveis.[21] A comunidade científica também revelou os efeitos prejudiciais das estatinas nas mulheres em particular. Além de não haver absolutamente nenhuma prova de que as estatinas possam ser benéficas para as mulheres, sabemos que esses medicamentos podem causar redução da função cognitiva, catarata, disfunção sexual, depressão, dores musculares e diabetes. Este último efeito colateral — o diabetes — impressionou a comunidade médica quando virou manchete em 2012. Um estudo da Clínica Mayo publicado na revista *Archives of Internal Medicine* descobriu que o uso de estatinas aumentava em 48% o risco de diabetes de início recente em mulheres pós-menopáusicas.[22] Em linguagem pura e simples: "O uso de estatinas por mulheres pós-menopáusicas está associado com maior risco de diabetes mellitus". E esse não foi um estudo de pequeno porte — pois participaram mais de 160 mil mulheres.

Portanto, da próxima vez que o médico recomendar um tratamento farmacológico para baixar o colesterol, diga que você vai correr esse 1% de risco e se poupar de câncer, disfunção cognitiva, miopatia e diabetes. Em seguida, coma uma omelete com três ovos inteiros. Assim como no caso das pílulas anticoncepcionais, é muito fácil parar de tomar estatinas. Minimizando as fontes de inflamação, como açúcar e adoçantes artificiais, maximizando a ingestão de alimentos integrais ricos em nutrientes e fugindo de preparações comerciais, podemos ajudar nossos processos corporais inatos e as inúmeras inter-relações que um modelo linear não leva em consideração.

## IMPLICÂNCIA Nº 3: MEDICAMENTOS PARA REFLUXO ÁCIDO (INIBIDORES DA BOMBA DE PRÓTONS)[23]

Pense em Nexium (esomeprazol), Prevacid (lansoprazol) e Protonix (pantoprazol). Se você precisa tomar um remédio para não ter má digestão e refluxo ácido (às vezes chamado de DRGE, ou doença do refluxo gastroesofágico), então eu lhe pergunto: alguma vez você já imaginou se uma mudança nos hábitos alimentares poderia acabar com esse problema? Você já se perguntou por que está tendo esses sintomas e o que está acontecendo com sua digestão? O ácido gástrico faz parte da nossa biologia; é essencial para a ativação das enzimas digestivas, juntamente com o chamado fator intrínseco de absorção de vitamina $B_{12}$, e para o controle das populações microbianas locais. O problema com os medicamentos antirrefluxo é que eles podem causar deficiência de vitamina $B_{12}$ e, assim, colocá-la no caminho da depressão. Deixe-me explicar.

A vitamina $B_{12}$ é uma das vitaminas mais importantes no que se refere a depressão e saúde mental. Lembre-se da história da mulher de 52 anos que mencionei no Capítulo 1. Durante meses ela foi tratada com medicamentos antipsicóticos e antidepressivos, além de ser submetida a duas sessões de terapia eletroconvulsiva, até que alguém se deu ao trabalho de verificar seus níveis de vitamina $B_{12}$. Ela já apresentava sintomas há catorze anos, como choro frequente, ansiedade, anormalidades motoras, prisão de ventre, letargia e, no final, distúrbios de percepção (ouvir alguém chamar seu nome) e uma patologia psiquiátrica extrema: catatonia. Apesar de ser hospitalizada, ela continuava com impulsos suicidas, deprimida e letárgica. Como foi documentado em um artigo que descreveu seu caso: "Dois meses depois que sua deficiência foi identificada e tratada com vitamina $B_{12}$, o quadro foi revertido e ela permaneceu estável sem outro tratamento".[24]

Por que a vitamina $B_{12}$ é tão importante? Porque é necessária para a síntese de mielina, a bainha que recobre as fibras nervosas e que possibilita a condução dos impulsos nervosos. Portanto, acredita-se que a carência dessa vitamina produza sintomas como alteração da marcha e perda de sensibilidade, bem como sinais de demência e esclerose múltipla. Em termos clínicos, a vitamina $B_{12}$ é mais conhecida por seu papel na produção de hemácias. A deficiência dessa vitamina pode levar à anemia perniciosa. Mas qual é o papel da vitamina $B_{12}$ em sintomas psiquiátricos como depressão, ansiedade, cansaço e até mesmo psicose?

O papel da vitamina $B_{12}$ nas síndromes neuropsiquiátricas pode ser explicado por meio de dois mecanismos biológicos básicos:

*Metilação*

Metilação é o processo pelo qual um átomo de carbono ligado a três átomos de hidrogênio, conhecido como grupo metila, é aplicado a inúmeras funções essenciais no corpo, como pensamento, reparação do DNA, ativação e desativação de genes, formação e metabolização de neurotransmissores, produção de energia e membranas celulares, combate a infecções e eliminação de toxinas ambientais, para citar apenas algumas. Metilação do DNA, em particular, é o processo pelo qual os genes são marcados para serem expressos, em vez de silenciados. Defeitos de metilação, que podem ocorrer quando os níveis de algumas vitaminas do complexo B estão baixos, estão associados com uma série de problemas, que variam de depressão a câncer.

*Reciclagem da homocisteína*

A vitamina $B_{12}$ desempenha um papel importante na reciclagem de um composto potencialmente tóxico – a homocisteína. Em outras palavras, a vitamina $B_{12}$ é necessária para controlar esse composto nocivo. Os pacientes que sofrem de depressão ou que apresentam sintomas de depressão em geral apresentam níveis elevados de homocisteína. Níveis elevados desse composto também representam um enorme risco para doença coronariana e acidente vascular cerebral (AVC).

Se você tiver deficiência de vitamina $B_{12}$ e desequilíbrio digestivo não tratado, é bem provável que desenvolva sintomas que o levarão a receber uma receita de antidepressivo, e a quantidade de medicamentos vai aumentar.

Numerosos estudos demonstraram que os inibidores da bomba de prótons causam deficiência de vitamina $B_{12}$. O JAMA publicou um importante estudo de casos e controles que avaliou 25.956 pacientes tratados com bloqueadores de ácido. O estudo descobriu que 12% dos pacientes que tomavam esses medicamentos tinham deficiência de vitamina $B_{12}$, em uma avaliação de dois anos de tratamento, e que quanto maior a dose diária, mais forte era a associação.[25] O alto índice de falsos-negativos nos exames rotineiros para medir os níveis de $B_{12}$ (resultados que dizem que uma pessoa tem níveis normais quando na verdade não tem) me leva a crer que um número muito maior de pacientes que tomavam medicamentos estavam sofrendo os efeitos de uma deficiência não detectada de vitamina $B_{12}$.

Deixe-me reiterar a afirmação que fiz no Capítulo 3: os medicamentos para refluxo ácido são prejudiciais para a flora intestinal. Um estudo de coorte realizado em 2014 analisou a diversidade dos microrganismos em amostras de fezes dos pacientes que tomavam duas doses de inibidores da bomba protônica e descobriu alterações acentuadas para pior depois de apenas uma semana de tratamento. Isso significa também que, ao alterar a barreira de ácido gástrico, esses medicamentos podem arruinar a integridade do sistema digestório; além da extração de nutrientes ficar comprometida, há também os efeitos negativos dos fragmentos de alimentos mal digeridos que passam para o intestino delgado, onde podem causar problemas.

Passemos agora para minhas outras implicâncias, todas muito fáceis de evitar se você apenas disser não.

## (Não) "tome um Tylenol"[26]

"Tome um Tylenol."

Esse poderia muito bem ser o mantra americano. É a conduta que fomos doutrinados a adotar — de que o nosso corpo está repleto de sintomas incômodos que podem ser suprimidos com medicamentos. O principal ingrediente do Tylenol é o paracetamol, usado nos Estados Unidos há mais de setenta anos. Esse "medicamento de balcão" é empregado automaticamente para dores, desconfortos e febre. É considerado seguro durante a gestação.

No entanto, um estudo realizado em 2015 mudou a nossa opinião sobre esse analgésico ao documentar uma nova preocupação insidiosa sobre o uso de paracetamol que só pode ser chamada de "zumbificação".[27] Segundo esse novo estudo, o Tylenol e todos os seus genéricos precisam adicionar mais um efeito colateral à bula: o embotamento das emoções. Nesse estudo, feito na Universidade Estadual de Ohio, os participantes que tomavam paracetamol sentiam emoções menos intensas quando viam fotografias agradáveis e desagradáveis, comparado com os participantes que tomavam placebo. Um estudo anterior havia demonstrado que o paracetamol não age somente na dor física, mas também na dor psicológica. Esse estudo foi ainda mais longe ao mostrar que o paracetamol também diminui a intensidade das emoções positivas nos usuários.

A ideia de que os efeitos desse medicamento no organismo interferem nas emoções e no processamento de informações — positivas ou negativas — é um tanto aterrorizante, seja no caso de um adulto, um bebê indefeso no útero materno ou um recém-nascido exposto a esse medicamento. Ele vai contra os mecanismos de sobrevivência que desenvolvemos ao longo de milhões de anos. E faz tudo isso com uma única dose no prazo de uma hora! Com alternativas naturais eficazes para a dor e com esforços para chegar à causa primordial da dor crônica, você tem mais uma razão para crer que o "custo-benefício" do uso desses medicamentos talvez não valha a pena.

Vinte e três por cento dos americanos adultos (cerca de 52 milhões de pessoas) usam semanalmente um medicamento que contém paracetamol. É o princípio ativo mais comum nos Estados Unidos, encontrado em mais de seiscentos medicamentos. Se somássemos as estimativas mais elevadas de lesões e mortes associadas ao paracetamol, chegaríamos a um total de um pouco mais de 110 mil incidentes por ano.[28]

A toxicidade do Tylenol vem, ao que tudo indica, da depleção do mais vital antioxidante do organismo, a glutationa, que ajuda a controlar o dano oxidativo e a inflamação, sobretudo no cérebro. É por isso que a N-acetilcisteína, uma precursora de aminoácidos capaz de aumentar a produção de glutationa, é usada para tratamento em prontos-socorros. Como se não bastasse, tenho de acrescentar que o paracetamol foi associado com problemas de desenvolvimento neurológico em bebês expostos durante a gestação. Um grande estudo norueguês analisou a exposição ao paracetamol de mães entre a 17ª e a 30ª semana de gestação e no período de seis meses após o parto. As crianças avaliadas aos 3 anos apresentaram efeitos relacionados à dose a partir de 28 dias de exposição acumulada ao paracetamol. Esses efeitos incluíram parâmetros motores, comportamentais e de comunicação.[29] Dados do *JAMA Pediatrics*, também publicados em 2015, dispararam um alarme, mas que passou despercebido pelos meios de comunicação e não resultou em mudanças nas recomendações dos obstetras de todo o país. Esse estudo prospectivo dinamarquês descobriu que os filhos de mulheres que tomavam paracetamol durante a gestação tinham mais propensão a receber tratamento farmacológico para TDAH até os 7 anos de idade.[30] Em outro estudo também publicado em 2015, do qual a mídia tomou conhecimento, pesquisadores do Reino Unido realizaram uma revisão sistemática de 1.888 estudos para documentar os eventos adversos associados ao Tylenol.[31] Os eventos adversos relatados incluíram morte, bem como toxicidade para o coração, o trato gastrintestinal e os rins. Outro evento adverso associado ao Tylenol foi lesão hepática, pois há muito se sabe que o paracetamol afeta de maneira negativa o fígado — o órgão de desintoxicação mais importante do corpo humano.

Talvez você nunca tenha tomado Tylenol. Mas aposto que na hora de aliviar as dores e os desconfortos do dia a dia você já experimentou um de seus principais concorrentes. Se você é uma daquelas pessoas que mantêm um frasco tamanho-família de Motrin (ibuprofeno), Advil (ibuprofeno) ou Aleve (naproxeno) no armário do banheiro, continue lendo.

## Ibuprofeno e outros anti-inflamatórios não esteroides (AINEs)

Assim como no caso do Tylenol, a maioria das pessoas acha que analgésicos da classe dos AINEs (como ibuprofeno e naproxeno) são inofensivos. Mas você está errada se acha que esses medicamentos não são tóxicos para o seu organismo e o seu cérebro. Os AINEs estão entre os medicamentos mais usados no mundo, e são consumidos diariamente por mais de 30 milhões de pessoas.[32] Vendidos sem receita médica, os AINEs são amplamente empregados no tratamento de inflamação e febre — sintomas comuns das doenças reumáticas para as quais eles eram receitados a princípio.

Esses medicamentos atuam reduzindo a quantidade de prostaglandinas no organismo. Prostaglandinas são uma família de moléculas produzidas pelas células e que realizam funções importantes: promovem inflamação, que é necessária para o processo de cura; auxiliam o processo de coagulação sanguínea; e protegem o revestimento estomacal dos efeitos danosos dos ácidos gástricos. Essas duas últimas funções são fundamentais. Como as prostaglandinas que protegem o estômago e ajudam a coagulação sanguínea também são reduzidas, os AINEs podem causar um grande estrago no revestimento intestinal.

A toxicidade dos AINEs para o trato gastrintestinal superior é conhecida há muito tempo, e é o principal efeito colateral relacionado na bula desses medicamentos: problemas estomacais, inclusive sangramento, enjoo e úlcera. Nos últimos dez anos os cientistas confirmaram que esses medicamentos são igualmente nocivos para o trato gastrintestinal inferior. Um dos primeiros experimentos, bastante conhecido, a demonstrar que os AINEs podem ser destrutivos para o intestino delgado foi liderado pelo dr. David Y. Graham, chefe de gastrenterologia do Centro Médico Michael DeBakey e professor da Faculdade de Medicina de Baylor, Houston, em 2005.[33] Ele e seus colegas usaram uma minúscula câmera para espiar dentro do intestino delgado de 21 homens e mulheres que usavam AINEs diariamente e vinte pessoas que não usavam o medicamento. Nenhum dos participantes tinha sintomas de problemas no intestino delgado.

A descoberta desses pesquisadores fala por si só: 71% dos usuários de AINE tinham alguma lesão no intestino delgado, contra 10% dos não usuários. Cinco dos usuários de AINE tinham grandes erosões ou úlceras, um problema que não foi observado em nenhum dos não usuários.

O nosso revestimento intestinal é importante, pois mantém o conteúdo intestinal longe da corrente sanguínea. Se a sua permeabilidade aumentar, o conteúdo intestinal pode ter acesso ao sistema imunológico e desencadear processos autoimunes e inflamatórios.[34] Outras evidências indicam que um desequilíbrio das bactérias intestinais prepara o terreno para uma hiperpermeabilidade intestinal induzida pelos AINEs.[35] Essas alterações ocorrem num prazo de três a seis meses. Há poucas maneiras de mitigar esses efeitos negativos; é preciso descobrir a causa da dor e combatê-la por meio de mudanças no estilo de vida, em vez de suprimi-la com medicamentos que apenas produzirão novos sintomas crônicos e potencialmente mais debilitantes.

Uma observação para as mulheres em idade reprodutiva: em 2015, um estudo surpreendente revelou que esses medicamentos inibem a ovulação depois de apenas dez dias![36] Os pesquisadores documentaram uma redução significativa da progesterona, um hormônio essencial para a ovulação, bem como a presença de cistos funcionais em um terço das pacientes. Os pesquisadores afirmaram que o uso desses medicamentos poderia ter um efeito nocivo sobre a fertilidade e deveriam ser usados com cautela por mulheres que querem ter filhos. Esse fato, por si só, deveria ser suficiente para convencer você a abandonar esses medicamentos.

Eu sei o que você está pensando: que de vez em quando a gente sente dor, e que dor é dor. Quais são as alternativas, além de aguentar firme? A minha preferida é o extrato de cúrcuma, chamado também de curcumina. As propriedades medicinais da cúrcuma, um membro da família do gengibre que confere ao *curry* sua cor amarela, são conhecidas há muito tempo. Os poderosos efeitos anti-inflamatórios do seu ingrediente ativo, a curcumina, estão documentados de tal maneira na literatura científica — que estão estudando o uso de curcumina no tratamento de diversas doenças, de demência a depressão e dor de um modo geral. Na verdade, estudos recentes descobriram que o extrato de cúrcuma pode competir com os AINEs até mesmo para o alívio de problemas como osteoartrite e cólicas menstruais.[37] No Capítulo 9, vou recomendar suplemento de curcumina. Para crises agudas de dor, experimente tomar de 1 a 2 gramas.

## Flúor

Existem tantos estudos científicos sobre os efeitos tóxicos diretos do flúor no organismo que o fato de esses malefícios *não serem* considerados consenso entre os cientistas só demonstra o poder de influência da indústria. Numa grande revisão sistemática financiada pelo Instituto Nacional de Saúde (NIH) dos Estados Unidos e conduzida por pesquisadores de Harvard, os cientistas concluíram que crianças que vivem em áreas com água altamente fluoretada têm valores de QI "significativamente inferiores" às daquelas que vivem em áreas com água menos fluoretada. As conclusões desses cientistas, publicadas em 2012, foram irrefutáveis: "Os achados da nossa metanálise de 27 estudos publicados ao longo de 22 anos revelam uma associação inversa entre grande exposição ao flúor e a inteligência das crianças [...]. Os resultados indicam que o flúor pode ser um neurotóxico que afeta o desenvolvimento do cérebro em exposições muito abaixo das que podem causar toxicidade em adultos [...]".[38]

Embora esses achados apenas correlacionem a exposição ao flúor e o risco de transtorno cognitivo em crianças, sabemos por intermédio de outras pesquisas que o flúor tem efeitos negativos diretos sobre a função tireoidiana e que prejudica a atividade celular em pessoas de todas as idades. E independentemente das evidências contra ele, o flúor ainda é adicionado a 70% da rede pública de abastecimento de água potável dos Estados Unidos.

A sórdida história da fluoretação da água parece um romance de ficção científica. O uso do flúor vem de uma época em que "se receitava Valium para donas de casa, se tirava radiografia dos pés para saber o tamanho do sapato, os cigarros eram inofensivos e era emocionante assistir aos testes nucleares. Nós sabíamos menos do que sabemos hoje, e tínhamos outra compreensão do mundo".[39]

Fico espantada com o fato de a classe médica (e odontológica) resistir tão teimosamente a ligar os pontos quanto ao aumento vertiginoso de declínio cognitivo em adultos e problemas comportamentais em crianças (DDA, TDAH, depressão e deficiências de aprendizagem de todos os tipos). Na verdade, mais de 23 estudos com seres humanos e cem estudos com animais associaram o flúor a lesões cerebrais.[40] Será que as autoridades responsáveis não querem nos manter um pouquinho "fracos da cabeça"? Além dos efeitos adversos que já descrevi, o flúor também pode aumentar a absorção de alumínio e manganês (o que não é uma boa coisa), calcificar a glândula pineal (o seu sensor dia-noite), danificar o hipocampo (o centro de memória do cérebro) e lesar alguns dos maiores neurônios do cérebro (as células de Purkinje).[41] Depois de ler o Capítulo 4, você já sabe que o flúor pode causar hipotireoidismo.[42] Em 2015, novos dados publicados no *British Medical Journal* demonstraram que a água fluoretada *duplica* o risco dessa doença.[43]

Antes, nós achávamos que a dose fazia o veneno. Agora compreendemos que o quadro de risco tem muito mais nuances e encerra conceitos como o chamado "efeito coquetel", que em termos básicos significa que o efeito da soma de determinada combinação de substâncias químicas é muito maior — e mais potente — do que o de suas partes isoladas. O flúor não é dosado com base no peso, tampouco qualquer nível seguro foi estabelecido, a não ser por mera canetada administrativa. Hoje em dia, os bebês que tomam mamadeira preparada com água encanada podem ingerir doses até 100% maiores do que seria considerado "aceitável". O flúor também atravessa a barreira placentária e passa para o feto em desenvolvimento como parte de uma sopa de agentes tóxicos ambientais. Será que nossos filhos não foram submetidos a experimentos suficientes?

Na Segunda Parte do livro, vou pedir para você começar a filtrar a água, se é que você já não faz isso, e vou apresentar estratégias para evitar essa toxina na sua vida cotidiana.

## Fragrâncias e outros desreguladores endócrinos[44]

Você se pergunta por que os índices de câncer de mama estão subindo vertiginosamente e algumas meninas estão entrando na puberdade antes dos 8 anos de idade?

Os agressores são as substâncias químicas presentes no meio ambiente que agem como hormônios no organismo e têm complexos efeitos epigenéticos. Não é à toa que são chamados de mimetizadores de hormônios, ou, em termos técnicos, xenoestrogênios. Embora essas substâncias não sejam hormônios, sua estrutura é tão parecida com a de hormônios como o estrogênio que elas se ligam a receptores hormonais em todo o corpo, causando reações semelhantes às que um hormônio causaria. Entre as substâncias químicas que desregulam o sistema endócrino estão bisfenol A (BPA), ftalatos, retardadores de chama, pesticidas e bifenis policlorados (PCBs). Para uma lista completa, veja o Environmental Working Group: www.ewg.org/research/dirty-dozen-list-endocrine-disruptors.

O nosso caso de amor com os produtos químicos está ficando complicado. Nós os ingerimos, respiramos e passamos sobre a pele. E quando ficamos doentes, ingerimos mais um pouco deles. Uma metanálise publicada no *Journal of Hazardous Materials* revisou 143 mil artigos científicos para descobrir os padrões de surgimento e declínio das substâncias químicas tóxicas.[45] Esse estudo revela de maneira chocante que o tempo médio entre as primeiras preocupações com segurança em relação a essas substâncias até o ápice das preocupações e a instituição das medidas apropriadas é de catorze anos. Os principais exemplos desse padrão são o DDT, o perclorato, o 1,4-dioxano, a triclosana, os nanomateriais e os microplásticos, que estão presentes no meio ambiente e entram em nossas casas.

O artigo explora a nossa hesitação em flagrante descaso com o princípio da precaução, que afirma simplesmente: "Quando em dúvida, opte por uma alternativa mais segura". Nem sempre temos uma resposta definitiva para a pergunta se uma substância química ou combinação de substâncias químicas causa um caos biológico. Lembre-se de que pode levar anos para os estudos reunirem evidências suficientes para que o governo possa justificar a emissão de novos padrões ou de padrões mais rigorosos e até mesmo retirar produtos perigosos do mercado. Isso explica por que leva dezessete anos para que os dados científicos cheguem aos consultórios médicos. Ou seja, precisamos assumir nós mesmos as rédeas.

Não é fácil evitar os xenoestrogênios, que estão aumentando no meio ambiente. Eles são encontrados em muitos pesticidas, produtos químicos industriais, cosméticos, produtos de higiene pessoal (como cremes hidratantes perfumados) e plásticos. Eles também chegam ao nosso suprimento de água potável. Essas substâncias químicas não são prontamente degradadas em formas inofensivas. Pelo contrário, elas se acumulam no meio ambiente e no solo, e no final são armazenadas na gordura dos animais em quantidades crescentes conforme subimos na cadeia alimentar. Nós também acumulamos essas substâncias no nosso corpo, sobretudo no tecido adiposo. Infelizmente muitas delas são lançadas no meio ambiente de forma legal, portanto são difíceis de controlar ou remover. Como são usadas em tantos produtos – brinquedos de plástico, alimentos, produtos de limpeza e revestimentos antiaderentes em panelas e artigos médicos –, é impossível bani-las.

Algumas dessas substâncias químicas que mimetizam o estrogênio têm uma meia-vida curta (o tempo que leva para uma substância química perder a metade da sua potência), mas como continuam a ser lançadas no ambiente, seus níveis são sempre elevados. O efeito da exposição simultânea a muitos mimetizadores de estrogênio tem preocupado médicos e pesquisadores há anos. Veja, por exemplo, o composto BPA. Quase todo mundo que vive nos Estados Unidos tem traços dessa substância no organismo. Fabricado pela primeira vez em 1891, ele era usado como estrogênio sintético em mulheres e animais durante a primeira metade do século XX. O BPA era receitado para tratar diversos problemas relacionados com menstruação, menopausa e náusea durante a gravidez, e também para prevenção de aborto espontâneo. Era injetado também em animais destinados ao abate para promover o crescimento. Então, os efeitos cancerígenos do BPA ficaram conhecidos e seu uso médico foi proibido.

A história do BPA deveria ter terminado aí, mas os químicos da Bayer e da General Electric logo descobriram que ele podia formar um plástico duro transparente chamado policarbonato quando era reunido em cadeias longas (polimerizado). Esse produto era forte o bastante para substituir o aço. No final da década de 1950, os fabricantes começaram a introduzir essa substância em plásticos, e em pouco tempo ele passou a ser usado em numerosos produtos: carros, materiais eletrônicos, recipiente de alimentos, selantes dentários e até mesmo recibos de caixa registradora.

Embora as estimativas variem, são produzidos mais de 3 bilhões de quilos de BPA por ano, e são liberados mais de 1 milhão de produtos no meio ambiente. Provavelmente você já leu nos noticiários sobre os perigos do BPA presente nos plásticos de uso diário. A pressão pelo uso de plásticos isentos de PBA em recipientes de alimentos, por exemplo, vem de pesquisas que mostram que o BPA pode gerar desequilíbrios hormonais em homens e mulheres. Esses desequilíbrios podem causar uma infinidade de problemas de saúde, inclusive infertilidade e câncer, bem como transtornos do humor e depressão.[46] Mas o BPA é apenas um dos milhares de compostos químicos com os quais entramos em contato diariamente. Por sorte, pouco a pouco ele está deixando de ser utilizado em produtos comerciais e alimentícios, mas o seu substituto, o bisfenol S (BPS), está começando a ser estudado, e as pesquisas preliminares mostram que ele é pelo menos tão nocivo quanto o BPA.[47] E não vamos nos esquecer dos outros xenoestrogênios que inundam continuamente o nosso meio ambiente.

Como as toxinas e os agentes tóxicos podem entrar no organismo de várias maneiras (por exemplo, através pele e dos pulmões), e por intermédio de numerosas fontes (por exemplo, alimentos, ar e água), podemos reduzir um pouco a nossa exposição ao optar por produtos de limpeza, de beleza e de cuidados com a pele mais seguros, bem como por meio da alimentação. Vou ajudá-la a fazer isso na Segunda Parte do livro.

# Vacinas

Há pouco tempo eu atendi uma mulher — vamos chamá-la de Rachel — que havia recebido alta de um hospital psiquiátrico, depois de ser tratada por aproximadamente doze anos, mas ainda tinha que tomar três medicamentos. Ela tinha ataques de pânico até seis vezes ao dia. Comecei o tratamento com uma mudança alimentar e, quando ela voltou depois de apenas um mês, me contou em lágrimas que aqueles tinham sido os primeiros trinta dias da sua vida adulta em que ela não tinha tido um ataque de pânico.

Uma semana depois, ela tomou vacina para gripe. Rachel ainda não tinha colocado seu "chapéu pensante", aquele que diz: "Tenho controle sobre minha imunidade, e um produto farmacêutico com proteínas de ovo, DNA viral não identificado de tecido animal, gelatina; polissorbato 80, formaldeído (carcinogênico), Triton X-100 (detergente), sacarose, resina, gentamicina (um antibiótico) e timerosal/mercúrio não está alinhado com essa perspectiva".

Desde aquela vacina ela vinha apresentando efeitos colaterais autoimunes debilitantes — vacina que ela tinha tomado na farmácia sem assinar nenhum consentimento livre e esclarecido. Eu já vi isso acontecer com outras pacientes que tomam antibióticos receitados automaticamente para resfriados causados por vírus.

Segundo vários estudos, depressão, estresse e disbiose podem carregar a arma com eventos adversos e respostas inflamatórias prolongadas, enquanto as vacinas puxam o gatilho.[48] Por outro lado, alguns estudos indicam que a depressão e outros fenômenos psiquiátricos podem ser consequência dos efeitos das vacinas.[49] Como é que você sabe se vai sofrer consequências psiquiátricas com uma vacina de rotina como Gardasil, uma dose de reforço da vacina antitetânica ou a vacina anual contra gripe? Você simplesmente não sabe.

Embora pesquisadores como George Poland e a sua equipe da Clínica Mayo reconheçam a existência de variantes genéticas e sua relevância para os efeitos das vacinas, esse fato ainda foi reconhecido pelos fornecedores desse produto "tamanho único".[50] As vacinas foram concebidas antes que conhecêssemos o DNA, os vírus que contaminam as células usadas para produzi-las (SV40, retrovírus), o microbioma ou que uma substância química pode ser tóxica para algumas pessoas, mas não para outras. A medicina que usa uma única abordagem para todos os pacientes não é mais apropriada, e nós simplesmente não sabemos como determinar quem é que corre risco de ter efeitos adversos, que podem variar de quadros psiquiátricos a morte.

Na verdade, as vacinas são o único produto farmacêutico que se sabe que causa lesão e morte e que, apesar disso, é recomendado para todos os indivíduos — independentemente de histórico pessoal ou familiar. Nunca foram realizados nem mesmo os estudos clínicos mais básicos com pessoas vacinadas e não vacinadas, muito menos com combinações de vacinas administradas simultaneamente de forma rotineira. A maior parte dos estudos clínicos de curta duração sobre vacinas na verdade usa outra vacina ou uma injeção de alumínio como placebo!

Você se lembra daqueles mesmos laboratórios farmacêuticos que utilizam todo tipo de estratagema para obter a aprovação e comercialização de antidepressivos? Bem, a "galinha de ovos de vários bilhões de dólares" são as vacinas, e desde 1986 as indústrias farmacêuticas estão isentas de responsabilidade civil quanto a falhas desses produtos (você pode processar a Ford por causa de um cinto de segurança defeituoso, mas minha paciente, por exemplo, não poderia processar o laboratório farmacêutico responsável por sua lesão). Eles nos contaram mais uma história da carochinha. Dessa vez, que as bases da vacinologia já estão assentadas, que as vacinas são absolutamente seguras e eficazes para todo mundo.

É isso que o cidadão comum foi levado a crer pelas próprias empresas que lucram com esse sistema de crenças. Portanto, apesar desse pano de fundo de corrupção e também das evidências crescentes do efeito imprevisível de vacinas sem eficácia, surtos até mesmo em populações totalmente vacinadas são atribuídos a um "tratamento insuficiente" (apesar da administração repetida de "doses de reforço") e vacinas claramente ineficazes são recomendadas da mesma maneira que mais medicamentos psiquiátricos são acrescentados ao tratamento quando o primeiro não surtiu efeito.

Eu tenho opiniões firmes sobre todas as intervenções farmacológicas (isso ficou claro?), mas principalmente em relação ao *verdadeiro consentimento livre e esclarecido*, em que o indivíduo reconhece que tem conhecimento que determinado tratamento acarreta riscos conhecidos e desconhecidos.

Mas como vamos nos proteger de todos aqueles micróbios malvados que podem ser transmitidos em um simples aperto de mão? Com base na nossa discussão até agora, talvez você já possa avaliar que os micróbios não podem ser considerados simplesmente como inimigos, e que o risco que corremos de ter uma doença grave e incapacitante ou morrer é ampliado quando sabotamos nosso sistema imunológico com antibióticos, estresse e alimentação ruim.

Eu aprendi com o dr. Nicholas Gonzalez, médico pioneiro que mencionei no Capítulo 3, que o pensamento reducionista pode resultar em intervenções perigosas. Ele deu a seguinte explicação:

Talvez você tenha ouvido falar do episódio da doença de Keshan na China, há alguns anos, um assunto de interesse especial para mim, pois mostra muito bem a perspectiva potencialmente ridícula dos infectologistas ocidentais. A síndrome se caracteriza por grave cardiomiopatia, com consequente arritmia cardíaca, morte súbita e insuficiência cardíaca congestiva progressiva, e ocorre apenas em algumas províncias na China. Epidemiologistas ocidentais chegaram a solucionar o problema ao descobrir que a síndrome parecia ser "causada" por uma variante do vírus Coxsackie. A solução, à típica moda acadêmica ocidental, obviamente foi administrar em todos os chineses, jovens e velhos, uma vacina contra o Coxsackie. Entretanto, um pesquisador sagaz da equipe observou que a doença só afetava os chineses de determinadas províncias. Se houvesse mais de um problema infeccioso, a incidência seria mais disseminada, uma vez que essas províncias com incidência alta e baixa não eram isoladas geograficamente (por cordilheiras etc.) E como a China tem uma população geneticamente bastante homogênea, a genética não parecia ter nenhuma influência.

Alguns desses epidemiologistas tiveram o mérito de analisar o meio ambiente, inclusive o solo. Em áreas em que o Keshan era endêmico, o solo era bastante escasso em selênio, assim como os habitantes que consumiam alimentos locais. Em áreas onde não havia a doença, o solo e as pessoas tinham abundância de selênio. Sugeriu-se que, em vez de vacina, a população das regiões afligidas pela doença de Keshan recebesse suplementos. Feito isso, a doença foi controlada rapidamente (sem vacinação), somente com selênio. Esse é um caso em que uma simples intervenção nutricional eliminou um problema mortalmente endêmico.

Você entendeu? Não foi a teoria microbiana das doenças que resolveu o problema. A causa da "infecção" era deficiência de nutrientes, que foi tratada com menos de um miligrama por dia de um mineral básico. Existem muitos outros exemplos desse tipo de deficiência no âmbito das doenças infecciosas, como deficiência de vitamina A no caso do sarampo e deficiência de vitamina C no caso do tétano.

Em suma, o importante é o hospedeiro, o microrganismo nem tanto.

É possível que a vacinologia tenha aplicado um modelo reducionista – uma doença, um medicamento/uma vacina – a um sistema adaptado evolutivamente com complexidades intrínsecas que mal começamos a avaliar? É possível que tenhamos compreendido mal a imunidade ou ainda estejamos aprendendo seus princípios mais básicos? Se aceitarmos que a nossa fisiologia foi preparada durante milhões de anos para entrar em contato com os micróbios, então temos de reconhecer que imunidade é algo muito mais complexo do que a simples elevação dos níveis de anticorpos.

O que hoje é um conselho sábio talvez não o seja amanhã. Acrescente a isso o fato de que medicamentos aprovados pelo FDA e receitados corretamente matam mais de 100 mil americanos todos os anos (alguns dizem que esse número está mais próximo de 200 mil) e que os laboratórios farmacêuticos pagaram US$30 bilhões em multas por fraudes, não admira que alguns cidadãos questionem o "conselho sensato das autoridades de saúde pública" e queiram decidir o que é melhor para suas próprias famílias.[51] Você se lembra que os médicos costumavam recomendar o fumo? E que 60 mil pessoas tiveram de morrer para que o anti-inflamatório Vioxx fosse retirado do mercado, depois que o próprio cientista do FDA denunciou esse órgão durante uma audiência no Congresso Americano? E de que o *slogan* do pesticida DDT era: "O DDT é bom para mim"?

Não importa que sejam realizadas comissões no Congresso Americano para investigar as afirmações do cientista sênior do Centro de Controle e Prevenção de Doenças (CDC, na sigla em inglês), o dr. William Thompson, que denunciou que ele e outros funcionários desse órgão omitiram dados de um estudo há mais de uma década para ocultar a correlação entre a vacina tríplice viral (sarampo, caxumba e rubéola) e autismo.[52] Ou que tenham sido impetradas ações judiciais contra o laboratório Merck, gigante do setor de vacinas, sob a alegação de que a administração e os cientistas do laboratório ocultaram de maneira fraudulenta que a vacina contra caxumba da Merck não é tão eficaz como se afirma.[53] Para uma referência com anotações sobre a psicobiologia da vacinação, acesse meu site www.kellybroganmd.com/book-resources. Se você está lendo este livro é porque a sua bússola interior está lhe dizendo que é preciso cavar para trazer a verdade à tona. Como disse Mark Twain: "É mais fácil enganar as pessoas do que convencê-las de que elas foram enganadas". Seja uma exceção à regra.

SEGUNDA PARTE

# TRATAMENTOS NATURAIS PARA O BEM-ESTAR DE TODO O CORPO

*Às vezes é preciso levar um grande tombo
para se levantar e dar a volta por cima.*
— Autor desconhecido

Aqui está você. Alguma coisa em suas circunstâncias de vida — o seu corpo, o seu estado de saúde ou talvez até mesmo a maneira como você vive em sociedade e no mundo em geral — a levou a buscar uma mão amiga. A procurar informações. A explorar. Talvez você tenha medo ou receio, mas há também uma vozinha dentro de você que diz: *Chegou a hora. Basta. Vá em frente.*

Agora que chegou neste ponto do livro, você ainda acredita que é um caso perdido? Que o seu destino é sofrer? Sente-se vazia e sem conexão com o mundo?

Eu a convido a questionar essas convicções. Espero que a primeira parte do livro a tenha estimulado a fazer isso. Você pode rever seus conceitos. Você é capaz de transformá-los.

Quero que você fique entusiasmada com o conceito de vitalismo: a capacidade — e o desejo natural — do seu corpo de se recalibrar, redefinir e recarregar. Quero reconectá-la com suas comunidades interna e externa, com o verdadeiro significado dos alimentos, com a ideia de que você não está aqui simplesmente para sobreviver, mas também para florescer. Quero que seus sintomas fiquem para trás e que você adquira uma nova noção de bem-estar, ou, melhor ainda, que *vivencie* seu bem-estar renovado todos os dias. Para isso, é preciso que você adote algumas medidas simples para enviar ao seu corpo os sinais certos — os verdadeiros "medicamentos milagrosos".

Tenho certeza de que você está pronta para viver uma vida consciente, para deixar de "viver dentro da sua cabeça" e começar a se conectar com o seu propósito. Para viver no momento presente. Foi a sua jornada que a trouxe até aqui, portanto nada de arrependimentos nem de desculpas. Era preciso que acontecesse tudo o que aconteceu até agora para que você estivesse pronta para desfrutar de saúde mental e bem-estar.

Deixe de lado o medo e tudo o que ele impede que você faça. Confie na sua intuição e combine-a com esses conhecimentos recém-adquiridos e você nunca mais precisará de nenhum medicamento, de nenhum médico, de nenhum tratamento. Você estará no controle.

Essa é a nova medicina. Trata-se de um paradigma revolucionário que torna obsoleto o antigo paradigma.

Agora, vamos em frente.

CAPÍTULO 6

# Deixe que o Alimento Seja o seu Remédio

*Recomendações nutricionais para curar o corpo e libertar a mente (sem a sensação de estar fazendo uma dieta rigorosa)*

---

Os alimentos não são somente combustível, são informações.

---

A ideia de que inflamação crônica e uma perigosa desconexão entre a ecologia interna do organismo e o cérebro, e não níveis baixos de substâncias químicas cerebrais, são a causa de quase todas as formas de depressão continuará a ganhar força entre cientistas e médicos. Pode ser também que dê lugar a novos e promissores tratamentos, mas a verdade é que a resposta já existe. E é muito simples.

Quando me procuram, muitas pacientes parecem plantas murchas e debilitadas e que, depois de serem mantidas em um quarto escuro e com ar viciado, foram amarradas a estacas para não vergar. Meu trabalho consiste em lhes fornecer o básico — ar puro, água e luz —, e reabilitar o solo da sua saúde para que possamos retirar a estaca e criar uma base saudável duradoura. Essa é uma abordagem eficaz, mas eu não tenho certeza se conseguimos compreender totalmente seus mecanismos. Eu *sempre* começo mudando os hábitos alimentares das pacientes, pois esse é o melhor caminho para as mudanças que quero promover. Essa é também a melhor maneira de restabelecer o equilíbrio do corpo e do cérebro.

Como você viu na Primeira Parte do livro, nós terceirizamos grande parte das nossas funções corporais para os microrganismos que habitam o nosso aparelho digestório, cujo número é dez vezes maior que o de células do corpo humano. Esse é um fato fascinante e empoderador, pois significa que não estamos condenados por nossa herança familiar ou genética. Podemos mudar muitos parâmetros da nossa vida que têm efeito direto sobre o nosso estado mental e emocional. Esses parâmetros incluem não apenas o estado do nosso microbioma, por meio dos alimentos e suplementos alimentares que escolhemos, mas também a nossa exposição ambiental, a qualidade do nosso sono e os hábitos de estilo de vida que adotamos — de exercício a respiração profunda — para evitar o estresse persistente e debilitante. E todos esses parâmetros, por sua vez, podem afetar a forma como os nossos genes se expressam. O objetivo desta parte do livro é ensiná-la a tomar essas medidas proativas. O livro termina com um plano alimentar de quatro semanas, apresentado passo a passo, para aliviar os sintomas de depressão e, o que é mais importante, eliminar a causa desses sintomas.

Neste capítulo, eu faço recomendações alimentares e explico por que, por exemplo, é importante eliminar do seu prato alguns alimentos muito consumidos. A essência da minha mensagem é a surpreendente relação entre os alimentos que ingerimos e a bioquímica do nosso corpo e do nosso cérebro. Na verdade, os alimentos são informações. Esqueça a ideia de que os alimentos são apenas calorias para a produção de energia ("combustível") ou simplesmente micronutrientes e macronutrientes ("elementos básicos"). Muito pelo contrário, os alimentos são um instrumento coevolutivo da expressão epigenética. Em outras palavras, os alimentos literalmente conversam com nossas células, inclusive os neurônios, influenciando a maneira como o nosso DNA funciona. Vou analisar todos os novos dados animadores sobre os exossomos, microvesículas de informações contidas em plantas como gengibre, que podem alterar a expressão dos nossos genes.

O meu plano alimentar reduz ao mínimo a ingestão de alimentos atuais altamente processados que contêm glúten e também de laticínios, que desencadeiam uma resposta imunológica indesejada; aumenta a ingestão de gorduras essenciais à saúde do cérebro e à estabilidade da glicose sanguínea; e dá grande importância à origem dos alimentos — eliminando os organismos geneticamente modificados (OGMs) e os pesticidas, que são carcinogênicos e desreguladores endócrinos. Você vai adorar o fato de não precisar contar calorias nem se preocupar em controlar as porções de alimentos. Depois que você começar a se alimentar de acordo com as minhas recomendações, dificilmente comerá demais e nunca ficará tão faminta que poderia comer qualquer coisa. Esse protocolo nutricional vai reprogramar a sua sensação de fome e saciedade, de tal modo que você conseguirá, sem esforço, comer a quantidade certa para você — e saberá que já comeu o bastante por puro instinto. Você não terá mais a "mentalidade de dieta", e poderá confiar nas sugestões naturais do seu corpo sobre o que comer, quando comer e o quanto comer.

A mudança dos hábitos alimentares é a melhor maneira de influenciar de maneira positiva o microbioma e a sinalização entre o cérebro e o intestino. Eu sempre fantasio sobre uma ala psiquiátrica de um hospital que serve alimentos ancestrais orgânicos, ensina meditação e relaxamento, favorece o sono e incentiva a realização de exercícios. Eu adoraria realizar um estudo clínico randomizado de resultados para desconstruir o modelo de uma doença, um medicamento! A ideia de que a alimentação ocidental causa deficiência cognitiva, ansiedade e depressão não mais se baseia em evidências empíricas. Vários estudos, alguns dos quais eu já mencionei, mostram sem sombra de dúvida os efeitos nocivos emocionais, cognitivos e inflamatórios da alimentação ocidental. Esses estudos demonstram que uma alimentação composta por gorduras vegetais processadas, açúcar, conservantes e uma série de outros produtos químicos pode nos deixar predispostos a desenvolver inflamação crônica quando temos um problema imunológico na forma de infecção, estresse ou até mesmo maior exposição a agentes tóxicos, o que é inevitável. Esse processo pode se iniciar já no útero.[1,2,3] É por isso que a melhor forma de medicina preventiva consiste em adotar hábitos alimentares que evitam alimentos processados, em seguir um protocolo alimentar que valoriza os verdadeiros alimentos, com o aspecto e o gosto que o nosso corpo espera que eles tenham. Uma dieta assim restringe naturalmente os alimentos inflamatórios, favorece a densidade nutricional e controla os níveis de glicose no sangue.

Minhas recomendações alimentares não se baseiam somente nos anos que passei trabalhando com minhas pacientes e vendo-as se transformarem por meio desse protocolo, eu fiz minha lição de casa e conheço seu embasamento científico. No entanto, devo dizer que existem poucos estudos sobre nutrição. É muito difícil, talvez impossível, realizar estudos tradicionais sobre alimentação usando um esquema randomizado e controlado como nos estudos clínicos de medicamentos. Um dos motivos pelos quais esses estudos não podem ser comparados com estudos farmacêuticos é que não podemos usar um verdadeiro grupo de placebo para analisar os nutrientes essenciais. Não podemos privar as pessoas de alguns nutrientes que elas precisam para viver só para fazer um estudo clínico. Além disso, os alimentos contêm um número impressionante de moléculas distintas. Se identificarmos as associações entre determinado tipo de alimento e um efeito sobre a saúde, será difícil, ou talvez impossível, isolar os ingredientes exatos que produzem tal efeito, por causa da complexa composição dos alimentos e das possíveis interações entre os nutrientes, dos fatores genéticos subjacentes e de outras considerações. E há o problema prático de basear um estudo nutricional na lembrança honesta das pessoas do que elas comeram, bem como a dificuldade de controlar o estilo de vida delas (como fazer exercícios e parar de fumar), fatores que podem influenciar a saúde independentemente da alimentação.

Portanto, temos evidências suficientes para elaborar diretrizes gerais sobre o melhor modelo inicial para tratar a mente e o corpo. Existem tratamentos naturais no campo dos alimentos que podem ajudá-la a retomar o controle da sua mente. Onde estão eles e como eles agem? Vamos falar sobre isso agora. No Capítulo 10, vou ajudá-la elaborar cardápios baseados nas recomendações abaixo.

## Consuma alimentos naturais[4]

Três meses depois de ter minha primeira filha, eu pensei: quando eu parar de amamentar, vou voltar a ser vegetariana. Minha ideia era adiar a restrição alimentar até que eu não fosse a única fonte de nutrição da minha filha. Eu sentia uma necessidade clara e urgente de tratar os animais com compaixão e respeito, e estava bastante convencida de que poderia reproduzir e suplementar (com um algo grau de precisão) os nutrientes que faltavam. Além disso, eu acreditava, assim como muita gente, que uma mudança alimentar dessas representava uma existência "mais limpa" e mais saudável. Ao mesmo tempo, eu estava aprendendo sobre o papel fundamental dos ácidos graxos na saúde mental, na neurologia e na concepção.

Mas foi ao explorar a importância das gorduras e das vitaminas lipossolúveis que comecei a questionar a minha pressuposição de que podemos obter tudo de que precisamos para ter saúde, sobretudo saúde mental e reprodutiva, com uma alimentação pobre em produtos de origem animal. Eu concentrei minha atenção nas vitaminas A (em sua forma usável), D e $K_2$, além de vitaminas $B_6$ e $B_{12}$, colina, zinco e aminoácidos, inclusive metionina. Eu já conhecia a importância desses nutrientes para a saúde mental, mas foi o trabalho de Weston A. Price que me convenceu de que seus benefícios são muito maiores.[5]

O dr. Price foi um dentista que viajou pelo mundo para responder à seguinte pergunta: por que os filhos e netos de seus pacientes tinham pior saúde bucal e sofriam cada vez mais de doenças degenerativas? No início do século XX, ainda havia populações que não tinham acesso a alimentos processados nem às comodidades ocidentais. O dr. Price estudou rigorosamente o impacto de várias dietas nativas sobre a saúde. Em primeiro lugar, ele descobriu que não existia uma dieta única para promover a saúde e que os seres humanos se adaptavam a uma variedade de dietas por uma razão. Os esquimós nunca tinham visto um cereal, e os pastores dos Alpes nunca tinham visto uma baleia. Povos distintos estavam especialmente adaptados a dietas distintas. Em segundo lugar, ele definiu os denominadores comuns de uma dieta saudável entre aquelas de culturas tradicionais e de áreas não industrializadas. Para mim, isso foi muito revelador. Os quatro pontos apresentados a seguir resumem as descobertas do dr. Price sobre as características dessas dietas que mantinham as populações sadias, em que problemas como depressão simplesmente não existiam:

- Nenhuma sociedade humana tradicional seguia uma dieta vegetariana.
- Nenhuma sociedade humana tradicional seguia uma dieta com baixo teor de gordura.

- Todas as dietas tradicionais eram compostas por produtos locais, naturais e integrais.
- Todas as sociedades humanas tradicionais consumiam algum tipo de alimento cru.

Além disso, o dr. Price observou que as culturas tradicionais cuidam da saúde das gerações futuras fornecendo alimentos especialmente nutritivos para futuros pais, gestantes e crianças em fase de crescimento. Elas ensinam bem cedo os princípios de alimentação aos jovens (não os expondo a McLanches felizes e alimentos processados, como faz o americano típico).

Fiquei bastante intrigada com esse panorama alimentar. Eu despertei para a questão da alimentação e me propus a entender e a interpretar os alimentos à minha volta e aos quais eu tinha acesso — a enxergá-los através da lente dos alimentos integrais. Minha mãe é do norte da Itália e uma excelente cozinheira. Fui criada com comida caseira, e aprendi que a alimentação italiana moderna inclui tanto alimentos básicos consumidos por nossos ancestrais, como carnes, peixes, hortaliças e frutas como alimentos industrializados, como macarrão, pão e biscoitos. Na minha abordagem atual, eu faço uma limpa na cozinha e começo do zero, com uma variedade de alimentos ancestrais — carne, peixe, ovos, todos os tipos de hortaliças, castanhas e sementes. Depois de eliminar as "porcarias" que afetam a sua mente, suas preferências naturais a orientarão. Você é do tipo que adora carne vermelha e, quando pode, se refestela? Para você, frutas e castanhas não fazem a mínima falta? Você simplesmente adora verduras? Sem contar calorias nem medir porções, com o tempo você será guiada para uma alimentação que complemento o seu sistema nervoso, alivia a carga de suas respostas imunológicas e inflamatórias.

Como não existe uma dieta única para todo mundo, sugiro um modelo que pode ajudar as pessoas que sofrem de depressão, que o dr. Nicholas Gonzalez chamava de "dieta carnívora equilibrada". Embora o meu plano alimentar de trinta dias possa parecer semelhante a uma "dieta paleolítica" padronizada, a diferença está na minha postura em relação aos carboidratos e no fato de eu permitir a reintrodução de cereais sem glúten e feijões. Eu descobri que a maioria das mulheres começa a ficar cansada, desanimada, com uma dieta com baixo teor de carboidratos. Nunca conheci uma mulher que restringisse a ingestão de carboidratos há muito tempo e que estivesse de bem com a vida. Na época em que eu fazia experiências comigo mesma, passei dois meses restringindo a ingestão de carboidratos, sem consumir hortaliças amiláceas, frutas e cereais. Eu me senti muito bem durante duas semanas, nem um dia a mais. Depois comecei a me sentir confusa, cansada e a ficar obcecada por cremes hidratantes e condicionadores.

Então, resolvi aumentar a quantidade de carboidratos, que são essenciais para o bem-estar emocional feminino, desde que sejam os carboidratos *certos*. As pessoas costumam confundir "paleolítico" com uma quantidade baixíssima em carboidratos. Isso não é verdade. Os carboidratos foram fundamentais para a evolução humana. Jamais teríamos desenvolvido um cérebro tão grande se não tivéssemos acesso a carboidratos, além de proteínas de excelente qualidade. Como e por que desenvolvemos um cérebro tão grande é uma das questões mais intrigantes no estudo da evolução humana, mas graças a novos dados arqueológicos, antropológicos, fisiológicos, anatômicos e genéticos finalmente começamos a obter as respostas.

Em um estudo publicado em 2015 na revista *The Quarterly Review of Biology*, a dra. Karen Hardy e sua equipe do Instituto Catalão de Pesquisa e Estudos Avançados (ICREA, na sigla em inglês) da Universidade Autônoma de Barcelona explicam que o consumo de carboidratos, sobretudo na forma de amido proveniente de tubérculos, sementes, frutas e castanhas, foi fundamental para o rápido crescimento e desenvolvimento do cérebro humano ao longo do último milhão de anos.[6] Quando aprendemos a cozinhar e a usar o fogo, nossos genes responsáveis pela produção de amilase salivar, a enzima que quebra os carboidratos, se tornaram mais abundantes e expressivos. Temos muitas cópias dos genes que codificam a amilase salivar, enquanto outros primatas têm somente duas cópias. Isso significa que temos uma capacidade muito maior de digerir o amido do que os outros primatas, porque podemos produzir mais amilase salivar. Não sabemos exatamente quando esses genes começaram a se multiplicar no código humano, mas a ciência atual sugere que isso tenha acontecido há um milhão de anos. Em outras palavras, o nosso consumo de carboidratos não é nenhuma novidade. A dra. Hardy ressalta também que o nosso cérebro consome até 25% da energia corporal e até 60% da glicose sanguínea. Apesar de podermos sintetizar glicose a partir de outras fontes, essa não é a maneira mais eficiente, e as dietas com baixo teor de carboidrato provavelmente não atendem a essa alta demanda de glicose.

É isso aí. Os carboidratos são bons. Mas, repetindo, tem de ser os carboidratos certos — não os processados. Você se tornará a carnívora equilibrada que o seu organismo quer ser. Nos últimos oito anos, tenho utilizado uma dieta ancestral com quantidade moderada de carboidrato no tratamento de depressão, com resultados surpreendentes. Essa dieta é baseada em tubérculos como fonte de carboidrato e, depois de um mês (em que ocorre uma mudança microbiana), na reintrodução de cereais sem glúten, batata e até mesmo feijões (colocados previamente de molho). Além de fornecer uma forma de energia usável, esses "amidos celulares" (em oposição a amidos de farinha, que são acelulares) podem desempenhar um importante papel na reabilitação intestinal como carboidratos acessíveis à microbiota ou *prebióticos*.

O açúcar e os alimentos à base de farinha podem ser particularmente problemáticos para quem tem propensão para ansiedade e depressão, por causa dos efeitos simultâneos sobre os níveis hormonais, inflamatórios e a flora intestinal.

Agora vamos ao âmago da questão. Aqui estão os cinco principais componentes de uma dieta que promove a saúde e combate a depressão:

## Regra nº 1: elimine os alimentos processados

Com certeza você já ouviu esse mantra antes. Mas o que isso significa exatamente? Grosso modo, alimento processado é qualquer alimento embalado. Mais especificamente, com uma longa lista de ingredientes impronunciáveis e, de maneira ainda mais específica, que contém óleos vegetais processados/hidrogenados, conservantes, corantes ou açúcares. Você sabe quantas etapas são necessárias para produzir o óleo de canola? Mais ou menos o mesmo número que requer a montagem de um carro. Os alimentos são processados para que possam ser conservados por mais tempo em temperatura ambiente; eles não estragam tão rápido quanto os alimentos integrais frescos. Esses objetivos não estão de acordo com os seus. Vamos analisar mais de perto alguns dos ingredientes mais problemáticos.

## Farinhas e carboidratos refinados

A maneira como a maioria das pessoas consome farinha faz mal para a saúde (no mínimo) pelas seguintes razões: a farinha causa instabilidade da glicose no sangue, é feita de cereais pulverizados com pesticidas e/ou cereais alergênicos. Como você já deve ter percebido, eu dou bastante ênfase às maneiras como o desequilíbrio glicêmico pode se mascarar como doenças psiquiátricas. Quando algumas pessoas ingerem alimentos que aumentam vertiginosamente seus níveis de glicose no sangue, como pães e cereais, para compensar o pâncreas delas estimula a liberação de insulina em níveis que acabam provocando uma queda acentuada da glicose. Baixos níveis de glicose no sangue causam desconforto e ansiedade — nervosismo, náusea, irritabilidade, confusão mental e cansaço —, e o antídoto a curto prazo é outro golpe no equilíbrio do organismo. Você já comeu um pãozinho no café da manhã e depois, no meio da manhã, um *donut* ou um *muffin*? No meu protocolo, você vai eliminar todas as farinhas e carboidratos refinados. Isso inclui todos os tipos de *chips*, *pretzels*, biscoitos salgados, *cookies*, tortas, *muffins*, *scones*, todos os tipos de pães, massa de *pizza*, bolos, *donuts*, doces, barrinhas de cereais, frituras e qualquer coisa que contenha os dizeres "zero gordura" ou "baixa caloria", a menos que sejam naturalmente assim (como água ou vinagre).

## Alérgenos

O glúten, a soja e o milho foram identificados como alimentos alergênicos, e a principal hipótese sobre como esses alimentos se tornaram e estão se tornando mais alergênicos é a natureza do seu processamento, a modificação genética por meio de tecnologia de DNA recombinante (no caso da soja e do milho) ou de hibridização, um processo mais natural do que a modificação genética recombinante, porém também nocivo. Ao contrário da modificação genética, que "emenda" genes de um organismo em outro organismo para criar uma forma de vida totalmente nova e artificial (por exemplo, genes de salmão inseridos em genes de tomates para produzir tomates resistentes ao frio), a hibridização consiste na polinização cruzada de uma espécie de planta que normalmente não faria polinização cruzada para a obtenção de um efeito semelhante: a produção de uma nova espécie (por exemplo, melancia sem sementes). Enquanto alguns alimentos híbridos, como a melancia sem sementes, podem não representar um perigo, muitas plantas têm sido submetidas a um processo tão intenso de hibridização nos últimos cinquenta anos que contêm proteínas totalmente novas.

Essas manipulações podem tornar esses alimentos irreconhecíveis ao nosso sistema imunológico, além de veículos de informações indesejadas. Quando é digerido ou parcialmente digerido, o glúten (bem como os laticínios processados) cria peptídios que, uma vez que atravessam a barreira intestinal, podem estimular reações inflamatórias no cérebro e no sistema imunológico e até mesmo alterar o estado mental.

Eliminar o glúten é mais fácil do que você imagina; mas cuidado, fique longe dos produtos embalados que não contêm glúten, que podem ser tão processados e ter um índice glicêmico tão alto quanto qualquer alimento que contém glúten. Os alimentos que não contêm glúten, e que para começar nunca contiveram glúten, não têm problema, mas muitos produtos sem glúten substituem o glúten por outros ingredientes prejudiciais, como açúcar, amido de milho/fubá e soja modificados geneticamente.

Segue uma lista de alimentos que contêm e que não contêm glúten:

## GLÚTEN

**Estes cereais e amidos contêm glúten:**

| | | |
|---|---|---|
| cevada | kamut | triticale |
| triguilho | matzá | trigo |
| cuscuz | centeio | germe de trigo |
| farinha de trigo | semolina | |
| farinha graham | espelta | |

Estes cereais e amidos não contêm glúten:

| | | |
|---|---|---|
| amaranto | batatas (inclusive batata-doce) | soja |
| araruta | | tapioca |
| trigo-sarraceno | quinoa | teff |
| milho | arroz | |
| painço | sorgo | |

Estes alimentos geralmente contêm glúten:

*bacon*
feijão enlatado
cerveja
queijos azuis
caldos (industrializados)
empanados
cereais matinais
leite achocolatado (industrializado)
frios
hóstia de comunhão
substitutos de ovo
barrinhas energéticas
cafés e chás aromatizados
batata frita congelada (geralmente são polvilhadas com farinha antes de congeladas)
hortaliças fritas/tempurá
recheios de frutas e pudins

molho ou caldo de carne
cachorro-quente
sorvete
kani-kama
bebidas quentes instantâneas
*ketchup*
malte/aromatizante de malte
vinagre de malte
marinadas
maionese
almôndegas e bolo de carne
"Creme de leite" não lácteo, usado como substituto do leite para bebidas quentes
farelo de aveia (a menos que seja certificado como sem glúten)

aveia (a menos que seja certificada como sem glúten)
queijos processados (como o Velveeta, um queijo tipo *cheddar*)
castanhas torradas (que foram torradas em óleo, e não a seco)
molhos de saladas
linguiça
seitan
molho de soja e teriyaki
xaropes
tabule
mix de castanhas e frutas secas
hambúrgueres vegetarianos
erva de trigo
*coolers* de vinho

> **Estes ingredientes geralmente contêm glúten com outro nome:**
> complexo amino-peptídico
> corante caramelo (geralmente feito de cevada)
> ciclodextrina
> dextrina
> extrato de grãos fermentados
> *Hordeum distichon*
> *Hordeum vulgare*
> hidrolisados
> extrato de malte hidrolisado
> maltodextrina
> amido modificado
> aromatizantes naturais
> extrato de fitoesfingosina
> *Secale cereale*
> *Triticum aestivum*
> *Triticum vulgare*
> proteína vegetal hidrolisada

No primeiro mês do programa, além de eliminar o glúten, você também eliminará todos os cereais (inclusive quinoa e trigo-sarraceno, que tecnicamente são pseudocereais), milho, soja, leite e derivados. Depois disso, vou lhe ensinar a reintroduzir alguns desses alimentos, se você quiser. No entanto, neste programa você não vai reintroduzir nenhum alimento que contém glúten.

## Açúcar

Está presente em quase todos os alimentos embalados. Estou falando sério. Procure que você vai achar. Pode aparecer com nomes diferentes — açúcar de cana, frutose cristalina, xarope de milho com alto teor de frutose (veja o quadro da p. 163) —, mas é tudo açúcar. O organismo lida com a frutose e a glicose de formas distintas (resumindo, a frutose vai diretamente para o fígado para ser processada, enquanto a glicose é usada pelas células como unidade fundamental de energia. A frutose processada — açúcar da fruta comumente extraído de cana-de-açúcar, beterraba e milho — tem uma probabilidade sete vezes maior de produzir agregados de proteína/carboidrato viscosos, parecidos com caramelo, chamados produtos finais da glicação, que causam estresse oxidativo e inflamação. Como o fígado processa a frutose (em geral criando depósitos de gordura, pois a frutose produz muito mais gordura que a glicose), ela não tem um efeito imediato sobre a glicose sanguínea, mas grandes quantidades de frutose de fontes artificiais têm efeitos em longo prazo. Numerosos estudos mostraram que a frutose processada está associada com tolerância diminuída à glicose, resistência à insulina e hipertensão, entre dezenas de outros problemas. Como a frutose perturba hormônios importantes para a regulação do nosso metabolismo, uma alimentação rica em frutose pode levar à obesidade e suas repercussões metabólicas.

Além de contribuir para os altos e baixos de humor e ansiedade, todas as formas de açúcar provocam alterações nas membranas celulares, nas artérias, no sistema imunológico, nos hormônios e no intestino. O açúcar é um grande pesadelo metabólico que não fomos feitos para tolerar, muito menos nas quantidades que o americano médio ingere todos os anos — nada menos do que 74 quilos. Se você quiser um toque de doçura, use açúcar de coco, mel ou xarope de bordo (*maple syrup*).

## AÇÚCAR

**Termos codificados para açúcar:**

| | | |
|---|---|---|
| caldo de cana evaporado | frutose cristalina | maltodextrina |
| glicose de milho | frutose | dextrose |
| xarope de milho com alto teor de frutose | sacarose | açúcar de beterraba |
| | malte | açúcar turbinado |
| | maltose | açúcar invertido |

## *Advertência: cereais matinais*

Não se deixe enganar pelos chamados cereais naturais. O corredor de cereais matinais dos supermercados é uma grande vitrine de alguns dos produtos mais processados que existem. Relatos recentes expuseram os segredos sujos que estão por trás de marcas populares. Essas caixas de "produtos integrais" podem ser tudo, menos integrais; geralmente estão contaminados com ingredientes geneticamente modificados e com os herbicidas/pesticidas associados.[7] A maior parte desses cereais também contém glúten, corantes, intensificadores de sabor e diversos tipos de açúcar. Seus efeitos sobre o nosso organismo são estimulação anormal que abre o apetite, elevação brusca dos níveis de insulina e problemas cognitivos num prazo de uma ou duas horas após a ingestão. Jogue fora suas caixas de cereais hoje mesmo.

Se você conseguir se libertar do condicionamento cultural de comer alimentos "típicos do café da manhã" e simplesmente consumir comida comum, como verduras, peixe, caldo etc., suas opções aumentarão de modo exponencial. Se você achar que precisa de algo que lembre uma sobremesa, experimente meu *smoothie* (p. 289); ele deixará você saciada até bem depois do meio-dia.

## Regra nº 2: coma alimentos integrais

Depois de eliminar os alimentos processados (vendidos em embalagens plásticas, vidro, caixas etc., e com uma longa lista de ingredientes), você poderá se concentrar em alimentos simples, puros e integrais que nem mesmo contêm rótulos nutricionais: frutas e hortaliças frescas ("coma um arco-íris todos os dias", inclusive tubérculos), carne orgânica, peixes selvagens, ovos, castanhas e sementes e gorduras naturais tradicionais, como gordura de origem animal, azeitonas e coco (e não gorduras processadas ou fabricadas). Apesar do que os livros de dieta com baixo teor de carboidratos, a dieta da moda, querem que você acredite, os tubérculos são uma parte importante deste protocolo. Coma inhame e abóbora com azeite de oliva, óleo de coco ou *ghee* orgânico para complementar os açúcares naturais e aumentar a absorção de vitaminas. O ideal é cozinhar as hortaliças na água ou no vapor. Depois do primeiro mês, pode acrescentar arroz branco e batata comum; esses são excelentes "prebióticos", ou alimentos bacterianos que reservamos para depois de ter "reconfigurado" o nosso organismo. Que quantidade desses alimentos você deve consumir? Deixe-se guiar por sua bússola interior.

Observe que, apesar de conter frutose, as frutas são ricas em outros nutrientes complementares essenciais. Você poderá comer frutas, mas esse não é um alimento destacado nesta dieta.

## ALIMENTOS ORGÂNICOS

**Alimentos que devem ser orgânicos:**[8]

| | | |
|---|---|---|
| maçã | nectarina | alface |
| salsão | uva | couve |
| morango | pimentão | pimenta |
| pêssego | batata | pepino |
| espinafre | tomate-cereja | |

**Alimentos que não precisam necessariamente ser orgânicos:**

| | | |
|---|---|---|
| cebola | ervilha (congelada) | repolho |
| milho doce | manga | mamão |
| abacaxi | berinjela | batata-doce |
| avocado/abacate | melão cantaloupe | *grapefruit* |
| aspargos | kiwi | couve-flor |

*Alimentos livres de glifosato*

Nunca é demais ressaltar a importância de evitar alimentos que entraram em contato ou foram pulverizados com glifosato. O glifosato, principal ingrediente do Roundup, é o herbicida mais usado por agricultores de todo o mundo para combater as ervas daninhas. Em 2017, estima-se que os agricultores americanos aplicaram 350 mil toneladas de glifosato em suas plantações, uma quantidade absurda. Isso é pouco menos de 1,4 bilhão de quilos, um número realmente astronômico, difícil de imaginar. O resíduo do glifosato não é apenas uma ameaça à saúde do planeta; é uma grande ameaça ao nosso microbioma e um lembrete de que prejudicar a natureza significa prejudicar a nós mesmos.[9]

Em 2010, depois que os relatos de defeitos congênitos quadruplicaram na Argentina desde 2002, um estudo laboratorial descobriu que baixas doses de glifosato causavam defeitos congênitos em embriões de rã e frango. Estudos posteriores demonstraram que o glifosato estava associado com anomalias cardíacas, morte embrionária e diversas malformações. Acredita-se que esses problemas estejam relacionados com a toxicidade da oxidação da vitamina A causada pelo glifosato.

Em março de 2015, dezessete especialistas de onze países se reuniram na Agência Internacional de Pesquisa sobre Câncer da OMS, na França, para discutir os efeitos cancerígenos dos pesticidas organofosforados e, em particular, do glifosato e concluíram que "ele provavelmente é carcinogênico para os seres humanos".[10] De acordo com evidências extraídas dos arquivos da Agência de Proteção Ambiental (EPA) dos Estados Unidos, a Monsanto conhece o potencial que o glifosato tem de causar câncer em mamíferos desde 1981.[11]

Muitos dos efeitos adversos do glifosato são produzidos com doses muito baixas (na faixa de partes por trilhão), comparáveis aos níveis de resíduos de pesticidas encontrados nos alimentos e no meio ambiente, o que contesta a existência de um limite seguro de exposição.[12]

Em suma, o glifosato:

- Diminui a sua capacidade de eliminar toxinas.
- Mata os microrganismos benéficos no seu intestino, promovendo assim o desequilíbrio do seu microbioma.
- Compromete a função da vitamina D, um elemento importante na fisiologia humana e na regulação do humor.
- Esgota suas reservas de minerais importantes, como ferro, cobalto, molibdênio e cobre.
- Prejudica a síntese de triptofano e tirosina (aminoácidos importantes para a produção de proteínas e neurotransmissores).
- Imita hormônios como o estrogênio, promovendo ou estimulando a formação de cânceres sensíveis a hormônios.

A Monsanto nos disse há muito tempo que não devemos nos preocupar. Mas os efeitos prejudiciais à saúde do DDT, do agente laranja e dos PCBs só foram reconhecidos depois de décadas de evidências acumuladas de perigo irreversível para a vida humana. Até que o glifosato seja banido, consuma somente hortaliça, frutas, carnes e produtos que não contenham organismos geneticamente modificados (OGMs). Devemos protestar contra esse experimento arbitrário que afeta todas as formas de vida do planeta.

*Animais alimentados a pasto e peixes selvagens*
Os produtos de animais alimentados a pasto são provenientes de animais que circulam livremente pelas pastagens e comem alimentos naturais. Esses animais cujas vidas são canalizadas para a nossa própria vida devem ser tratados com a maior consideração possível em relação às suas inclinações naturais. Devemos apoiar a beleza de uma agricultura orgânica sustentável, livre de produtos petroquímicos e cereais industrializados e com os numerosos benefícios da criação humanitária de seres sadios. Como modelo inicial, recomendo o consumo de carnes orgânicas de animais criados a pasto: carne vermelha de cordeiro, porco e vaca, de três a cinco vezes por semana; peixe e aves de duas a três vezes por semana; e ovos diariamente. Para uma lista de peixes provenientes de pesca sustentável e que contêm as quantidades mais baixas de toxinas, acesse a página do Seafood Watch do Aquário da Baía de Monterey (www.seafoodwatch.org). Depois do acidente nuclear de Fukushima, prefiro salmão, sardinhas e anchovas do Atlântico.

Não deixe de experimentar caldos de ossos de frango e de vaca, usados tradicionalmente em protocolos para tratamento do intestino. Como a nossa alimentação se baseia em sua maioria no consumo de carnes musculares, ricas em metionina, um aminoácido, nós perdemos os benefícios do consumo de ossos, pele, tendões e outros tecidos conjuntivos, como faziam nossos ancestrais. Essas partes são ricas em glicina, um aminoácido com propriedades calmantes que ajuda a combater a insônia e a ansiedade, além de contribuir para a saúde das articulações, do cabelo e da pele. (Dica: experimente adicionar gelatina orgânica a líquidos mornos ou colágeno hidrolisado a líquidos frios; comece com 1 colher de sopa e vá aumentando até chegar a 2 colheres. É sem sabor.)

*Ovo caipira*
Eu adoro ovo caipira frito no fogo baixo em *ghee*. O cozimento em fogo baixo ajuda a manter intactos os ácidos graxos e os nutrientes do ovo. Os ovos caipiras são provenientes de galinhas criadas soltas que se alimentam de plantas e insetos (o que elas comeriam normalmente na natureza). Se você acredita que o ovo faz mal para a saúde porque contém colesterol, está na hora de acabar com esse mito. O ovo é um dos alimentos mais injustiçados da nossa era. A

concepção de que o colesterol alimentar, como a gordura saturada da carne bovina, se converte em colesterol sanguíneo é totalmente falsa. A ciência nunca conseguiu estabelecer uma relação entre gorduras alimentares de origem animal e colesterol alimentar aos níveis séricos de colesterol ou ao risco de doença arterial coronariana. Quando os cientistas tentam estabelecer uma relação entre os níveis séricos de colesterol e o consumo de ovos, eles sempre constatam que os níveis de colesterol de pessoas que comem pouco ovo ou não comem ovo em geral são idênticos aos de pessoas que consomem muito ovo.[13] Mais de 80% do colesterol sanguíneo, medido pela análise laboratorial, é produzido pelo fígado e, ao contrário do que você possa pensar, o consumo de colesterol ajuda a manter em equilíbrio a produção de colesterol do organismo.[14]

O ovo é um alimento perfeito, e a gema é uma mina de ouro em termos nutritivos. O ovo inteiro — sim, com a gema — contém todos os aminoácidos essenciais de que precisamos para viver, bem como vitaminas, minerais e antioxidantes que protegem os olhos. E o ovo pode ter efeitos positivos de longo alcance na nossa fisiologia. Além de nos manter saciados, ele nos ajuda a controlar a glicose sanguínea. Em 2013, pesquisadores da Universidade de Connecticut mostraram que as pessoas que comiam ovos inteiros diariamente melhoravam a sensibilidade à insulina e outros parâmetros de risco cardiovascular.[15]

Você verá que eu recomendo muitos ovos no meu protocolo alimentar. Não tenha medo deles. A intervenção mais eficaz que faço para meus pacientes é mudar o café da manhã, portanto pare de comer cereais matinais e comece a comer ovos! A melhor maneira de começar o dia e ajudar a promover o equilíbrio glicêmico é comer um ovo. Existem muitas maneiras de preparar os ovos. Mexidos, fritos, *poché*, cozidos ou como um ingrediente em seus pratos, os ovos são um dos alimentos mais versáteis que existe. Prepare uma dúzia de ovos quentes no domingo à noite e você terá café da manhã e/ou lanches para toda a semana.

*Laticínios crus*
Durante os primeiros trinta dias do programa, vou lhe pedir para evitar por completo os laticínios, inclusive leite, iogurte, queijos e sorvete. Vou lhe pedir para tomar apenas água filtrada. Nem mesmo chá é permitido, porque os chás têm efeito diurético. Quando você toma chá, não toma água, e uma hidratação

adequada é essencial para a produção de energia e a função celular. Depois de trinta dias, vou lhe mostrar como verificar se o consumo moderado de laticínios não terá problemas para você. Como os laticínios apresentam reatividade cruzada com o glúten e contêm proteínas que estimulam o sistema imunológico, como butirofilina (associada com esclerose múltipla) e caseína, eles podem ser prejudiciais para muitos portadores de doença crônica.[16] Talvez você fique surpresa ao saber que os laticínios vendidos nos supermercados são alimentos altamente processados. Eu a convido a explorar os benefícios do leite cru (não pasteurizado, não homogeneizado) no site www.realmilk.com. Os laticínios crus em egral são obtidos de raças bovinas mais antigas que não produzem a proteína betacaseína A1. Constatou-se que essa proteína, encontrada na maior parte do leite produzido comercialmente, inclusive o leite orgânico, agrava a depressão, bem como outros quadros neurológicos como autismo e esquizofrenia (essa proteína também foi associada com maior risco de doença cardíaca e diabetes insulinodependente), possivelmente por meio da sua associação com um opioide chamado BCM7. A pasteurização destrói bactérias importantes, bem como o folato e as vitaminas A, $B_6$ e C; inativa a lipase, a lactase e a fosfatase (que ajudam na absorção do cálcio); oxida o colesterol e danifica os ácidos graxos ômega 3 e as proteínas.

Outro problema do leite de vaca comercializado é que ele contém exossomos, que podem ter efeitos de longo alcance. Descobertos há quase trinta anos, os exossomos são microvesículas que, a princípio, eram consideradas latas de lixo cuja função consistia em descartar os componentes celulares indesejados. Porém, evidências recentes indicam que eles também agem como mensageiros, levando informações para tecidos distantes.[17] Os exossomos contêm microRNAs (miRNAs), um grupo bem definido de pequenos RNAs não codificantes que "conversam" com nossos genes e fazem com que eles "respondam" controlando a sua expressão. No leite materno, esses exossomos são encarregados de reforçar a imunidade do bebê, contribuindo assim para o seu desenvolvimento. Mas, quando são oriundos de determinadas fontes, eles também podem transmitir informações nocivas à saúde. Os microRNAs provenientes do leite materno e dos vegetais trocam informações que promovem a saúde, mas os microRNAs provenientes do leite de vaca têm o efeito oposto, transmitindo informações que acabam desencadeando processos inflamatórios.

## Castanhas e sementes

Todos os tipos de sementes (inclusive a linhaça) e de castanhas cruas e torradas sem óleo são bons. Observe que o amendoim não é uma oleaginosa, mas sim uma leguminosa, e deve ser evitado por razões que explicarei mais adiante. No caso de pastas de castanhas, só compre aquelas que têm uma camada de óleo por cima e sem adição de açúcar. Considere a possibilidade de germinar castanhas para minimizar os inibidores de enzimas: cubra 4 xícaras de castanhas com água filtrada, coloque 1 ou 2 colheres de sopa de sal grosso e deixe de um dia para o outro no balcão da cozinha. Pela manhã, escorra a água e enxágue as castanhas. Em seguida, seque-as no forno ou num desidratador entre 38 e 65 °C. Algumas empresas fazem isso para você: procure a palavra "*germinado*" na embalagem.

## Advertência: leguminosas

Eu aconselho minhas pacientes a cortarem por completo as leguminosas da alimentação durante o primeiro mês, pois elas têm o que poderia ser descrito como "espinhos invisíveis" chamados lectinas, que confundem o sistema imunológico e contribuem para uma série de problemas de saúde relacionados com aumento de inflamação.[18] As leguminosas mais consumidas são feijões, ervilhas, lentilhas e amendoins. Além de serem ricas em minerais, vitaminas e fibras, elas também são ricas em amido resistente, um tipo especial de fibra que pode ser benéfica depois que a flora intestinal estiver otimizada (ele "resiste" à ação das enzimas digestivas e ajuda a promover uma sensação de saciedade). A maioria das pessoas tolera bem as leguminosas, que, com exceção do amendoim e da soja, podem ser reintroduzidas. Infelizmente, o amendoim corre um grande risco de desenvolver mofo, e a soja pode inibir as enzimas tireoidianas e pancreáticas. Depois que você tiver reintroduzido as leguminosas na sua alimentação, é melhor deixá-las de molho de um dia para o outro em água filtrada e enxaguá-las antes de cozinhá-las.

# Regra nº 3: não evite nem restrinja as gorduras naturais

Em algum momento da sua vida, aposto que você tentou evitar gordura, com medo de engordar, assim como alimentos ricos em colesterol, com medo de ficar com as artérias entupidas. A indústria da dieta (anunciantes, supermercados, fabricantes de alimentos e livros populares) há muito venderam a ideia de que devemos fazer uma dieta com baixo teor de gordura e de colesterol. De fato, alguns tipos de gordura, como gorduras e óleos processados industrialmente, estão associados com problemas de saúde. Mas isso não se aplica às gorduras naturais não modificadas, contanto que sejam de origem animal ou vegetal.

Quando minhas pacientes se queixam de flutuações do humor, ansiedade, depressão, insônia e baixa libido causadas pelo açúcar, sei que preciso reforçar sua atividade cerebral, hormonal e metabólica com uma infusão agressiva de gordura. Para que você não permaneça sob o feitiço das grandes indústrias alimentícias, saiba que uma grande análise publicada em 2014 confirmou os dados anteriores, demonstrando mais uma vez que o alto consumo de gordura saturada não aumenta o risco de doença arterial coronariana. Vou repetir: nenhum estudo demonstrou que existe uma ligação entre ovos a infarto do miocárdio (muito pelo contrário).

Os ácidos graxos poli-insaturados ômega-3 merecem a boa fama que têm, pois o peixe e o óleo de peixe (EPA e DHA) promovem atividade anti-inflamatória e fluidez da membrana celular, além de combater os efeitos dos óleos vegetais processados da nossa alimentação. Mas eles não agem sozinhos. É tentador atribuir alimentos a diferentes grupos de gordura, mas muitas gorduras funcionam melhor junto com outras. Por exemplo, a carne bovina orgânica não contém somente gordura saturada; na verdade, ela é composta principalmente por gordura monoinsaturada. No entanto, as gorduras saturadas são fundamenteis para a saúde da membrana celular, e os lipídios representam 60% do peso seco do cérebro.

Vamos deixar uma coisa bem clara em relação ao ômega-3 e ao ômega-6. A alimentação americana é riquíssima em gorduras ômega-6 processadas, encontradas em muitos óleos vegetais comercializados, inclusive óleo de cártamo, milho, canola, girassol e soja; o óleo vegetal representa a principal fonte de

## DOIS INGREDIENTES INCOMUNS, PORÉM ALTAMENTE TERAPÊUTICOS QUE VOCÊ DEVE COMEÇAR A USAR HOJE MESMO

### Fígado em pó

Fígado é um superalimento e a melhor multivitamina que existe, pois é uma fonte extraordinária de vitaminas lipossolúveis, inclusive A, D, K e E pré-formadas; minerais; ferro usável; antioxidantes; e vitaminas do complexo B. Deve-se consumir fígado orgânico duas vezes por semana. O fígado desidratado em pó pode facilitar as coisas, podendo ser adicionado a sopas, ensopados ou até mesmo a vitaminas com alteração mínima do sabor. Comece com 1 colher de sopa duas vezes por semana.

### Amido resistente

Existem dois tipos de amido, um deles não é degradado enzimaticamente e serve como uma fonte de fibra no intestino que tem a capacidade de produzir gorduras saturadas anti-inflamatórias. Depois de um mês de dieta sem cereais, sem adição de açúcar e rica em gordura natural, a introdução de amido resistente pode produzir alterações benéficas no intestino que, por sua vez, ajudam a manter o equilíbrio glicêmico e melhoram o metabolismo. A melhor forma de fazer isso é comer batata e arroz branco frios, pois o processo de resfriamento aumenta o amido resistente. A banana-da-terra verde é outra fonte de amido resistente. Se você está procurando um atalho, experimente fécula de batata: comece com 1 colher de chá por dia na comida ou em um pouco de água (você pode tomar durante as refeições) e ir aumentando até atingir 4 colheres de chá, se não tiver problema de gases.

gordura na alimentação americana. Você deve ter ouvido no noticiário que os americanos estão consumindo uma quantidade excessiva de gorduras ômega-6 processadas. Eu vou um pouco além ao afirmar que as gorduras ômega-6 que consumimos são tão adulteradas que o organismo nem consegue usá-las. Elas só servem para alterar os processos celulares e deixar o organismo com carência de fontes naturais de ômega-3 e ômega-6. Ao contrário do que diz até mesmo algumas informações nutricionais voltadas para a saúde, as gorduras ômega-6 são essenciais para o cérebro e para a função imunológica e não deveriam ser transformadas em vilãs em sua forma natural (como as provenientes de castanhas e sementes).

Aqui estão algumas fontes complementares de gorduras:

- Gorduras ômega-3 e ômega-6 (poli-insaturadas): peixes de água fria, óleo de linhaça, óleo de macadâmia, carne orgânica, ovos, castanhas e sementes.
- Gorduras ômega-9 (monoinsaturadas): azeite de oliva, avocado/abacate, amêndoas, ovos, banha de porco (isso mesmo, banha de porco).
- Gorduras saturadas: azeite de dendê, carnes, *ghee*, chocolate meio-amargo, óleo de coco (lembre-se, as gorduras ajudam na absorção das vitaminas lipossolúveis D, A, K e E).

Use *ghee* orgânico (muitas pessoas conseguem tolerar a manteiga depois de um mês) ou óleo de coco para cozinhar em fogo alto e azeite de oliva para o restante. *Ghee* é uma manteiga clarificada, sem lactose e sem caseína (que oxidam em altas temperaturas), e é uma excelente fonte de gorduras como butirato, ácido linoleico conjugado (CLA) e vitaminas lipossolúveis A, D e K. O butirato pode ser usado como fonte de energia e para a manutenção da integridade das células intestinais, podendo até mesmo ter efeitos anti-inflamatórios no cérebro. Segundo a tradição hindu, o *ghee* tem propriedades curativas distintas das da manteiga que não são captadas por uma análise de seus macronutrientes e micronutrientes.

O óleo de coco não é uma gordura ruim, ao contrário do que você possa pensar com base em informações equivocadas e desatualizadas sobre os males da gordura saturada. Principal fonte de gordura tradicional nos trópicos, o seu conteúdo de gordura saturada tem um perfil exclusivo, pois é composto por triglicerídeos de cadeia média. Essas gorduras não requerem enzimas pancreáticas para sua digestão e ficam imediatamente disponíveis como fonte de energia. Estudado em relação aos seus benefícios cognitivos, bem como relacionados com controle lipídico, reforço imunológico e metabolismo, o óleo de coco é essencial para melhorar o metabolismo de queima de gordura para a mente e o corpo.

Corte todos os molhos de salada pré-preparados, pois a maioria deles contém óleos vegetais; use azeite de oliva e vinagre (vinagre de maçã e limão são boas opções).

Você descobrirá que a gordura confere um delicioso sabor aos alimentos. Cozinhe com bastante ervas frescas e temperos, principalmente alho, gengibre e cúrcuma — todos eles melhoram o humor. A cúrcuma, por exemplo, tem sido estudada quanto aos seus efeitos anti-inflamatórios e a sua capacidade de fortalecer o sistema imunológico e auxiliar na desintoxicação do fígado, além de ter qualidades antidepressivas com eficácia comparável a mais de uma dezena de medicamentos. Tenha cuidado com temperos e condimentos embalados feitos em fábricas que processam trigo, que foram submetidos à irradiação gama ou que contêm adição de açúcar.

### SALEIRO

Jogue fora o sal de mesa! Compre sal marinho não processado ou sal do Himalaia. O sal do Himalaia contém mais de oitenta minerais ionizados que se formaram há mais de duzentos milhões de anos. O consumo desse sal promove o equilíbrio hidroeletrolítico, a hidratação, o equilíbrio do pH e a desintoxicação do organismo, e pode contribuir para a saúde óssea, o bem-estar cardiovascular e até mesmo para a beleza do cabelo e da pele.

## Regra nº 4: use probióticos

Como eu disse na Primeira Parte do livro, várias pesquisas com animais e estudos preliminares realizados com seres humanos confirmam a capacidade que os microrganismos intestinais têm de influenciar o humor e o comportamento. Numerosos estudos demonstraram que a administração de probióticos pode reverter alguns transtornos psicológicos. Ao longo de toda a história, os alimentos fermentados têm introduzido bactérias probióticas na alimentação. Todas as culturas tradicionais fermentavam seus alimentos, viviam junto à natureza e comiam os alimentos que ela oferecia, promovendo a diversidade da flora inetestinal, diversidade essa que atualmente está ameaçada. As evidências indicam que a fermentação de alimentos remonta a mais de sete mil anos para a fabricação de vinho no Oriente Médio. Os chineses fermentavam repolho há seis mil anos.

Embora durante séculos as civilizações não compreendessem os mecanismos por trás do processo de fermentação, elas sabiam, intuitivamente, que os alimentos fermentados faziam bem à saúde. Muito antes que os probióticos fossem vendidos como suplementos em lojas de produtos naturais, as pessoas já comiam alguma forma de alimento fermentado. Provavelmente você está familiarizada com o chucrute (repolho fermentado) e o iogurte (leite fermentado). As pessoas de origem coreana provavelmente têm um pote de kimchi na geladeira. Trata-se de um condimento picante em geral preparado com repolho ou pepino, o prato nacional coreano.

Fermentação é o processo metabólico que consiste na conversão de carboidratos, geralmente açúcares, em outras moléculas — álcoois e dióxido de carbono ou ácidos orgânicos. A reação requer a presença de levedura, de bactérias ou de ambas, e ocorre na ausência de oxigênio (daí a descrição original do processo como "respiração sem ar"). No século XIX, Élie Mechnikov, cientista russo, revelou como as bactérias do gênero *Lactobacillus* estavam relacionadas com a saúde. Considerado o pai da imunologia, Mechnikov previu muitos aspectos da imunobiologia atual e foi o primeiro a propor a teoria de que as bactérias ácido-láticas são benéficas para a saúde humana. Ele ganhou o Prêmio Nobel de Medicina em 1908. Suas ideias se baseavam em grande parte na descoberta de uma correlação entre a saúde e a longevidade dos colonos búlgaros e seu consumo de produtos lácteos fermentados. Mechnikov chegou até mesmo a sugerir que a "administração oral de culturas de bactérias fermentadoras implantaria as bactérias benéficas no trato intestinal".[19]

Mechnikov acreditava que as bactérias tóxicas do intestino contribuíam para o envelhecimento e que o ácido láctico podia ajudar a prolongar a vida. Ele tomava coalhada diariamente e cunhou o termo *probiótico* para descrever as bactérias benéficas. Seu trabalho inspirou Minoru Shirota, microbiologista japonês do século XX, a estudar a relação entre bactérias e boa saúde intestinal. Os estudos do dr. Shirota prepararam o terreno para o colossal mercado atual de probióticos.

A fermentação do ácido láctico, em particular, é o processo pelo qual os alimentos se tornam probióticos, ou seja, ricos em bactérias benéficas. Nessa reação química natural, as bactérias boas convertem as moléculas de açúcar dos alimentos em ácido láctico, permitindo assim que as bactérias se multipliquem. O subproduto — o ácido láctico — protege os alimentos fermentados da invasão de bactérias nocivas, pois cria um ambiente ácido que mata as bactérias prejudiciais. É por isso que a fermentação do ácido láctico também é usada para conservar alimentos. Atualmente, para fazer alimentos fermentados, algumas cepas de bactérias boas, como *Lactobacillus acidophilus*, são introduzidas em alimentos que contêm açúcar para dar início ao processo. O iogurte, por exemplo, é feito facilmente com uma cultura iniciadora (cepas de bactérias ativas) e leite.

No Capítulo 9, vou explicar em detalhes o que você deve procurar nos suplementos probióticos, mas a melhor maneira de consumir uma grande variedade de bactérias saudáveis é mediante de fontes totalmente naturais, como chucrute, picles, kimchi e outros vegetais fermentados. Minhas sugestões de cardápio ajudarão você a começar a incorporar esses alimentos à sua dieta a partir de hoje. As bactérias consumidas dessa maneira são extremamente biodisponíveis (ou seja, facilmente aceitas pelo organismo), e trabalham de diversas maneiras. Elas ajudam a manter a integridade do revestimento intestinal; equilibram o pH corporal; servem como antibióticos, antivirais e antifúngicos naturais; regulam o sistema imunológico; e controlam a inflamação.[20] Além disso, as bactérias probióticas impedem a proliferação e até mesmo a invasão de bactérias potencialmente patogênicas ao produzir substâncias antimicrobianas chamadas bacteriocinas. E tem mais, como essas bactérias probióticas metabolizam suas fontes de combustível a partir da nossa alimentação, elas liberam vários nutrientes presentes nos alimentos que ingerimos, tornando-os mais fáceis de serem absorvidos. Por exemplo, elas aumentam a disponibilidade de vitaminas A, C e K e produzem incansavelmente muitas das vitaminas do complexo B.

O que nunca deixa de me impressionar é que uma exposição mínima, porém repetida, a bactérias probióticas produz resultados clínicos positivos. Um novo termo usado na minha área para esses microrganismos bons é psicobióticos, depois que estudos mostraram a existência de uma conexão entre seu consumo e resultados psicológicos positivos.[21] Todo psiquiatra adepto da medicina funcional, como eu, tem histórias de "cura probiótica": pacientes com sintomas debilitantes, em geral do espectro obsessivo-compulsivo, cujos sintomas desaparecem por completo mediante uma mudança nos hábitos alimentares e suplementação probiótica. Como uma médica que exige muito de suas pacientes com relação a mudanças no estilo de vida, como alimentação, meditação e desintoxicação ambiental e psicológica, fiquei impressionada com um estudo que obteve resultados com um simples probiótico. Era um estudo de pequeno porte, porém com poder estatístico para obter uma resposta à seguinte pergunta: é possível tratar o humor com probióticos? Nesse estudo de oito semanas de duração e controlado por placebo, quarenta pacientes diagnosticados com depressão maior foram divididos e selecionados aleatoriamente para receber *Lactobacillus acidophilus, Lactobacillus casei, Bifidobacterium bifidum* ou placebo.[22] Os pesquisadores controlaram apenas a alimentação e o exercício dos participantes. Ao final de oito semanas, houve uma diferença significativa no humor. Mas talvez o mais interessante seja que os exames de sangue revelaram alterações metabólicas expressivas nos participantes que haviam tomado probióticos — redução dos níveis séricos de insulina e dos marcadores inflamatórios, comparado com o grupo que recebeu placebo.

Se um medicamento fosse capaz de produzir tais benefícios, em vez dos possíveis efeitos colaterais secundários indesejados (alguns dos quais podem ser permanentes e incapacitantes), por certo seria estampado na capa da revista *Times*.

Em outro estudo fascinante, 75 bebês foram selecionados e divididos em dois grupos aleatoriamente para receber probióticos (*Lactobacillus rhamnosus*) ou placebo durante os primeiros seis meses de vida e, depois, foram acompanhados durante treze anos.[23]

A princípio, o objetivo do estudo era estudar os riscos de eczema. A maioria dos bebês dos dois grupos tinha nascido por parto normal e tomado mamadeira, e alguns haviam recebido antibióticos. Os resultados foram notáveis: aos

13 anos de idade, seis das 35 crianças que recebram placebo (17,1%) foram diagnosticadas com transtorno de déficit de atenção/hiperatividade (TDAH) ou síndrome de Asperger; nenhuma dessas seis crianças fazia parte do grupo de probióticos. Em outras palavras, as crianças que receberam probióticos foram poupadas desses transtornos neuropsiquiátricos. As que receberam o diagnóstico de TDAH também apresentaram menor número de bactérias saudáveis da espécie *Bifidobacterium* nas fezes durante os primeiros seis meses de vida. Esses efeitos foram confirmados por estudos realizados com roedores que demonstraram os efeitos de regulação do estresse e alterações do comportamento da administração de probióticos a recém-nascidos.[24] Estudos estão tentando compreender as relações de causa e efeito entre os probióticos e bem-estar psicológico. Aventou-se a hipótese de que a ingestão de probióticos talvez não leve necessariamente à proliferação de bactérias boas, mas sim exerça seu poder ao influenciar a sinalização do nervo vago e reforçar a integridade intestinal.

## Regra nº 5: coma de maneira consciente

Quando você termina a refeição nunca se lembra do gosto dos alimentos? Você engole sem mastigar direito a comida? Você trabalha durante o almoço, como eu? Durante o programa, eu vou lhe pedir para usar técnicas de *mindfulness* (conscientização) durante uma semana. Você pode começar aproveitando suas refeições para se sentar e comer de maneira consciente. Muitas pessoas fazem outras coisas enquanto comem, ou assistem televisão, usam o celular ou o computador. Uma atmosfera serena e relaxada promove a digestão ideal e ativa o sistema nervoso parassimpático, que foi projetado para apoiar esse processo. A sua digestão ficará comprometida se na hora das refeições você se distrair assistindo televisão, verificando seus e-mails ou discutindo acaloradamente. A refeição não deve ser mais uma obrigação na sua lista de afazeres diários; procure fazer com que esse seja um momento para relaxar e recarregar as energias.

Além disso, tente se concentrar na comida, sentindo os sabores e as texturas. Sente-se, feche os olhos, agradeça pelos alimentos e coma porções pequenas. Experimente segurar o garfo com a mão menos dominante. Assim você automaticamente comerá devagar. E limite suas distrações às pessoas que estão comendo com você. Pense nisso como uma maneira de agradecer pela dádiva dos alimentos e das boas coisas da vida. Essa também é uma excelente oportunidade de diminuir o ritmo, ter mais consciência dos alimentos e do ato de comer e em sincronia com os companheiros de refeição e com o ambiente ou simplesmente consigo mesma.

## OBTENHA SEUS NUTRIENTES PRINCIPALMENTE DOS ALIMENTOS

Desintoxicar o organismo das agressões que ele sofre diariamente é um processo que depende dos nutrientes e que reduz de maneira drástica nossas reservas disponíveis de vitaminas, minerais, antioxidantes e aminoácidos. É por isso que é fundamental repor esses ingredientes vitais, sobretudo aqueles que são intrinsecamente anti-inflamatórios ou estão associados com a boa saúde mental. Isso inclui o equilíbrio correto de zinco, cobre, selênio, magnésio, cálcio, tirosina, triptofano e vitaminas A, C, E e do complexo B, inclusive $B_{12}$ e ácido fólico. Eu recomendo às minhas pacientes que obtenham seus nutrientes principalmente dos alimentos; o uso de suplementação deve ser individualizado com base nos marcadores inflamatórios, nos sinais de autoimunidade e nos níveis séricos de vitaminas (os exames recomendados estão na p. 235).

Se você se alimentar de acordo com as diretrizes apresentadas neste capítulo e seguir meus cardápios (pp. 263 a 265), estará criando as condições para o equilíbrio do sistema nervoso, e a suplementação não será tão importante.

CAPÍTULO 7

# O Poder da Meditação, do Sono e do Exercício

*Três hábitos simples que podem melhorar a saúde mental*

---

A resposta de relaxamento é um atalho para a cura.

Vários exercícios fáceis podem ativar mecanismos milenares de cura.

---

Tenho o que se chama "mente de macaco", uma mente inquieta que salta de pensamento em pensamento. Como mãe, esposa, médica, escritora, educadora e uma pessoa que tem muitos compromissos a cumprir, eu aconselho a qualquer um que tenha cuidado ao entrar no meu espaço mental. Mesmo que eu não desempenhasse nenhum desses papéis e pudesse me sentar debaixo de uma palmeira e relaxar, minha mente tagarela me acompanharia. Tenho certeza de que muitas de vocês sabem do que estou falando.

Mas é o caráter universal desse estado que torna a prática da meditação tão vital — e tão arraigada em todas as religiões e culturas. O objetivo da meditação é melhorar o nosso desempenho nas tarefas cotidianas e cultivar um estado de relaxamento. E existem muitas pesquisas científicas que comprovam a maneira como ela age.

Pode ser que, assim como eu, você seja persuadida por artigos convincentes publicados na literatura que afirmam que o simples ato de respirar e prestar atenção à respiração pode ser uma panaceia capaz de substituir seu medicamento atual. Pode-se dizer o mesmo do sono e do exercício — dois aspectos importantes para o bem-estar geral e psicológico.

Vou iniciar este capítulo defendendo de forma contundente a meditação, mas também vou mostrar que você não precisa praticá-la da maneira tradicional, entoando "om" ou concentrando-se num objeto em meio ao silêncio total e sentada sobre uma almofada. Existem muitas maneiras práticas de meditar que produzem ótimos resultados sem que seja preciso passar o dia todo olhando para o próprio umbigo. Você pode começar com algo simples como ouvir uma meditação guiada durante alguns minutos por dia e ir aumentando até chegar a vinte minutos duas vezes por dia para obter um efeito terapêutico que ativa o sistema nervoso responsável pelo relaxamento — o sistema nervoso que nos permite "descansar e digerir" — e, por conseguinte, alivia os sintomas e faz com que o organismo volte para um estado anti-inflamatório. Conforme tenho enfatizado, é impossível desfazer a interconexão entre intestino, cérebro e os sistemas hormonal e imunológico. Enquanto não compreendermos bem essa complexa relação, não conseguiremos impedir nem tratar com eficácia a depressão. Para uma verdadeira cura e prevenção eficaz, envie ao seu corpo todos os dias a mensagem de que ele não está sendo atacado, de que não está correndo perigo e de que está bem nutrido, calmo e recebendo todo o apoio de que necessita.[1]

Agora que sabemos que o poder da expressão genética vai além dos cerca de 20 mil genes com os quais nascemos, podemos utilizar instrumentos que otimizam os genes "bons" e suprimem os "ruins". Acontece que o DNA com o qual nascemos interage com o expossoma, ou seja, elementos presentes no nosso ambiente, e com o nosso comportamento consciente, ditando exatamente como será escrito o livro sobre a nossa vida. Como você está prestes a descobrir, meditação, sono e exercício podem produzir efeitos com os quais os laboratórios farmacêuticos só poderiam sonhar.

## A CIÊNCIA DA MEDITAÇÃO

Embora os benefícios da meditação tenham sido documentados há décadas tanto por experiências pessoais como por pesquisas científicas, só recentemente começamos a entender a sua importância na área da psiquiatria. Um grande volume de dados explica por que a meditação funciona. Uma das razões é que ela estimula a expressão de genes que são anti-inflamatórios por natureza e ajuda a estabilizar a glicose no sangue. No nível físico, nós ficamos calmos, serenos e ensimesmados, o que também tem o efeito de baixar o volume do nosso cérebro, para que tenhamos menos probabilidade de ouvir o ruído do nosso eu crítico e analítico. Antes que evoluíssemos para seres complexos e dotados de pensamento crítico, o nosso cérebro era um pouco menos complicado. Sabíamos como encontrar comida e água e também como nos socializar, mas teríamos tido mais dificuldade com cálculos e planejamentos complicados. Mas com o tempo o nosso cérebro aumentou de tamanho, para que pudéssemos resolver problemas com mais facilidade e pensar mais como Einstein (ou, então, descobrir o algoritmo para conseguir equilibrar as atividades extraescolares, os horários escolares e as lições de casa dos filhos). Mas esse cérebro humano mais avançado e a maior capacidade de pensar trouxeram consigo uma desvantagem: nós perdemos a conexão com a quietude, com o espaço mental e com o vazio vital. É aí que entra a prática da meditação. Ela nos liberta do nosso eu analítico. Nesse estado, ainda temos consciência das nossas sensações, dos nossos sentimentos e pensamentos, mas sem negatividade. Trata-se de um estado neutro que nos permite apenas observar e ser testemunhas, sem executar nenhuma ação.

Um dos primeiros estudos sobre os efeitos da meditação veio à tona em 2005, quando pesquisadores do Hospital Geral de Massachusetts, da Faculdade de Medicina de Harvard, publicaram um estudo de imagens. As imagens mostravam que determinadas áreas do córtex cerebral das pessoas que meditavam regularmente eram mais espessas.[2] Desde então, vários estudos documentaram que as pessoas com "cérebro mais espesso" costumam ser mais inteligentes e ter memória melhor.[3] Essas áreas corticais estão relacionadas com atenção e processamento sensorial, bem como planejamento de comportamentos cognitivos complexos. Estudos demonstram que as pessoas que praticaram meditação a vida toda conservam a espessura de determinadas áreas do córtex cerebral que, com o tempo, provavelmente teriam se tornado mais finas. Parece que a meditação é um verdadeiro exercício para o cérebro, como se ajudasse a fortalecer a musculatura nas áreas usadas.

O estudo de 2005 foi um dos primeiros a mostrar por que a meditação promove o relaxamento: ela induz uma transferência da atividade cerebral de uma área do córtex para outra. Especificamente, as ondas cerebrais do córtex frontal direito, que é um centro de estresse, são transferidas para o córtex frontal esquerdo, mais sereno. Essa transferência de atividade cerebral para áreas associadas com relaxamento pode explicar por que as pessoas que meditam ficam mais calmas e mais felizes depois de atingir o estado meditativo.

Pesquisadores do Instituto Benson-Henry de Medicina para o Corpo e Mente de Massachusetts, vinculado a Harvard, lançaram nova luz sobre os mecanismos dos efeitos psicológicos da meditação, em particular com relação à resposta de relaxamento, que pode ser obtida por meio de várias formas de meditação, oração repetitiva, yoga, tai chi, exercícios respiratórios, relaxamento muscular progressivo, *biofeedback*, visualização guiada e qi gong.[4] Uma das razões pelas quais a respiração profunda, que geralmente constitui a base dessas práticas, é tão eficaz é que ela produz uma resposta nervosa parassimpática, em vez de uma resposta nervosa simpática. Quando você sente estresse, o sistema nervoso simpático entra em ação, aumentando os níveis de cortisol e adrenalina, hormônios do estresse. O sistema nervoso parassimpático, por outro lado, pode produzir uma resposta de relaxamento. A respiração profunda é uma maneira de pressionar rapidamente o interruptor, passando de alerta alto para alerta baixo em questão de segundos, enquanto o corpo relaxa em muitos níveis. De acordo com o dr. Herbert Benson, a resposta de relaxamento é "um estado físico de repouso profundo que altera as respostas físicas e emocionais ao estresse" e se caracteriza por:

- Redução do metabolismo.
- Redução da frequência cardíaca e relaxamento muscular.
- Respiração mais lenta.
- Redução da pressão arterial.
- Aumento do óxido nítrico, molécula sinalizadora que dilata as artérias.

A respiração profunda também é excelente para o sistema linfático. A linfa é um líquido transparente repleto de células imunológicas que circula pelo corpo em uma série de vasos. É essencial para o sistema imunológico, pois fornece nutrientes e coleta resíduos celulares ao mesmo tempo que ajuda a destruir patógenos. Quanto mais profundamente você respirar, mais ativo será o seu sistema linfático. Ao contrário do sistema circulatório, que tem um coração para bombear sangue, o sistema linfático não tem uma bomba integrada. Ele depende da sua respiração e dos seus movimentos físicos para impulsionar o líquido linfático pelo corpo.

Quarenta anos de pesquisas confirmam que a meditação pode otimizar diretamente a expressão genética, mas somente na última década foram desenvolvidos instrumentos para avaliar as alterações genéticas.[5] Em vez de invocar seus monges interiores, os sujeitos dos estudos simplesmente colocam fones de ouvido e ouvem passivamente uma meditação guiada de vinte minutos. Os pesquisadores quantificaram os benefícios da resposta de relaxamento avaliando a expressão gênica antes, após vinte minutos e depois de oito semanas de meditação, bem como depois de rotinas prolongadas de prática. Em uma série de artigos surpreendentes, eles discorrem sobre os efeitos anti-inflamatórios dessa intervenção. O estudo realizado com pessoas que praticaram meditação durante oito semanas e pessoas que praticavam há muito tempo demonstrou evidências de alterações positivas na expressão gênica em consequência da resposta de relaxamento. Ao que parece, a relação entre otimização da expressão gênica e resposta de relaxamento está relacionada com a dose: quanto maior o tempo de prática de meditação, maiores são os benefícios. Foram observadas mudanças benéficas até mesmo depois de uma única sessão. A teoria dos cientistas é que os eventos biológicos que ocorrem durante a meditação basicamente *impedem que o corpo converta preocupação psicológica em inflamação física*. Isso ajuda a explicar por que a meditação baseada em atenção plena ("*mindfulness*") melhora os sintomas de depressão em portadores de fibromialgia e tem efeitos ansiolíticos duradouros depois de apenas oito semanas de prática em grupo, como foi demonstrado em estudos randomizados. Embora sejam necessárias mais pesquisas, essa é uma grande evidência dos benefícios da meditação.[6]

A meditação pode ajudá-la a lidar com situações estressantes e a se preparar para enfrentar os desafios com serenidade. Eu sei que isso é verdadeiro. Pratico meditação há anos; os onze minutos que passo toda manhã respirando profundamente ajudam a me preparar para os desafios do dia a dia e a domar essa entediante "mente de macaco".

Meditar pode ser simplesmente parar por um momento e ficar totalmente consciente da sua inspiração e expiração; pode estar relacionado com enfrentar conflitos, tensão e estresse com uma postura de aceitação; ou envolver o uso de novas tecnologias que a ajudam a recalibrar o seu sistema nervoso. Logo abaixo, vou apresentar algumas opções e lhe mostrar como aprender essas técnicas simples. Para outras ideias e *links* de recursos *on-line* atualizados, bem como vídeos e programas de áudio sobre visualização guiada e técnicas de respiração, visite meu site, www.kellybroganmd.com.

Na meditação, você é uma plácida observadora da sua mente neurótica e, no final, a "tagarelice mental" que pode alimentar e agravar a depressão começa a passar para o segundo plano. Esse é um veículo para definir suas zonas de conforto de maneira mais ampla, avaliar as limitações das suas preferências e reconhecer que é impossível comparar a realidade do que acontece no seu mundo exterior com suas expectativas arbitrárias. A verdade é que, de muitas maneiras, somos nós mesmos que criamos a nossa própria aflição, e quando tentamos usar a mente para acabar com esse estresse, simplesmente não funciona.

### Pratique respiração profunda

A respiração profunda pode ser praticada a qualquer hora e em qualquer lugar. Se você nunca meditou antes, praticar respiração profunda duas vezes por dia pode ser um bom começo, pois lhe dará uma base para passar para técnicas mais avançadas.

Respiração profunda básica: sente-se confortavelmente numa cadeira ou no chão. Feche os olhos e relaxe o corpo, liberando toda a tensão do pescoço, dos braços, das pernas e das costas. Inspire pelo nariz pelo tempo que puder, sentindo o diafragma e o abdome subirem enquanto o estômago se expande. Quando sentir que atingiu o topo dos pulmões, inspire um pouquinho mais de ar. Expire lentamente enquanto conta até vinte, eliminando todo o ar dos pulmões. Faça esse exercício pelo menos cinco vezes.

Respiração profunda unilateral: uma variação da respiração profunda consiste em respirar pela narina esquerda, uma das minhas técnicas preferidas de kundalini yoga (falarei sobre isso mais adiante). A respiração pela narina esquerda ativa a terminação nervosa *ida* dessa narina, que está relacionada com serenidade e relaxamento. Esse tipo de respiração está associado com a energia lunar, que é mutável, feminina, *yin*, generosa e refrescante. Respirar pela narina esquerda durante cinco minutos pode acalmar e baixar a pressão arterial. Eis como fazê-lo:

Sente-se confortavelmente com as pernas cruzadas e a coluna ereta (uma posição fácil). Tampe a narina direita com o polegar direito, mantendo os outros dedos esticados como antenas. Coloque a mão esquerda sobre o joelho esquerdo. Feche os olhos e concentre-se no espaço entre as sobrancelhas, chamado de terceiro olho. Comece a respirar longa e profundamente só pela narina esquerda. Continue por três minutos.

## Evoque sentimentos de gratidão

Durante vinte anos, o Instituto HeartMath tem desempenhado o importante papel de fornecer aos indivíduos instrumentos para promover a harmonia entre a mente e o corpo. As pesquisas do instituto usam a variabilidade da frequência cardíaca, ou seja, as mudanças batimento a batimento que influenciam o ritmo cardíaco, para avaliar a sincronia entre o cérebro e o coração. Acontece que, ao evocar um sentimento de gratidão — concentrando-se em pessoas, experiências e acontecimentos específicos que você preza e que lhe trazem alegria — enquanto respira de maneira ritmada (em geral contando até seis enquanto inspira e também enquanto solta o ar), você pode mudar a variabilidade da frequência cardíaca para os padrões ideais associados com relaxamento sereno e desempenho mental máximo. Os pesquisadores validaram os efeitos dessa técnica sobre a TDAH, hipertensão e ansiedade com estudos clínicos randomizados, duplo-cegos e controlados por placebo.

# De tecnologia de ponta a tecnologia singela

Aparelhos de *biofeedback*, como emWave (veja a página de Recursos no meu site) e Muse podem ajudar a tonificar o sistema nervoso parassimpático. Em termos históricos, as pessoas têm usado métodos de *biofeedback* para controlar a tensão muscular, a temperatura da pele e a frequência cardíaca. Nas sessões de *biofeedback*, sensores elétricos são aplicados a diferentes partes do corpo para monitorar seu estado fisiológico, como ondas cerebrais, temperatura da pele e tensão muscular. As informações obtidas são enviadas de volta para você por meio de sugestões como cenas visuais, sons ou luzes. O objetivo do *biofeedback* é ensinar você a mudar ou controlar suas reações fisiológicas alterando seus pensamentos, suas emoções ou seu comportamento. Isso, por sua vez, pode auxiliar nos problemas de saúde que você está enfrentando, de dores de cabeça e dor crônica a depressão. Basicamente, o *biofeedback* pode reprogramar a forma como o seu corpo responde aos estímulos e percebe a dor ou a negatividade.

Muitas clínicas de fisioterapia, centros médicos e hospitais oferecem treinamento de *biofeedback*, mas existe um número cada vez maior de aparelhos e programas de uso doméstico. Alguns desses aparelhos são portáteis, enquanto outros se conectam ao computador. Experimente diferentes aparelhos até encontrar um que lhe agrade. Se o *biofeedback* não funcionar para você, saiba que se livrar das percepções cotidianas de negatividade, opressão e perda pode ser muito menos complicado.

Um dos meus livros preferidos sobre o tema de como nos livrar dos efeitos do estresse é *The Untethered Soul*, de Michael Singer.[7] Singer afirma que felicidade e liberdade são alcançadas quando se cultiva um estado de "consciência testemunha", em que a pessoa observa intencionalmente sua própria mente, suas emoções e seus comportamentos, em vez de sentir que essas coisas *são* você.

Segundo ele, o que torna as perturbações reais são o foco e a consciência — um martelo cai no dedão do seu pé e a sua consciência se dirige para esse ponto, depois você ouve um estrondo e a sua consciência se dirige para esse ponto. Singer insiste para que leitor vivencie a dor como uma energia que passa diante do olho da consciência e afirma categoricamente que devemos relaxar e nos soltar, permanecer centrados e resistir ao impulso de nos colocar na defensiva. Deixe que o desfile de pensamentos e emoções passe sem acompanhá-lo para ver aonde ele está indo. Você permanece como um observador passivo da sua mente neurótica e, no final, o burburinho mental começa a silenciar.

Essa é uma maneira de definir as nossas zonas de conforto de maneira mais ampla, de avaliar as limitações das nossas preferências e reconhecer a impossibilidade de ajustar o nosso mundo exterior às nossas definições internas arbitrárias do que deveria ser. Eu particularmente adoro a analogia de Singer de uma pessoa que se senta à beira do rio e observa um redemoinho na água. Ela pode tentar freneticamente alisar a superfície da água ou enfiar a mão para retirar a pedra que está formando o redemoinho, mas descobrirá que é a sua outra mão que está mantendo a pedra no lugar. De muitas maneiras, somos nós que criamos a nossa própria aflição, e depois tentamos usar nosso cérebro e nossas emoções para acabar com esse estresse. Mas isso simplesmente não funciona.

Aqui estão alguns passos básicos para desenvolver uma consciência testemunha:

- Observe e reconheça seu desconforto.
- Relaxe e libere-o, por mais que sinta uma necessidade de agir. Deixe a energia passar por você antes de tentar consertar alguma coisa.
- Imagine que você está sentada num lugar alto de onde pode contemplar seus pensamentos, emoções e comportamentos de uma maneira distanciada.
- Fique aterrada. Conecte-se com o momento presente – sinta o solo sob seus pés, cheire o ar, imagine que estão brotando raízes da sua coluna e penetrando no solo.

O objetivo desse exercício não é alcançar maestria, portanto não seja crítica. Procure fazer esse exercício sempre que se sentir perturbada internamente; seus benefícios são incalculáveis.

## Experimente Kundalini Yoga

Depois de praticar Vinyasa Yoga por mais de vinte anos, um estilo de yoga vigoroso que produz transpiração intensa, minhas primeiras experiências com

Kundalini Yoga me deixaram confusa e dolorida. No começo eu não entendia esse estilo bizarro de yoga com seus cânticos, músicas da década de 1970 e movimentos repetitivos que pareciam ser só sacrifício, sem benefício. Mas hoje sou fã de carteirinha de Kundalini Yoga, considerada a mais abrangente das tradições do yoga, pois alia meditação, mantra, exercícios físicos e técnicas de respiração. No verão de 2015, levei minhas duas filhas pequenas para um retiro de uma semana, para que elas entrassem em contato bem cedo com o poder dessa prática. Eu redobrei meu compromisso com a Kundalini Yoga e comecei a me preparar para ser professora desse método. Trata-se de uma maneira de explorar o seu próprio poder, sair do seu próprio caminho e levar alegria para a sua vida. Parece bom, não acha?

Pense em Kundalini Yoga como uma simples tecnologia para explorar a sua *shakti*, ou seja, a sua energia criativa primal inata. Ela encerra a promessa de felicidade e até mesmo de iluminação, e realiza esses saltos transformadores por meio de *kriyas* (exercícios de meditação) com duração de um a onze minutos (ou mais) que usam respiração e movimento para desenterrar e ajudar a liberar os padrões negativos subconscientes que estão entranhados em nós como programas de computador. Esse são feitos que, de outra forma, exigiriam anos e anos de psicoterapia e esforço pessoal, e que às vezes podem ser obtidos com uma única sessão de prática.

O que exerce um grande apelo ao meu lado mais pragmático é que a Kundalini Yoga é voltada para metas.[8] Cada *kriya* tem um propósito específico, e os *kriyas* foram cuidadosamente transmitidos, desde tempos remotos, e idealizados para produzir resultados em tempo real. Os mantras têm efeitos vibratórios no cérebro e no sistema nervoso. A respiração acessa o sistema nervoso de uma maneira que, de outra forma, não seria possível. E os movimentos complementam esse esforço para promover o equilíbrio dos sistemas nervosos simpático e parassimpático, ao mesmo tempo que empurram você para um espaço de desconforto — um espaço onde ocorrem trocas de energias e mudanças duradouras. Trata-se da arte de tocar o corpo como se fosse um instrumento. Pode ser mais difícil do que parece, e o que é difícil para mim pode não ser para você. Espere o inesperado.

Muitas de minhas pacientes têm uma sensação de falta de propósito na vida, falta de vitalidade e falta de conexão com suas próprias reservas de energia. As reservas que são reunidas quando você está tão cansada que só consegue pensar na sua cama e, então, descobre que ganhou na loteria e fica eufórica. Essa energia estava lá, esperando, o tempo todo.

Como eu não consigo deixar de lado meu interesse por dados, fiquei feliz ao descobrir um volume pequeno, porém convincente, de literatura sobre kundalini, inclusive um artigo recente que comparava os valores da variabilidade da frequência cardíaca (VFC) em dois tipos de meditação. Os autores do artigo descrevem a importância desse parâmetro: "Os batimentos cardíacos humanos são um dos exemplos mais importantes de flutuações fisiológicas complexas. O controle neural do sistema cardiovascular exibe um comportamento não linear complexo. Uma forma de comportamento não linear é a interação contínua entre as atividades nervosas simpáticas e parassimpáticas para controlar a dinâmica espontânea, batimento a batimento, da frequência cardíaca".[9]

Em 1999, o Research Group for Mind-Body Dynamics da Universidade da Califórnia, em San Diego, publicou um estudo randomizado e controlado que comparava kundalini e meditação *mindfulness* (atenção plena). O estudo demonstrou que kundalini era o tratamento mais eficaz de todas as modalidades disponíveis para sintomas de ansiedade obsessivo-compulsiva, com melhora de 71% em quinze meses. Outro artigo fantástico do mesmo grupo de pesquisadores, publicado em 2004, descreve técnicas específicas de kundalini para tratar determinados problemas psiquiátricos, que variam de ansiedade a vício.[10] Aqui está uma técnica recomendada pelo autor para combater a fadiga cerebral:

Primeira parte. Sente-se com a coluna ereta, os cotovelos dobrados e a parte superior dos braços ao lado da caixa torácica. Deixe os antebraços em linha reta na frente do corpo, paralelos ao chão. Vire a palma da mão direita para baixo e a da mão esquerda para cima. Respirando pelo nariz, inspire e expire oito vezes. A cada respiração, mova as mãos para cima e para baixo: enquanto uma das mãos sobe, a outra desce. As mãos devem se movimentar de 15 a 20 centímetros, como se você estivesse quicando uma bola. Respire intensamente. Continue por três minutos e depois mude a posição das mãos, de modo que a palma esquerda fique virada para baixo e a direita para cima. Continue por mais três minutos e depois inverta a posição das mãos novamente durante os últimos três minutos, perfazendo um total de nove minutos.

Segunda parte. Pare o movimento e mantenha a posição. Feche os olhos, concentre-se no centro do seu queixo e comece a respirar de forma lenta e profunda pelo nariz. Mantenha o corpo absolutamente imóvel para que possa se curar. Mantenha a mente serena, cessando os pensamentos. Continue assim por cinco minutos e meio.

Para terminar, inspire fundo, prenda a respiração, cerre os punhos e pressione-os firmemente contra o peito por quinze segundos, depois solte o ar e relaxe. Respire fundo outra vez e prenda a respiração, dessa vez pressionando os dois punhos contra o umbigo durante quinze segundos, depois solte o ar. Inspire novamente, prenda a respiração, flexione os cotovelos, levando os punhos para perto dos ombros, e pressione os braços firmemente contra a caixa torácica por quinze segundos, depois solte o ar. Agora relaxe. Este exercício equilibra o diafragma e combate a fadiga mental. Ele renova o fluxo sanguíneo para o cérebro e movimenta o líquido na coluna vertebral. Além disso, acredita-se que seja benéfico para o fígado, o baço e o sistema linfático.

Portanto, se a ideia de otimizar a sua consciência e sentir-se extremamente viva de novo lhe agrada, vá em frente, experimente a kundalini yoga. Essa pode ser a decisão mais produtiva que você já tomou na vida! Em www.spiritvoyage.com você encontrará vídeos sobre várias técnicas que a ajudarão. Veja se no seu bairro tem academias que ensinam Kundalini Yoga; elas são mais comuns do que você imagina. E consulte o Kundalini Research Institute em www.kundaliniresearchinstitute.org.

Incorporar essas filosofias, práticas e rotinas de exercícios à sua vida pode fazer mais do que contribuir para a longevidade e a saúde. Pode reverter doenças crônicas, eliminar a necessidade de medicamentos e, o que é mais importante, promover uma maior sensação de satisfação com a vida, alegria e liberdade para viver o presente, onde a maravilha desse momento que nunca antes existiu se desenrola diante de você.

Este capítulo estaria incompleto se eu não mencionasse outros dois hábitos excelentes que devemos adotar para ter saúde mental e bem-estar físico: sono regular e reparador e exercício que gera transpiração. Muita gente tem uma relação de amor e ódio com o sono e o exercício. Mas eles são essenciais para a vitalidade. Fomos feitos para nos movimentar e depois descansar. As pesquisas científicas que corroboram a importância do sono e do exercício são verdadeiramente arrebatadoras. Os cientistas por fim estão desvendando o mistério que está por trás do valor do sono e do exercício não apenas para o equilíbrio hormonal e o maquinário biológico subjacente, mas também para a expressão genética — tudo isso, por sua vez, ajuda a evitar a depressão e contribui para o equilíbrio emocional e o bem-estar mental.

## O SORTILÉGIO DO SONO

Algumas gerações atrás a medicina do sono mal existia, mas atualmente é um campo de estudo respeitadíssimo que continua a nos dar pistas sobre o poder do sono na conservação da saúde e do bem-estar mental. A quantidade e a qualidade do sono têm um impacto extraordinário sobre todos os sistemas orgânicos. O sono não é um estado de inatividade ou um período em que o corpo pressiona momentaneamente o botão de pausa. É uma fase necessária de regeneração profunda. Na verdade, durante o sono ocorrem bilhões de tarefas moleculares no nível celular para garantir que você possa viver mais um dia. É claro que você não vai morrer porque teve uma noite de sono ruim ou porque varou a noite estudando ou trabalhando, mas a privação prolongada do sono pode ter graves consequências, inclusive depressão.

Existem livros inteiros sobre o papel importantíssimo que o sono desempenha na nossa vida, embasados por estudos clínicos e laboratoriais. Uma quantidade de sono suficiente mantém você com a mente aguçada, criativa e capaz de processar informações rapidamente. Estudos comprovaram de forma convincente que os hábitos de sono influenciam todos os aspectos da sua vida — a intensidade da sua fome e o quanto você come, a eficiência com que você metaboliza os alimentos, a força do seu sistema imunológico, o seu grau de perspicácia, a maneira como você consegue lidar com o estresse e a sua memória.[11] Demonstrou-se que dormir mais ou menos do que sete a oito horas num período de vinte e quatro horas está associado com uma série de problemas de saúde, como doença cardiovascular, diabetes, dificuldade de aprendizagem, problemas de memória, aumento de peso e, sim, depressão e aumento de mortalidade, bem como acidente de carro e acidente de trabalho. Dormir seis horas ou menos por uma única noite reduz em aproximadamente um terço o nível de alerta durante o dia na maioria das pessoas e pode até mesmo prejudicar a capacidade de operar máquinas e de realizar funções corporais básicas, da mesma maneira que o álcool.[12]

Um aspecto do sono que costuma ser subestimado, mas que tem um grande impacto na nossa sensação de bem-estar é o controle que ele tem dos nossos ciclos hormonais. Todas as pessoas, inclusive os homens, têm um relógio biológico interno chamado ritmo circadiano, definido pelo padrão de atividade recorrente associado aos ciclos de dia e noite. Esses são ritmos que se repetem aproximadamente a cada vinte e quatro horas e que incluem o nosso ciclo de sono e vigília, as alterações hormonais e a elevação e queda da temperatura corporal. Quando o seu ritmo não está devidamente sincronizado com o dia solar de vinte e quatro horas, você não se sente cem por cento bem. Se você já viajou atravessando fusos horários e teve problema de *jet leg*, aprendeu — provavelmente a duras penas — o que significa uma perturbação do ritmo circadiano.

Em poucas palavras, o seu ciclo circadiano depende dos seus hábitos de sono. De fato, um ritmo saudável produz padrões normais de secreção hormonal, dos os associados com indicações de fome aos relacionados com estresse e recuperação celular. A leptina e a grelina, principais hormônios do apetite, por exemplo, controlam nossos padrões alimentares. A grelina nos diz que precisamos comer, e a leptina nos diz que já comemos o bastante. As pesquisas científicas que tornaram esses hormônios digestivos tão populares ultimamente são arrebatadoras: agora temos dados que demonstram que a falta de sono gera um desequilíbrio dos dois hormônios, o que, por sua vez, afeta de modo adverso a fome e o apetite. Num estudo bastante citado, quando as pessoas dormiam apenas quatro horas por noite durante duas noites consecutivas, sua sensação de fome aumentava em 24% e elas comiam guloseimas calóricas, salgadinhos e alimentos contendo amido.[13] Provavelmente isso acontecia porque o organismo buscava uma rápida reposição de energia na forma de carboidratos, que estão presentes nos alimentos refinados e processados.

O cortisol, outro hormônio, deve ter seu nível mais alto pela manhã e ir diminuindo ao longo do dia. Os níveis desse hormônio, que regula o estresse e o sistema imunológico, deve atingir seu nível mais baixo depois das onze horas da noite, quando os níveis de melatonina sobem. A glândula pineal secreta melatonina e é suscetível ao acúmulo de alumínio (proveniente de fontes como vacinas, fermentos, desodorantes e utensílios de cozinha), bem como de flúor (de pastas de dente e água tratada, assim como alguns medicamentos).[14] A melatonina é um poderoso hormônio antioxidante que sinaliza o sono; durante milhões de anos ela alertou o nosso cérebro de que estava escuro lá fora, ajudando, assim, a regular o ritmo circadiano. Uma vez liberada, a melatonina desacelera o seu organismo, baixando a pressão sanguínea e, por sua vez, a temperatura corporal central para que você fique pronta para dormir. Níveis elevados de melatonina facilitam o sono profundo, o que ajuda a manter níveis saudáveis de importantes hormônios do crescimento, hormônios tireoidianos e hormônios sexuais.

Como um comportamento altamente ritualizado, o sono também exemplifica a complexidade de processos fisiológicos que parecem estar fora do nosso controle. No início do sono ocorre uma transição para o sistema nervoso parassimpático, uma mudança impossível de ser feita de maneira consciente, como podem confirmar os 25% dos americanos que sofrem de insônia.

Atualmente, os telefonemas de urgência que recebo costumam ser das pacientes que sofrem de insônia causada pela retirada de medicamentos psicotrópicos. O trauma da insônia e de ciclos de sono interrompidos faz com que mulheres racionais e equilibradas se tornem praticamente psicóticas. O corpo e a mente dessas mulheres se "esqueceram" de como se dorme. Acontece que um dos efeitos duradouros dos antidepressivos que não está bem elucidado é a alteração dos padrões normais de sono. Como disseram os drs. Andrew Winokur e Nicholas Demartinis na revista *Psychiatric Times*, "[...] um dos efeitos da terapia com inibidores seletivos da recaptação da serotonina (ISRSs) parece ser um aumento do período de latência para o início do sono e/ou maior número de despertares e microdespertares, acarretando uma redução geral da qualidade do sono. Praticamente todos os ISRSs analisados suprimiram o sono REM. Em termos clínicos, relatos de alteração na frequência, intensidade e conteúdo do sonho podem ser associados aos ISRSs, bem como a ocorrência desses sintomas com a retirada do medicamento".[15]

Para compreender o que isso significa, convém rever brevemente a fisiologia normal do sono.[16] O sono é composto por duas fases principais: sono de movimento não rápido dos olhos (não REM) e sono de movimento rápido dos olhos (REM). O sono não REM, por sua vez, tem quatro estágios, sendo que os estágios três e quatro representam o sono de ondas lentas. O sono propriamente dito é uma progressão continua da vigília para o sono não REM e o sono REM. Ao longo de uma noite, ocorrem de quatro a seis ciclos de sono não REM para REM, cada um com duração de 80 a 110 minutos, com predominância de sono de ondas lentas na primeira parte da noite.

Como mencionei anteriormente, durante o sono fisiológico normal os níveis sanguíneos de cortisol, norepinefrina e epinefrina caem, enquanto os fatores de crescimento, como hormônio do crescimento, prolactina e melatonina, aumentam. As mudanças noturnas nos níveis de cortisol levam a uma maior atividade das células imunológicas à noite. O sono, em particular o sono de ondas lentas, favorece a imunidade adaptativa, a memória imunológica que atua em conjunto com o sistema imunológico inato, que é a primeira linha de defesa do organismo. Ao ativar dois sistemas de resposta, o sistema de luta ou fuga que bombeia adrenalina e o sistema hormonal de resposta ao estresse ou eixo hipotalâmico-hipofisário-adrenocortical, a falta de sono pode distorcer a função imunológica.

Estudos mostraram que o sono noturno prepara a sinalização inflamatória e que a falta de sono causa inflamação durante o dia. As mulheres parecem ser mais suscetíveis a esse problema, e as que dormem menos de oito horas apresentam níveis sanguíneos mais elevados de marcadores inflamatórios. Quando a falta do sono se estende por mais de uma noite, para quatro dias ou mais, a inflamação se torna desregulada. É interessante observar que sonecas diurnas parecem compensar esse efeito adverso.

Se alguma vez você já notou que fica doente com mais frequência quando dorme pouco, agora sabe por quê: o distúrbio do sono pode deixá-la mais vulnerável a infecções. Todas as pessoas incorporam seus próprios padrões inflamatórios e imunológicos ao sono, o que, por sua vez, influencia a imunidade e a inflamação.

Novas pesquisas científicas revelam que existe uma relação bidirecional entre insônia, depressão e inflamação, de tal maneira que a insônia *prevê* um risco até quatorze vezes maior de depressão depois de um ano.[17] E não há dúvida de que a via em comum é a inflamação. A própria inflamação, causada por fontes como infecção, antígenos alimentares, estresse e exposição a substâncias tóxicas, também causa insônia. Portanto, como você pode ver, estabelece-se um ciclo vicioso — a falta de sono adequado produz inflamação e a inflamação causa insônia.

Agora que você conhece o papel do sono no bom funcionamento dos sistemas imunológico e inflamatório, como é que você pode maximizar a sua experiência de sono e ficar livre da insônia? O sono é um ato comportamental que pode ser reprogramado e estimulado. Vou lhe dar algumas ideias agora, que retomarei na quarta semana do nosso programa, quando você se concentrar nos hábitos de sono. A essa altura, você já terá promovido mudanças na sua alimentação que a ajudarão a ter um sono reparador.

- **Saiba qual é o seu número.** Ao contrário do que diz a sabedoria popular, não existe um número mágico de horas de sono que se aplica a todo mundo. Cada pessoa tem necessidades de sono distintas. Descubra de quantas horas de sono você precisa determinando o horário ideal para acordar e, então, indo para a cama entre oito e nove horas antes, durante uma semana, até que acorde antes de o despertador tocar. Deite-se e levante-se no mesmo horário todos os dias, 365 dias por ano. Embora muitas pessoas costumem fazer isso, mudar seus hábitos de sono nos finais de semana para recuperar o sono perdido pode prejudicar um ritmo circadiano saudável.
- **Desligue-se para recarregar.** Reserve pelo menos trinta minutos antes da hora de ir para a cama para relaxar e se preparar para dormir. Não faça atividades estimulantes (como trabalhar, usar o computador ou enviar mensagens de texto) e sinalize ao seu corpo que é hora de descansar. Experimente tomar um banho morno com sais de Epsom, pois o magnésio

tem efeitos calmantes. Ouça música suave ou leia. Faça alguns exercícios de respiração profunda antes de se deitar.
- **Hora do chá.** Tome um chá calmante, como chá de valeriana ou de camomila com 1 colher de sopa de gelatina em pó. A gelatina é naturalmente rica em glicina, que tem efeito calmante. De acordo com estudos, a glicina ajuda a combater a insônia.
- **Vá para a cama antes da meia-noite.** Como as horas de sono antes da meia-noite são as mais rejuvenescedoras, é importante ir para a cama antes desse horário. O ideal é ir para a cama às dez da noite, para aproveitar o sono de ondas lentas que ocorre na primeira parte da noite.
- **Reduza ao mínimo a luz azul dos aparelhos eletrônicos.** Desligue os aparelhos eletrônicos depois que anoitecer, ou use aplicativos como f.lux para a tela do computador, e use luzes âmbar para reproduzir a fogueira, que talvez seja mais familiar ao nosso cérebro programado à época dos nossos ancestrais. Compre um par de óculos que filtra a luz azul (experimente www.lowbluelights.com). Essa intervenção se baseia na descoberta de que toda luz, seja a luz natural ou artificial produzida por lâmpadas, telas de TV, computadores, telas de *smartphone* etc., contém um comprimento de onda azul que em geral é invisível ao olho humano. Esse comprimento de onda em particular diminui a produção de melatonina e estimula os centros de alerta do cérebro a nos manter despertos e conscientes durante o dia, como um mecanismo de sobrevivência. O nosso ritmo circadiano, como o de qualquer criatura diurna, determina que devemos permanecer alertas durante o dia e sonolentos à noite, quando em condições naturais a luz azul estimulante desaparece com o pôr do sol. Mas nós, seres humanos criativos, com nossas luzes artificiais e nossos aparelhos eletrônicos, expomos nosso cérebro a uma enxurrada contínua de luz azul que nos mantém num estado artificial de vigília, preparados para realizar atividades até mesmo tarde da noite. As consequências são alteração do ciclo de sono e insônia crônica.
- **Aperte o interruptor.** Desligue o Wi-Fi e durma com o telefone celular a uns dois metros de distância da cama e/ou coloque-o no modo avião. Analise a possibilidade de usar redutores de campos eletromagnéticos

(CEM) e lençol de aterramento ("earthing sheets") (veja a página de Recursos no meu site).
- **Durma no escuro.** Use uma máscara para os olhos e cortinas com *blackout* (experimente um aparelho que emite ruído branco). Mantenha o quarto limpo e fresco.
- **Não perturbe.** Reserve o quarto para dormir e ter relação sexual, e levante-se se não estiver conseguindo preservar esse espaço para essas atividades durante o tempo que permanecer nele. Se não conseguir dormir depois de vinte minutos, levante-se e vá para um lugar confortável com luz suave e sem distrações (nada de e-mail, televisão ou outros aparelhos eletrônicos). Sente-se confortavelmente, leia ou faça alguns exercícios respiratórios. Depois de uns vinte minutos, volte para a cama e veja o que acontece agora que você está mais relaxada. Repita uma ou duas vezes, se necessário.
- **Tome os comprimidos certos.** A homeopatia nos fornece outros recursos. Estes são os cinco de que eu mais gosto:

    *Nux Vomica* 30 C para tensão e exaustão.

    *Ignatia Amara* para sensação de angústia e abalo emocional por causa da insônia.

    *Kali Phosphoricum* 30 C para fadiga nervosa (fadiga mental causada pelas exigências cotidianas).

    *Ambra Grisea* 30 C para sonolência que desaparece ao se deitar.

    *Arsenicum Album* 30 C para quem desperta com ansiedade entre 1 e 3 da madrugada
- **Experimente fitoterápicos que ajudam a dormir.** Como magnólia, passiflora, valeriana, *ashwagandha* e até mesmo óleo de lavanda por via oral, cuja eficácia é comparável à dos benzodiazepínicos. Essas ervas costumam ser combinadas em medicamentos formulados para insônia e podem ser tomadas em cápsulas ou como tinturas.
- **Fique aterrada.** Compense os efeitos do uso de sapatos e da exposição à eletricidade dormindo num tapete de cama de aterramento ("earthing mat") que estabiliza o circuito bioelétrico.

O sono é uma das maneiras pelas quais nos conectamos com os elementos, com o sol, a lua e o mapeamento circadiano da nossa fisiologia e psicologia. Acontece que os distúrbios de sono costumam ser a primeira manifestação de problemas de saúde. É também um sintoma que perpetua o desenvolvimento de doenças crônicas. Em vez de suprimir esse sintoma temporariamente, é essencial investigar suas causas. Como dezenas de milhões de receitas para medicamentos para dormir prescritas todo ano, poderíamos pensar que hipnóticos como Ambien (zolpidem) são uma cura milagrosa, e não uma substância química altamente viciante que aumenta o tempo de sono em menos de quinze minutos, enquanto quintuplica o risco de morte![19] Surpreendentemente, segundo uma teoria, esses medicamentos são considerados como eficazes porque eles geram amnésia e a pessoa não se lembra de não ter dormido ou ter acordado durante a noite. Aproveite a oportunidade para enviar ao seu corpo uma mensagem de segurança fazendo exercícios, passeios ao ar livre, uma dieta composta por alimentos integrais ricos em nutrientes e relaxamento, e também evitando exposições a substâncias tóxicas ambientais. Você fará tudo isso no programa, para que possa dormir bem.

Quanto mais exercício você fizer, melhor você vai dormir. Uma revisão publicada em 2012 sobre um dos benefícios mais subestimados do exercício confirma isso: "Is Exercise an Alternative Treatment for Chronic Insomnia?" [O exercício é um tratamento alternativo para a insônia crônica?]. Com certeza. E é também um tratamento bem documentado para depressão.

## Exercício: um antidepressivo natural

Confesso que eu odiava fazer exercício. Talvez tenham sido décadas de danos acumulados causados por uma alimentação com alto teor de açúcar e exposição diária a substâncias tóxicas. Talvez eu simplesmente estivesse "ocupada demais". Talvez não estivesse convencida de que de fato era importante, pois eu sempre havia sido magra. Mas hoje eu considero o exercício um dos pilares da mudança radical – um comportamento que tem um efeito global que é muito maior que a soma de suas partes. Fomos feitos para nos movimentar, transpirar e nos comunicar com o nosso eu físico dessa maneira ativa.

Eu sei que não sou a primeira pessoa a lhe dizer que o exercício é um antídoto para quase todos os nossos males. Ele melhora a digestão, o metabolismo, a eliminação, a força e o tônus muscular e a densidade óssea, além e nos ajudar a normalizar o peso. Quando você escolhe o exercício certo para você, é prazeroso, eleva a autoestima e lhe dá mais energia. O exercício pode literalmente ativar nossos "genes inteligentes", reverter o envelhecimento, promover estabilidade emocional e evitar a depressão.

Os seguintes benefícios do exercício há muito tempo foram comprovados pela ciência.[21] Observe que muitas das vantagens oferecidas pelo exercício, ou talvez todas elas, estão diretamente correlacionadas com o risco de depressão. Por exemplo, controlar a glicose no sangue por meio do exercício ajuda a evitar os desequilíbrios glicêmicos que se manifestam como a depressão. Outra vantagem é a redução da inflamação, uma das maneiras mais eficazes pelas quais o exercício evita a depressão. Falarei mais sobre esse assunto em breve, mas agora vamos dar uma olhada em todos esses esplêndidos benefícios que vão muito além do nível físico.

- Aumenta a resistência, a força, a flexibilidade e a coordenação.
- Aumenta o tônus muscular e melhora a saúde óssea.
- Melhora a circulação sanguínea e linfática, bem como a oxigenação dos tecidos e das células.
- Melhora a qualidade do sono.
- Promove o equilíbrio hormonal.
- Reduz o estresse e estabiliza o humor.
- Eleva a autoestima e aumenta a sensação de bem-estar.
- Libera endorfinas (substâncias químicas no cérebro) que agem como analgésicos naturais e melhoram o humor.
- Reduz a compulsão alimentar por determinados alimentos.
- Reduz os níveis de glicose no sangue e o risco de diabetes.
- Promove a distribuição e manutenção do peso ideal.
- Melhora a saúde neurológica, aguça a memória e diminui o risco de demência.
- Melhora a saúde do coração e reduz o risco de doença cardiovascular.

- Diminui a inflamação e o risco de doenças relacionadas com a idade, inclusive o câncer.
- Aumenta os níveis de energia e a produtividade.

Durante a maior parte do nosso tempo na Terra, fomos fisicamente ativos. Mas hoje em dia a moderna tecnologia nos concedeu o privilégio de ter uma vida predominantemente sedentária. A ciência comprovou que ao longo de milhões de anos o nosso genoma evoluiu em meio a constantes desafios físicos — era preciso um imenso esforço físico para encontrar comida suficiente para sobreviver. Portanto, o nosso genoma *espera* e *exige* exercícios frequentes.

Os biólogos Daniel E. Lieberman, da Universidade de Harvard, e Dennis M. Bramble, da Universidade de Utah, conhecem o poder do movimento. Suas pesquisas sobre a evolução do *Homo sapiens* e a inclinação para correr culminaram num artigo de referência publicado na revista *Nature* em 2004, em que eles afirmam que nós sobrevivemos tanto tempo no planeta graças às nossas habilidades atléticas.[22] A perpetuação da nossa espécie se deve à capacidade dos nossos ancestrais de fugir dos predadores e de caçar valiosas presas para se alimentar. Eles conseguiam encontrar comida e tinham energia para se acasalar, o que permitiu que os seres humanos mais ativos transmitissem seus genes para a geração seguinte de seres humanos, mais fortes e mais resistentes.

Então, por que exatamente o exercício pode ser a panaceia para a epidemia atual de inflamação? Durante o exercício ocorrem diversos eventos que produzem uma redução da inflamação. Eu gostaria de salientar um mecanismo descoberto recentemente que está diretamente relacionado com a depressão. Embora os cientistas já soubessem que o exercício parece agir como uma proteção contra a depressão, nós não conseguíamos entender *de que maneira* ele reduz o risco de depressão.[23] Mas agora sabemos, graças a um inteligente estudo realizado no Instituto Karolinska de Estocolmo, Suécia, que examinou o cérebro e analisou o comportamento de camundongos.[24] Embora não possamos perguntar a um camundongo como eles se sentem e se estão deprimidos, há muito tempo os cientistas conseguiram criar parâmetros para saber quando um camundongo está deprimido com base em comportamentos que indicam depressão. Por exemplo, recusar comida saborosa, perder peso e tentar escapar de um ambiente desagradável (em geral, um labirinto de água fria). Nesse experimento em particular, os pesquisadores submeteram os camundongos a cinco semanas de estresse de baixa intensidade, até que os animais apresentassem sinais de depressão. Era o que eles esperavam. Mas o que teria acontecido se os camundongos tivessem corrido primeiro – antes de ser submetidos a circunstâncias estressantes?

Foi nesse ponto que a pesquisa ficou interessante. Os cientistas criaram um grupo de camundongos pré-exercitados – os camundongos foram forçados a ficar em forma antes de serem submetidos a situações que por certo gerariam depressão. Pesquisas anteriores já tinham demonstrado que o exercício aeróbico aumenta a produção de uma enzima chamada PGC-1alfa no interior dos músculos, tanto em camundongos como em seres humanos. Especificamente, o exercício aumenta os níveis de PGC-1alfa1, um subtipo da enzima. A hipótese aventada pelos cientistas do Instituto Karolinska era de que essa enzima especial protegia o cérebro contra a depressão ao favorecer determinadas condições no organismo. Para testar essa hipótese, eles criaram camundongos com altos níveis de PGC-1alfa1 mesmo na ausência de exercício. Assim, eles podiam isolar a PGC-1alfa1 de outras substâncias liberadas pelos músculos durante e depois do exercício. Em seguida, os cientistas expuseram os roedores a cinco semanas de leve estresse. E, apesar do estresse, os camundongos não desenvolveram depressão. Quando os pesquisadores tentaram descobrir por que isso acontecia, sabendo que a PGC-1alfa1 altera a sinalização genética, eles voltaram a sua atenção para uma substância chamada quinurenina, que se acumula na corrente sanguínea em consequência do estresse e consegue atravessar a barreira hematoencefálica. A quinurenina foi associada com a depressão depois que se constatou que ela aumenta a inflamação no cérebro. Nos camundongos com níveis elevados de PGC-1alfa1, entretanto, a quinurenina produzida por estresse foi quebrada por outra proteína expressada em resposta aos sinais da PGC--1alfa1. E esses fragmentos não podiam atravessar a barreira hematoencefálica.

Você entendeu? Isso significa que o exercício pode ser uma apólice de seguro biológica contra os efeitos físicos do estresse.

Os pesquisadores não pararam por aí. Eles queriam ter certeza de que essas descobertas também se aplicavam aos seres humanos. Para isso, recrutaram um grupo de pessoas dispostas a se submeter a três semanas de treinamento de resistência. O treinamento consistia em quarenta a cinquenta minutos de corrida ou bicicleta de intensidade moderada. Coletando amostras de tecido muscular para biópsia antes e depois do programa, os cientistas descobriram que as células musculares dessas pessoas tinham uma quantidade muito maior de PGC-1alfa1 e da substância que quebra a quinurenina no final do programa do que no início. Em suma, o exercício diminui o risco de depressão. Ponto final.

Será que esses mesmos processos bioquímicos podem combater uma depressão já instalada? Isso ainda não se sabe. Mas a descoberta é promissora. Talvez o processo possa ser tão eficaz no tratamento da depressão como na sua prevenção. Eu sei que minhas pacientes, inclusive aquelas que estão mais deprimidas, sentem os benefícios psicológicos do exercício. Até mesmo as que estão grávidas e se movimentam mais encontram alívio (e tem uma gestação mais saudável e prazerosa). Hoje essas podem parecer apenas evidências empíricas, mas no futuro serão confirmadas pela ciência.

É possível escrever um livro inteiro sobre todas as maneiras pelas quais o exercício melhora a fisiologia e, por sua vez, o estado psicológico. Lembre-se de que acontecem diversos eventos biológicos no nosso corpo quando dançamos, pedalamos uma bicicleta ergométrica ou fazemos uma caminhada a passos rápidos. O exercício não produz alterações positivas apenas na química do organismo, mas também nas células, tanto no nível molecular como genético. Por exemplo, sabemos agora que o exercício afeta diretamente a saúde das mitocôndrias, as estruturas geradoras de energia mais importantes do nosso corpo. Alguns estudos forneceram provas contundentes desse efeito. Nesses estudos, indivíduos mais velhos foram submetidos a um programa de exercícios e depois comparados com indivíduos mais jovens em termos não apenas de níveis de força e aptidão física, mas também de alterações genéticas. Num experimento histórico realizado em 2007, por exemplo, os pesquisadores estudaram os efeitos de seis meses de treinamento de força em voluntários a partir de 65 anos e descobriram que o exercício pode ajudar parcialmente a reverter o processo de envelhecimento.[25] Assim como os pesquisadores do Instituto Karolinska, eles também coletaram amostras de células musculares para biópsia dos participantes antes e depois do programa, e compararam com células musculares de 26 voluntários com média de idade de 22 anos. Os cientistas, uma equipe composta por pesquisadores canadenses e americanos, registraram não apenas aumento da força física, mas também alterações significativas no nível genético que rejuvenesciam os indivíduos mais velhos.

Ao fazer uma análise mais detalhada, os pesquisadores perceberam que os genes que mudaram estavam envolvidos no funcionamento das mitocôndrias. Pesquisas mais recentes confirmaram esses achados, mostrando que o treinamento intervalado de alta intensidade estimula de maneira positiva a biogênese mitocondrial – basicamente estimulando o processo regenerativo nessas células, o que resulta na criação de mais mitocôndrias.[26] Foram observados ganhos significativos em apenas duas semanas de treinamento intervalado, que consiste em alternar períodos de exercício de alta intensidade com períodos de recuperação: você se esforça ao máximo por um breve período, depois diminui o ritmo por alguns minutos e depois volta ao nível de maior intensidade.[27] Na verdade, pode ser que essa abordagem seja melhor para você – e suas mitocôndrias – do que um exercício lento e constante.

A saúde das suas mitocôndrias é de suma importância para a sua saúde geral, pois a idade e a capacidade funcional delas têm uma correlação direta com a sua saúde metabólica, que, por sua vez, influencia a sua saúde mental. As mitocôndrias são extremamente vulneráveis ao dano celular, que pode ser causado por diversos fatores que podem ou não estar sob o seu controle. Além dos seus hábitos alimentares e exposições ambientais, a quantidade de exercício que você faz desempenha um papel vital na funcionalidade e na saúde das suas mitocôndrias, sobretudo na determinação de quantas mitocôndrias cada tipo de célula dentro do seu corpo tem à sua disposição (o músculo cardíaco, por exemplo, tem níveis mais elevados do que o músculo esquelético, porque ele trabalha incansavelmente). Estudos mostram que fazer exercício aeróbico de intensidade moderada por apenas quinze ou vinte minutos de três a quatro vezes por semana pode aumentar em 40% a 50% o número de mitocôndrias das células musculares.[28] Essa é uma troca e tanto: um pouquinho de exercício por um aumento enorme na quantidade desses pequenos motores que estimulam o seu metabolismo energético.

Eu vou pedir para que você inicie um programa de exercício, se é que já não iniciou. Prometo fazer com que seja viável mesmo para quem detesta fazer exercício. Você começará com cinco a dez minutos de "exercício explosivo" (trinta segundos de esforço máximo e noventa segundos de recuperação) e ir aumentando até atingir pelo menos vinte minutos três vezes por semana. Vou dar várias ideias, portanto com certeza você encontrará algo que lhe agrada.

CAPÍTULO 8

# Casa Limpa

*Como desintoxicar o seu ambiente*

---
Na dúvida, jogue fora.
---

Infelizmente, a maioria das pessoas aplica a premissa de que "todos são inocentes até prova em contrário" na hora de identificar e eliminar substâncias químicas nocivas, inclusive medicamentos e agentes tóxicos ambientais. Temos visto isso acontecer ao longo do tempo com o DDT, com a tinta á base de chumbo, com o tabagismo e, mais recentemente, com o glifosato. Os cientistas não podem realizar experimentos tradicionais para determinar se essas substâncias químicas afetam ou não as pessoas e de que maneira. Seria antiético testar os efeitos de determinadas substâncias numa população para ver o que acontece, e seria muito difícil calcular os fatores de risco individuais e do tempo de exposição.

Por esse motivo, em geral nós analisamos dados de acidentes como o de Michigan, nos Estados Unidos, em 1973, em que o gado foi alimentado involuntariamente com ração contaminada com PBB, um retardador de chamas que imita o estrogênio. Em consequência disso, o PBB foi parar na carne e no leite desses animais, bem como nos laticínios produzidos com esse leite. As filhas nascidas das mulheres que haviam consumido esses produtos começaram a menstruar, em média, um ano mais cedo que as outras meninas da mesma idade. Ou então aprendemos com nossos erros, como os efeitos desastrosos do DDT, um pesticida organoclorado descoberto pelo dr. Paul Müller e que lhe valeu, em 1948, o Prêmio Nobel de Medicina. O DDT parecia ser uma solução limpa e fácil para acabar com os mosquitos e todas as doenças mortais que eles transmitem. Meu pai foi criado em Nova Jersey na década de 1950 e lembra-se vividamente que corria atrás da nuvem de inseticida espalhada pelos caminhões nas ruas (depois de brincar com bolinhas de mercúrio na caçamba de lixo!). "O DDT é bom para mim" era o bordão da sua infame campanha publicitária. Na década de 1970, depois que centenas de milhões de pessoas haviam sido expostas a esse produto, ainda não havia provas concretas de que ele era nocivo para os seres humanos.

Em resposta às preocupações crescentes e ao livro de Rachel Carson, *Silent Spring* (Primavera Silenciosa), publicado em 1962, foram realizados trinta estudos para analisar a existência de uma relação entre o DDT e câncer de mama, todos malsucedidos. Até que foi feito o estudo certo. O estudo da epidemiologista Barbara Cohn coletou dados de 20 mil gestantes e crianças pertencentes ao período de 1959 a 1976 e analisou seus prontuários médicos quarenta anos depois.[1] O estudo, publicado em 2015, levou em conta a ciência da epigenética, as "janelas de vulnerabilidade" à exposição e o papel dos hormônios na carcinogênese e descobriu que o índice de câncer de mama era cinco vezes maior entre as mulheres que foram expostas à fumigação de DDT antes da puberdade. Seus filhos também apresentavam maior risco de ter câncer de mama e de testículo. O DDT foi banido em 1972, mas persiste no meio ambiente e ainda é usado na África e na Ásia. Ele foi um dos primeiros desreguladores endócrinos a ser identificado, e diversos estudos atualmente associam a exposição a esse produto químico com redução da fertilidade, malformações congênitas dos órgãos genitais, diabetes e lesões no cérebro em desenvolvimento e câncer.

Podemos analisar também o que aconteceu após os bombardeios de Hiroshima e Nagasaki. As mulheres que tinham menos de 20 anos quando as bombas atômicas foram lançadas apresentavam índices muito mais altos de câncer e transtornos mentais do que as que eram mais velhas na época dos bombardeios.

As gestantes deram à luz crianças que tiveram problemas de saúde semelhantes durante toda a vida, inclusive transtornos neuropsicológicos.

A medicina sofre constantes pressões de poderosos *lobbies* e interesses corporativos que influenciam as agências reguladoras e os formuladores de políticas na avaliação de segurança. Em sua maioria, os médicos estão convencidos de que o ônus da prova cabe aos pacientes e cidadãos, que são eles que têm de demonstrar que a exposição a substâncias tóxicas ambientais é a causa, ou uma das causas, dos seus problemas. A medicina moderna não está muito disposta a reconhecer a complexidade e a verdadeira origem de doenças crônicas causadas por exposições a substâncias tóxicas ambientais, farmacêuticas e alimentares. Essas doenças não podem ser curadas simplesmente suprimindo-se e tratando os sintomas, mas a abordagem médica padrão consiste em desligar o detector de fumaça e deixar o fogo se alastrar. O médico internista em geral não sabe como a nossa expressão genética, o nosso meio hormonal e os limiares individuais de tolerância aos efeitos tóxicos de substâncias químicas ambientais interagem.

Infelizmente, com pouca frequência os médicos recomendam outra coisa que não sejam medicamentos, com medo de que a ciência não corrobore suas intervenções. Mas a maré parece estar mudando, graças à crescente aceitação do papel da exposição às substâncias tóxicas ambientais no surgimento das doenças. Em 2014, o Colégio Americano de Obstetrícia e Ginecologia publicou um boletim advertindo as mulheres sobre os efeitos prejudiciais dos plásticos e retardadores de chama.[2] Esse foi um passo importante, pois o setor químico e seus lobistas estavam se empenhando para acabar com essas preocupações, e os órgãos reguladores governamentais faziam o mesmo.

Na Primeira Parte do livro, eu estabeleci uma conexão entre as substâncias tóxicas a que somos expostas diariamente e a saúde mental, em particular as que causam um estrago no nosso sistema hormonal e, por esse motivo, são chamadas de "desreguladores endócrinos". Os retardadores de chama, por exemplo, são desreguladores endócrinos[3] usados em uma grande variedade de produtos, como móveis, aparelhos eletrônicos, eletrodomésticos, veículos, roupas e materiais de construção. A exposição a esse composto químico durante a gravidez tem efeitos adversos sobre o desenvolvimento hormonal e neurológico dos bebês. Na verdade, estudos mostram que as concentrações tanto em seres humanos como em animais têm dobrado a cada dois a cinco anos em todo o mundo, exceto na Suécia, onde os retardadores de chama são proibidos. Em um dos primeiros estudos a analisar a correlação entre retardadores de chama e a obesidade, os pesquisadores forneceram aos camundongos uma dieta com alto teor de calorias e gorduras (os autores do estudo não revelaram que tipo de "gordura" usaram) e constataram que aqueles que haviam sido expostos aos retardadores de chama apresentaram 30% a mais de aumento de peso que os controles.[4] Isso fez com que esses compostos químicos fossem considerados obesogênicos, uma vez que aceleram o aumento de peso, elevam os níveis de glicose no sangue e contribuem para o desenvolvimento de distúrbios metabólicos.[5]

Outros produtos químicos nocivos comuns, alguns já mencionados anteriormente, são ftalatos, compostos perfluorados, bisfenol A, arsênico, tributilestanho e compostos clorados como dioxinas, PCBs e DDT. As dioxinas, por exemplo, pertencem a uma classe de substâncias químicas que causam problemas de fertilidade e desenvolvimento, deficiências do sistema imunológico e alterações hormonais, e é muito mais fácil entrar em contato com elas do que muitas pessoas imaginam. As dioxinas provenientes de processos industriais que utilizam cloro são consumidas principalmente por meio de carnes e laticínios não orgânicos processados, além de adoçantes "naturais" aparentemente inócuos como sucralose quando aquecidos, ou do uso de absorventes higiênicos internos.[6]

Agora que você aprendeu a reduzir ao mínimo os alimentos que contêm substâncias químicas nocivas, está na hora de voltar a sua atenção para outros itens, como utensílios domésticos, produtos de limpeza, plásticos, roupas, água, cosméticos, artigos de higiene pessoal, embalagens de água e alimentos e formas invisíveis de poluição como campos magnéticos e ar de qualidade duvidosa.

Vou fazer outras recomendações para as mulheres que planejam engravidar e para as que já estão grávidas ou amamentando. Nessa fase da vida, as mulheres precisam ter acesso a informações a fim de tomar as decisões acertadas para proteger a si mesmas e aos filhos. A exposição a substâncias tóxicas no ventre materno influencia diretamente o futuro bem-estar mental do bebê. Eu admito que, como sou uma das poucas médicas nos Estados Unidos com formação em psiquiatria perinatal e que adota uma abordagem holística baseada em evidências, posso parecer uma mamãe ursa superprotetora.

## A CARGA CORPORAL[7]

Se você vive num país industrializado, seu organismo tem uma média de setecentas substâncias químicas sintéticas provenientes dos alimentos, da água e do ar. A grande maioria dessas substâncias químicas não foi submetida a testes rigorosos para que se pudesse determinar sua segurança e seus possíveis efeitos sobre a saúde.

Parece que dia sim, dia não ouvimos falar sobre uma associação entre uma substância química ou um contaminante presente no meio ambiente e alguma doença. Essas substâncias tóxicas estão por toda parte e são difíceis de evitar. Nas últimas três décadas, mais de 100 mil substâncias químicas foram aprovadas para uso comercial nos Estados Unidos. Entre elas estão mais de 85 mil compostos industriais, 10 mil aditivos alimentares, 12.500 ingredientes de produtos de higiene pessoal, mil ingredientes ativos de pesticidas e um grande número de medicamentos. Desde a promulgação da Lei de Controle de Substâncias Tóxicas (TSCA, na sigla em inglês), em 1976, a Agência de Proteção Ambiental dos Estados Unidos (EPA, na sigla em inglês) só exigiu testes de segurança para uma pequena fração das substâncias químicas listadas no inventário da lei. A produção anual de mais de 8 mil dessas substâncias é de aproximadamente 11 mil quilos, e uma porcentagem ridiculamente pequena delas é submetida a controles de segurança por parte da EPA ou do FDA.[8]

As pessoas que acompanham os acontecimentos no mundo ficaram muito mais conscientes da relação existente entre as substâncias químicas presentes no meio ambiente e as mudanças climáticas. Esses dois fatores andam de mãos dadas de várias maneiras, pois muitos compostos químicos em uso — sejam eles industriais, agrícolas ou aditivos alimentares — contribuem para os danos ecológicos que estão por trás dos novos padrões climáticos (oceanos mais ácidos, por exemplo, ou herbicidas que destroem irreversivelmente a saúde do solo). Há décadas os cientistas medem os poluentes industriais no meio ambiente, mas apenas recentemente eles começaram a analisar a chamada carga corporal, ou seja, os níveis de substâncias tóxicas nos tecidos do corpo humano. Esse biomonitoramento, que analisa sangue, urina, sangue do cordão umbilical e leite materno, está sendo realizado por instituições e organizações de pesquisa renomadas em todo o mundo. Participam desse projeto proeminentes cientistas que trabalham em organizações públicas e privadas, analisando tecidos humanos para detectar a presença de substâncias químicas industriais encontradas nos alimentos, no ar, na água e em produtos de consumo. As pesquisas incluem pessoas de todas as idades (de recém-nascidos a idosos) e de todo o país. Esses projetos de biomonitoramento mostram que todos os habitantes dos Estados Unidos, independentemente de onde residem ou de quantos anos têm, contêm níveis mensuráveis de substâncias químicas sintéticas. A maioria dessas substâncias é lipossolúvel e, portanto, fica armazenada no tecido adiposo, onde "biopersiste" (ou seja, fica estacionada). Eu me interesso mais pelas políticas concretas referentes a essas substâncias químicas do que pelo monitoramento. Existem indícios suficientes de danos para suspender a produção de alguns compostos como o Roundup da Monsanto. A única maneira de escapar dessa sopa química é por meio de regulamentação e controle transparente dos conflitos de interesse inerentes.

Não existe um único teste que você possa fazer para determinar a sua carga química corporal e o que isso significa para você em termos de risco de doença e depressão. Testar a presença de substâncias tóxicas no organismo não é tão fácil como você possa pensar. Em primeiro lugar, você teria de saber exatamente o que procurar e, em segundo lugar, precisaria de uma maneira de avaliar os efeitos que determinada substância está tendo sobre o seu corpo. O fato de muitas substâncias tóxicas se esconderem profundamente nos nossos tecidos indica que os cientistas ainda têm muito a aprender sobre os mecanismos de autoajuda do corpo e seu limiar de tolerância.

Como os estudos relatam médias de acordo com sexo, idade e raça, eles não podem prever as cargas corporais *individuais*, nem levar em consideração todos os possíveis contaminantes ou o potencial de sinergia entre centenas ou milhares de substâncias químicas às quais somos expostos diariamente. Como o organismo de cada pessoa reage de maneira distinta aos estímulos externos, inclusive aos efeitos da combinação de vários estímulos, pode ser que padrões regulatórios para algumas substâncias não protejam populações especialmente vulneráveis, como mulheres em idade reprodutiva e pessoas de qualquer idade com doenças crônicas ou com problemas ou predisposições subjacentes de caráter genético.

A epidemiologista Brenda Eskenazi, da Universidade de Berkeley, conduziu um famoso estudo sobre os efeitos de quantidades mínimas de pesticidas no cérebro de crianças pequenas. Para isso, ela acompanhou centenas de gestantes que moravam no Vale de Salinas, Califórnia, um importante centro agrícola em cuja região são pulverizados mais de 200 toneladas de compostos organofosforados por ano. Num artigo publicado na revista *The Nation*, ela fala sobre esse problema em detalhes: "As pessoas podem comer vários tipos de frutas e verduras ao longo do dia, que podem conter traços de um ou mais pesticidas. Elas também entram em contato com outros tipos de compostos químicos — de bactericidas em sabonetes e plastificantes em embalagens para alimentos a retardadores de chama em móveis. No final do dia, você tem uma combinação de substâncias químicas e um nível de risco desconhecido".[9]

Sinergia é a interação química entre duas substâncias. Isoladamente, as substâncias podem ser relativamente seguras, mas combinadas podem se tornar nocivas. Por exemplo, uma substância que tenha nível 1 numa escala de risco hipotética de 1 a 10, e outra que tenha nível 4 podem ter nível 8 de risco quando se combinam e reagem entre si. Esse fenômeno, chamado efeito coquetel, pressupõe que o número de possíveis toxicidades químicas seja infinito.[10] Como diz Randall Fitzgerald em seu livro *The Hundred Year Lie* (Cem anos de Mentira): "O que me aflige e me deixa perplexo é saber que mesmo se o governo tivesse recursos para realizar testes de segurança generalizados — o que não tem —, a nossa tecnologia é primitiva demais para detectar todas as substâncias químicas sintéticas em combinação ou concluir a tarefa no curso da nossa vida ou até mesmo da vida dos nossos netos".[11] Em setembro de 2015, pesquisadores franceses afirmaram num artigo especializado para a renomada revista *Nature* que alguns estrogênios como o etinilestradiol (um dos princípios ativos das pílulas anticoncepcionais) e os pesticidas organoclorados, apesar de terem uma atividade muito baixa separadamente, podem ligar-se de modo simultâneo a um receptor localizado no núcleo celular e ativá-lo sinergicamente.[12] Análises dos níveis moleculares indicam que esses dois compostos se ligam cooperativamente ao receptor (o que significa que a ligação da primeira molécula promove a ligação da segunda). A mistura resultante produz um efeito tóxico em concentrações substancialmente mais baixas que as moléculas isoladas.

A nossa carga corporal começa no útero e pode durar a vida toda. Antes nós achávamos que a placenta atuava como um escudo, protegendo o sangue do cordão umbilical da maioria das substâncias químicas e poluentes ambientais, mas hoje sabemos que isso não é verdade. As substâncias químicas e os poluentes industriais podem atravessar a placenta, assim como os resíduos do tabaco e do álcool. Estudos de referência liderados pela Environmental Working Group (EWG), uma organização sem fins lucrativos, demonstraram esse fato pela primeira vez quando encontraram substâncias químicas no sangue do cordão umbilical e no leite materno. Outros estudos de ponta também comprovaram que o útero não é tão blindado como pensávamos. Até mesmo a famosa barreira hematoencefálica pode ser penetrada, principalmente num feto em desenvolvimento, em que ela ainda não está totalmente formada.

## ACORDE, SEJA REALISTA

Se você acha que pode se mudar para uma terra distante em busca de pureza, reflita novamente. Os subprodutos e compostos químicos dos centros industriais chegaram às áreas mais (anteriormente) virgens pelas correntes aéreas e aquáticas. No ar, as partículas de pó aderem às substâncias químicas e viajam para o norte, para regiões de climas mais frios. Isso ajuda a explicar por que os animais e seres humanos que vivem a milhares de quilômetros de distância das fontes de poluição apresentam sinais de contaminação. O mesmo acontece com as águas que estão a milhares de quilômetros de áreas industrializadas. As correntes de jato e as correntes de água podem fazer com que dois locais muito distantes entre si se tornem praticamente vizinhos. As baleias ocupam uma posição bastante alta na cadeia alimentar e algumas acumulam tanto PCB em seus tecidos adiposos que, em alguns casos, suas carcaças são resíduos tóxicos. O leite das mulheres esquimós que habitam as regiões árticas contém PCB, o que prejudica a saúde de seus filhos.

Eu gostaria de acreditar que nossos representantes eleitos nos protegerão, impedindo que substâncias químicas nocivas sejam usadas ou vendidas no nosso país, mas não acredito nisso. Em vez disso, o Congresso americano reduziu o orçamento da EPA na última década. Uma das razões é puramente política: alguns congressistas preferem defender os interesses do setor químico em detrimento da saúde pública. As regulamentações impostas pelos governos estaduais e municipais variam muito em relação ao grau de atenção dado à saúde ambiental. Restrições orçamentárias a pressão de poderosos *lobbies* também diminuem a eficácia dos órgãos federais que deveriam nos proteger: o FDA, que fiscaliza o cumprimento das regulamentações sobre níveis de substâncias químicas, pesticidas e outros aditivos permitidos nos alimentos e medicamentos; o Departamento de Agricultura dos Estados Unidos (USDA, na sigla em inglês), que regulamenta o uso agrícola de pesticidas (junto com a EPA), hormônios e antibióticos; e o Ministério do Trabalho, que fiscaliza o cumprimento da Lei de Segurança e Saúde Ocupacional (OSHA, na sigla em inglês) de 1970 sobre exposição a substâncias tóxicas no local de trabalho.

Resumindo: é impossível saber quantas substâncias químicas sintéticas existem no mundo atualmente e até que ponto elas são nocivas, sobretudo em combinação. É impossível também depender de leis ou regulamentações para nos proteger, tendo em vista os inúmeros interesses políticos conflitantes que estão em jogo.

## Uma coisa de cada vez[13]

Nem sempre eu fui uma defensora de uma "vida limpa", mas a gravidez tem o poder de nos conscientizar IMEDIATAMENTE dessa necessidade. Isso aconteceu comigo há muitos anos, quando, grávida da minha primeira filha, uma amiga me presenteou com o livro *Green Babies, Sage Moms*. Ao ler o livro, percebi que os médicos não aprendem a ajudar as mulheres a otimizar sua saúde e bem-estar. Cabia a mim aprender a limpar a minha casa e o meu organismo, um passo de cada vez.

Ainda me lembro da minha lata de lixo depois daquela descoberta; estava abarrotada de produtos de cuidados pessoais que haviam se convertido instantaneamente em grandes riscos biológicos. Até os da Kiehl's? Fiquei impressionada com o poder sedutor da palavra *natural* das propagandas. Desde então, assumi a missão de disseminar informações que possam ajudar as mulheres a comprar produtos que façam bem à sua saúde e à saúde de seus bebês. É imprescindível que saibamos os passos que devemos dar.

Para aquelas que acham que nada que fizer fará alguma diferença diante da magnitude dos problemas ambientais, eu digo que é como sair numa nevasca congelante: mesmo que você colocar somente algumas camadas de roupa, ainda será melhor do que enfrentar o frio totalmente despida.

Embora possa parecer uma tarefa e tanto limpar a própria casa de produtos questionáveis e substituí-los por outros, não precisa ser assim. Vá de ambiente em ambiente ou de produto em produto; eu vou ajudar você a fazer isso durante a segunda semana do programa (veja o Capítulo 10). O objetivo é que você faça o melhor que puder de acordo com suas posses e o que você está disposta a mudar. Simplifique as coisas comprando produtos que estejam o mais próximos possíveis do seu estado natural – produtos que não tenham sido processados, tratados, cultivados, fabricados ou pulverizados com substâncias químicas.

Acesse os sites do Environmental Working Group (www.ewg.org), Fearless Parent (www.fearlessparent.org), I Read Labels For You (www.ireadlabelsforyou.com) e Healthy Home Economist (www.thehealthyhomeeconomist.com) para saber quais são os produtos mais seguros e obter dicas sobre estilo de vida. Lembre-se de que pode levar mais de uma década para que os estudos reúnam evidências suficientes para a adoção de novos padrões ou a introdução de novas regulamentações, ou que produtos perigosos sejam retirados do mercado. Uma metanálise publicada no *Journal of Hazardous Materials*, em 2014, revisou 143 mil artigos científicos para identificar os padrões de surgimento e declínio de substâncias químicas tóxicas.[14] Esse estudo revelou um dado impressionante: o tempo médio transcorrido entre as primeiras manifestações de preocupação com segurança e a adoção de medidas apropriadas gira em torno de catorze anos. Exemplos desse padrão são o DDT, o perclorato, o 1,4-dioxano, a triclosana, os nanomateriais e os microplásticos que entram no meio ambiente e em nossas casas. Esse achado é coerente com os dezessete anos que levam para que os dados científicos cheguem aos consultórios médicos. Isso indica que precisamos assumir nós mesmos a responsabilidade.

O melhor que você pode fazer hoje é usar o bom senso e discernimento com base nos dados científicos existentes. Em poucas palavras: não espere até que um produto ou ingrediente seja oficialmente considerado "perigoso" para deixar de usá-lo ou reduzir ao mínimo o seu uso. Na dúvida, elimine-o da sua vida. Aqui estão algumas orientações para facilitar essa limpeza.

## Na cozinha

- Evite alimentos enlatados, que, de qualquer maneira, você terá de preparar se seguir meu protocolo alimentar, e consuma apenas alimentos frescos e integrais. O revestimento interno das latas em geral contém bisfenol A (BPA).
- Não use panelas e outros utensílios antiaderentes. Os produtos revestidos com teflon contêm ácido perfluorooctanoico (PFOA), que a própria EPA considerou possivelmente cancerígeno. Utensílios de ferro, cerâmica e vidro são as melhores opções. Procure panelas e formas de segunda mão feitas com esses materiais na internet.
- Abandone o micro-ondas, e nunca coloque alimentos quentes em embalagens plásticas, pois elas podem liberar substâncias químicas nocivas que são absorvidas pelos alimentos.
- Pare de usar garrafas de água de plástico (ou pelo menos evite os plásticos marcados com PC, de policarbonato, ou com os códigos de reciclagem 3, 6 e 7 dentro do pequeno triângulo). Compre garrafas reutilizáveis de vidro ou aço inoxidável de grau alimentar. O velho e bom vidro é o recipiente mais inerte para cozinhar e armazenar alimentos quentes. Você pode comprar um jogo de recipientes de vidro que, além de não custar caro, são bastante duráveis.

## No banheiro

- Em relação aos produtos de higiene pessoal, desodorantes, sabonetes, cosméticos e artigos de beleza em geral, lembre-se de que a pele é um importante ponto de entrada para o corpo, e o que passamos na pele e nos lábios pode chegar às nossas partes mais vulneráveis. Procure o selo de certificação de produtos orgânicos do seu país e escolha produtos mais seguros (para listas de produtos e recursos nos Estados Unidos, acesse www.ewg.org). Descubra produtos de cuidados pessoais isentos de ftalato. No banco de dados de cosméticos do Environmental Working Group, www.ewg.org/skindeep, você encontrará produtos de cuidados pessoais isentos de ftalato. Além disso, tenha cuidado com cortinas de banheiro de vinil.

Evite os seguintes ingredientes, muitos dos quais são desreguladores endócrinos:

- Triclosana e triclocarbana (sabonetes e algumas pastas de dente bactericidas).
- Formaldeído e formalina (produtos para a unha).
- Tolueno e dibutilftalato (DBP; esmalte de unhas).
- Trietanolamina.
- "Fragrância'" e "perfume".
- Parabenos (metilparabeno, propilparabeno, isopropilparabeno, butilparabeno e isobutilparabeno).
- PEG/ceteareth/polietileno glicol.
- Dietilftalato.
- Lauril sulfato de sódio (LSS), lauril éter sulfato de sódio (LESS) e lauril sulfato de amônio (LSA).
- Cloridrato de alumínio (desodorantes).

A Sephora tem uma linha cada vez maior de cosméticos "ecológicos", e lojas de produtos naturais são um bom ponto de partida, embora você ainda precise ler atentamente os rótulos para ver se o produto contém qualquer um dos agentes mencionados acima. Quanto aos filtros solares, eu uso aqueles que contêm zinco não micronizado e são isentos de oxibenzona. Existem repelentes naturais de insetos que substituem o nocivo DEET por óleos essenciais, por exemplo.

Eu a aconselho a ter sempre no banheiro uma escova para a pele, para escovação da pele seca (escovação corporal), uma maneira de estimular e limpar o sistema linfático e desintoxicar a pele. Lembre-se de que o fluxo linfático está diretamente relacionado com o sistema imunológico e com os sistemas de desintoxicação do organismo. Por mais simples que possa parecer, é uma técnica bastante eficaz. Use uma bucha ou uma escova corporal com cerdas naturais, macias, encontradas em lojas de produtos naturais, supermercados e farmácias. Sem molhar a bucha ou escova, passe-a sobre a pele seca sem esfregar, mas sim movimentando-a em direção à parte inferior do abdome — escove as pernas e os braços com movimentos ascendentes, depois abaixo do pescoço e o tronco, menos no rosto. Faça isso duas vezes por dia, ou até quatro vezes por dia em épocas de maior toxicidade.

*Seja orgânica até nas partes íntimas: jogue fora os absorventes internos*
Em 2013, o relatório "Chem Fatale" da organização Women's Voices for the Earth (Vozes das Mulheres para a Terra) analisou as brechas nas legislações que permitem que substâncias químicas tóxicas usadas nos produtos de higiene feminina não sejam testadas nem submetidas a controle.[15] Se você usa absorventes todos os meses, vai querer saber disto: a maioria dos absorvente higiênicos internos e externos contêm dioxinas, furanos e pesticidas, todos associados com câncer e distúrbios endócrinos/reprodutivos.[16] Lenços umedecidos, sabonetes líquidos, e desodorantes íntimos contêm parabenos, corantes e substâncias químicas desconhecidas sob o rótulo de "fragrância". Esses produtos ficam em contato direto com a mucosa das adolescentes, que hoje ficam menstruadas precocemente, que os usam até a menopausa.

Não podemos depender dos órgãos de controle, como o FDA, para garantir a segurança desses produtos, classificados como "dispositivos médicos" (absorventes internos) e cosméticos (como os lenços umedecidos). Escolha um método inerte, como absorventes de tecido ou produtos femininos orgânicos.

*Jogue fora o gel antisséptico para as mãos*
O título do estudo diz tudo: "Manusear recibos de papel térmico e alimentos depois de usar gel antisséptico para as mãos aumenta os níveis séricos bioa-

tivos e os níveis totais de bisfenol A (BPA) na urina". Caramba! Foi isso que descobriu um grupo de pesquisadores da Universidade do Missouri em 2014, cujos achados foram publicados na *Public Library of Science*.[17] Acontece que esses higienizadores para as mãos tão usados atualmente, bem como outros produtos de cuidados da pele, contêm misturas potentes de substâncias químicas que aumentam a penetração das substâncias na pele — em até duzentas vezes. Demonstrou-se que a maioria desses higienizadores para as mãos, muitos dos quais são à base de álcool, são ineficazes e provavelmente matam as bactérias boas que são nossas grandes aliadas. Portanto, evite totalmente esses produtos; mas, se for preciso, use um produto natural à base de óleos essenciais.

Lave as mãos à moda antiga, com água e sabonete. E recuse os recibos de caixas registradoras, caixas eletrônicos e máquinas de cartão de crédito, pois eles contêm substâncias tóxicas como bisfenol A (BPA) e seu primo igualmente tóxico, o bisfenol-S (BPS), numa quantidade de até 3% por peso.

## A casa em geral

- Deixe a casa bem arejada e, se possível, instale filtros de ar HEPA. Troque os filtros do ar-condicionado e do sistema de aquecimento a cada três ou seis meses e mande limpar os dutos uma vez por ano. Evite desodorizadores de ambiente e aromatizadores elétricos. O ar interno é mais tóxico que o ar externo, por causa da matéria particulada proveniente dos móveis, produtos eletrônicos e artigos de casa. Peça para as pessoas tirarem o sapato quando entrarem em sua casa.
- Reduza o pó e os resíduos tóxicos que você não consegue ver nem cheirar dos móveis, produtos eletrônicos e tecidos com um aspirador de pó equipado com filtro HEPA.
- Tenha a maior quantidade de plantas que puder em casa, pois elas desintoxicam naturalmente o ambiente. Clorófitos, *aloe vera*, crisântemos, gérberas, samambaias, heras e filodendros são boas opções. Mantenha entre quinze e vinte plantas para cada 170 metros quadrados.

- Cuidado com brinquedos fabricados antes de 2009, pois eles contêm plásticos e materiais tratados perigosos. Evite qualquer coisa que tenha cheiro de "plástico novo", como infláveis de praia e piscina.
- Até que possa comprar um colchão orgânico, compre protetores de colchão 100% naturais que se ajustem perfeitamente para evitar que substâncias químicas do colchão atravessem os lençóis. Use travesseiros hipoalergênicos com preenchimento de fibras naturais, como algodão, lã ou plumas.
- Da próxima vez que for comprar um sofá ou uma cama, escolha um que tenha sido fabricado sem colas e adesivos tóxicos (como os que contêm formaldeído), plásticos tóxicos, madeira sintética ou aglomerado e madeira tratada.
- Ao comprar roupas, tecidos, móveis estofados ou colchões, escolha aqueles que não contenham revestimentos com retardadores de chama nem produtos impermeabilizantes contra manchas e penetração de líquidos. Evite reestofar móveis com enchimento de espuma.
- Contrate um especialista para trocar o carpete velho; o forro pode conter éteres de difenilas polibromadas (PBDEs). Quando reformar a casa, comece pelo revestimento do chão, pois os carpetes são imãs de pó e substâncias químicas tóxicas. Prefira madeira maciça, cortiça ou carpetes de fibras naturais que não foram tratadas com substâncias químicas retardadoras de chama ou antimanchas. Os carpetes sintéticos podem liberar substâncias químicas durante anos, o que pode afetar a saúde de pessoas sensíveis.
- Sempre que comprar produtos de limpeza, como detergentes, desinfetantes, água sanitária, removedores de manchas etc., escolha aqueles que não contenham substâncias químicas sintéticas (basicamente qualquer coisa que pareça suspeito na lista de ingredientes). A maioria dos produtos de limpeza tem uma lista imensa de ingredientes, e para saber quais devem ser evitados é preciso ter um diploma de química. Por exemplo, limpa-vidros e água sanitária que contêm amoníaco emitem toxinas na nossa casa. Não confie em rótulos que dizem "seguro", "atóxico", "ecológico" ou "natural", pois esses termos não têm significado legal. Leia

atentamente os rótulos e preste especial atenção às advertências. Não compre nenhum produto que tenha as seguintes advertências: "veneno", "perigoso" ou "mortal" se ingerido ou inalado. Não compre nenhum produto que contenha os seguintes ingredientes: éter monoetílico de dietilenoglicol, 2-butoxietanol (EGBE) e metoxidiglicol (DEGME). Prefira as marcas confiáveis que contenham pouquíssimos ingredientes em sua composição (veja as recomendações de marcas no meu site). Ou então faça você mesma: é possível fazer produtos de limpeza simples, baratos e eficientes com bórax, bicarbonato de sódio e água, para formar uma pasta de limpeza; vinagre e água para passar com um pano; ou limão. O limpador multiuso mais simples consiste em 1 colher de chá de vinagre em 2 xícaras de água. Se quiser, adicione um pouco de óleos essenciais, como uma ou duas gotas de óleo essencial de hortelã. Para mais detalhes e informações sobre produtos, acesse www.ewg.org e www.fearlessparent.org.

- Passe pano no chão e limpe os parapeitos das janelas toda semana.
- Peça recomendações sobre produtos sem pesticidas e herbicidas para controlar as pragas numa floricultura ou na loja de jardinagem. E não utilize vasos de cerâmica com chumbo (as lojas de ferramentas têm *kits* baratos e fáceis de usar para saber se o seu vaso preferido contém chumbo).

## Água

Á água do sistema público de abastecimento está contaminada com produtos farmacêuticos, poluentes industriais, microrganismos e aproximadamente seiscentos subprodutos tóxicos da desinfecção.[18] Além disso, ela é tratada com flúor e cloro, que são compostos tóxicos e desreguladores endócrinos. O Environmental Working Group identificou 316 contaminantes da água, dos quais 202 não são submetidos a regulamentação (nem são compreendidos). Não pense que você está "segura" porque mora num bairro bom. Um estudo realizado em 2013 pela Universidade de Princeton em colaboração com pesquisadores da Universidade Columbia e da Universidade da Califórnia, San Diego, descobriu que as gestantes que moram em áreas com água potável contaminada têm maior probabilidade de ter bebês prematuros ou com baixo peso ao nascimento (ou seja, abaixo de 2,5 kg).[19]

Esse estudo examinou os registros de nascimento e os dados sobre a qualidade da água potável de Nova Jersey entre os anos de 1997 e 2007. Os pesquisadores encontraram registros de infrações do limite de potabilidade em 448 setores da malha de distribuição de água de Nova Jersey: eles descobriram problemas de contaminação da água em mais de um quarto desses setores, que afetavam mais de 30 mil pessoas.[20] As infrações incluíam contaminações químicas e bacterianas, como dicloroetano, um solvente comumente usado em plásticos ou como desengordurante, bem como radônio e coliformes. Quando um setor de distribuição de água é afetado, o Departamento de Proteção Ambiental é obrigado a enviar avisos a todos os moradores, mas esses avisos costumam passar despercebidos ou serem descartados como lixo postal.

Recomendo enfaticamente que você compre um filtro de uso doméstico para a água usada para beber e cozinhar. Existem diversas tecnologias de tratamento de água atualmente, desde simples jarros com filtro até os modelos que são instalados sob a pia ou na entrada de água da casa. Gosto muito dos sistemas que usam osmose reversa e dos filtros de carvão; dê uma olhada nesses sistemas, se for possível. Você é quem decide qual é o filtro que se encaixa melhor nas suas circunstâncias e no seu orçamento. Mas compre um que remova fluoreto, cloro e outros possíveis contaminantes. Muitos desses filtros, inclusive o que fica embaixo da pia, você poderá levar com você quando se mudar.

Seja qual for o filtro escolhido, é importante que você o conserve bem e siga as orientações do fabricante para que ele continue funcionando. À medida que os contaminantes se acumulam, a eficácia do filtro diminui, e ele pode começar a retornar substâncias químicas para a água filtrada. Outra opção são os filtros para chuveiros, que são baratos, fáceis de encontrar e eliminam a exposição ao vapor de cloro e ao seu subproduto carcinogênico, o clorofórmio.

## Trimm: telefone celular

O telefone celular se tornou um instrumento indispensável para muitos de nós hoje em dia. Mas ele pode ser bastante prejudicial, pois nos mantém conectados o tempo todo e com a sensação permanente de que precisamos responder o mais rápido possível às chamadas e mensagens de texto. Não há mais dúvidas sobre as consequências físicas desse aparelho eletrônico que fica grudado na nossa orelha: novos dados mostram que, além de ser carcinogênico e emitir radiação, o celular altera a estrutura e o funcionamento do cérebro, inclusive a atividade das ondas cerebrais, que está intimamente ligada à função cognitiva, ao humor e ao comportamento.

Em 2015, um desconcertante estudo clínico realizado por pesquisadores da Holanda e do King's College, revelou que a tecnologia dos celulares de terceira geração (3G) induz atividade generalizada das ondas cerebrais depois de uma conversa de apenas quinze minutos com o aparelho na orelha.[21]

O nosso corpo usa impulsos elétricos bastante delicados para existir. O cérebro envia mensagens aos músculos, glândulas etc., não apenas por meio de substâncias químicas, mas também por meio de correntes elétricas que podem ser medidas por um eletroencefalograma (EEG). As atividades no interior de cada célula são controladas por pequeninos impulsos elétricos.

Essa não foi a primeira vez que os pesquisadores procuraram responder à pergunta se o telefone celular é perigoso para a saúde. Pesquisas anteriores descobriram que ele pode afetar a atividade das ondas cerebrais alfa e, consequentemente, causar alterações do comportamento, sobretudo insônia.[22] Porém, este foi o primeiro estudo simples-cego e controlado por placebo a mostrar que a moderna tecnologia dos telefones celulares pode, em questão de minutos, ser "associada com aumento da atividade das faixas de frequência alfa, beta e gama em quase todas as regiões do cérebro". Em outras palavras, a exposição típica ao telefone celular produziu alterações eletrofisiológicas significativas o bastante para serem medidas em praticamente todas as estruturas e funções do cérebro. Todos nós sabemos que a radiação do telefone celular pode prejudicar o funcionamento de alguns equipamentos, e é por isso que temos de colocá-lo no "modo avião" durante os voos. Porém, aparentemente ignoramos o fato de que ele pode afetar de modo negativo o nosso cérebro, um órgão sensível aos impulsos elétricos.

As crianças costumam ser mais vulneráveis ao tipo de radiação produzida por *tablets*, telefones celulares e Wi-Fi. Em vários países da Europa, o uso de Wi-Fi foi proibido nas escolas.

Por que levou tanto tempo para que conhecêssemos as alterações cerebrais causadas pela radiação emitida pelo celular? As tecnologias elétricas desenvolvidas nos últimos sessenta anos podem estar alterando nossos mecanismos internos de maneiras que ainda não conseguimos quantificar. Muitos cânceres cerebrais, por exemplo, só são visíveis depois de muitos anos de uso frequente do celular.

Quase todos os estudos sobre os efeitos da exposição ao telefone celular na função cognitiva chegaram a resultados inconclusivos, pois 87% dos estudos sobre as ondas cerebrais que analisaram os efeitos da radiação eletromagnética do celular são financiados pelo setor de telefonia móvel.[23] Em 2011, a radiação do telefone celular foi classificada como "possivelmente carcinogênica" pela Agência Internacional de Pesquisa sobre Câncer. Como se acredita que as ondas cerebrais determinam o nosso comportamento, é sensato presumir que a sua alteração poderia ter efeitos sobre o comportamento e a consciência — mesmo que as preocupações levantadas não pareçam se refletir em menor uso dos telefones celulares.

Mas não entre em pânico: não vou pedir para que jogue fora o celular. Se tem alguém que sabe que essa é uma atitude totalmente fora da realidade, esse alguém sou eu. Mas você pode reduzir a sua exposição não encostando o telefone na cabeça (use um fone de ouvido com tubo oco) e mantendo-o a cerca de dois metros de distância do corpo, se possível. Lembre-se de que você pode colocá-lo no modo avião se não tiver necessidade de Wi-Fi. Precauções simples como essas podem reduzir em grande medida tanto o seu risco como o risco dos seus entes queridos de sofrerem efeitos adversos à saúde causados pelo uso do telefone celular.

Os campos magnéticos, uma forma invisível de poluição que ainda é muito pouca estudada, devem ser reduzidos ao mínimo. Por essa razão, eu recomendo que, se for viajar de avião, você chegue mais cedo no aeroporto para solicitar antecipadamente uma revista manual, em vez de passar pelo escaneamento de corpo inteiro e submeter o seu DNA a mais uma radiação ionizante, além da inevitável radiação do voo.

## UMA NOTA PARA AS GESTANTES E MULHERES QUE DERAM À LUZ HÁ POUCO TEMPO

Eu trato todas as minhas pacientes como se fossem gestantes, porque se algo não é seguro para um bebê, por que seria para uma pessoa adulta? Dito isso, devo reiterar que as advertências e orientações deste capítulo não poderiam ser mais pertinentes às mulheres que têm a intenção de engravidar, que já estão grávidas ou que estão amamentando. Desde escolher produtos naturais a beber água pura, seu dever de mãe é fazer tudo o que estiver ao seu alcance para proteger a saúde do bebê. Dessa maneira, você estará contribuindo em grande medida para preservar a sua saúde e bem-estar mental, bem como do seu filho.

Se você está grávida, precisa saber que, se por alguma razão fizer uma cesariana, os pesquisadores estão tentando encontrar uma maneira de repor o que se perde por causa desse procedimento. A dra. Maria Gloria Dominguez-Bello, do Projeto Microbioma Humano da Universidade de Nova York, apresentou os resultados de uma pesquisa segundo a qual o procedimento de coletar bactérias do canal do parto da mulher com uma gaze e depois transferi-las para o bebê que nasceu de cesariana esfregando a gaze em sua boca e em seu nariz ajuda a fazer com que as populações bacterianas do bebê sejam mais parecidas com as dos bebês que nascem de parto normal.[24] Isso não substitui o parto normal, mas é melhor que uma cesárea asséptica. Esse procedimento, juntamente com outras estratégias que mencionei neste capítulo, vai equipar o seu bebê com um colete blindado metafórico contra as agressões que ele venha a sofrer.

CAPÍTULO 9

# Exames Laboratoriais e Suplementos

*Como apoiar o processo de cura*

---

Os doze exames laboratoriais simples e não invasivos que seu médico não pede.

---

Imagine a seguinte cena, algo que acontece com frequência em meu consultório: uma mulher encantadora de trinta e poucos anos vem me procurar. Ela diz que tem um tipo de depressão que a deixa ao mesmo tempo debilitada e muito agitada. Queixa-se de falta de energia e "névoa mental". Quando anda, eu noto certa instabilidade. Durante a anamnese, ela diz que há dois anos toma um bloqueador de ácido para combater a azia. Eu pergunto sobre a sua alimentação, que é rica em açúcar, glúten, laticínios e frituras. Provavelmente essa é a causa do seu refluxo. Sabe-se, tanto por experiência clínica como pela literatura científica que a supressão prolongada de ácido gástrico impede a absorção da vitamina $B_{12}$, uma vitamina essencial.[1]

A vitamina $B_{12}$, como você já sabe, é um dos componentes básicos da vida e um dos melhores antidepressivos que existe. Todos nós precisamos de vitamina $B_{12}$ para produzir hemácias e a bainha de mielina, que reveste as fibras nervosas, bem como regular a expressão do nosso DNA e outras funções orgânicas e cerebrais. Ela protege o cérebro e o sistema nervoso, regula o repouso e os ciclos do humor e contribui para o bom funcionamento do sistema imunológico. Uma grande deficiência de $B_{12}$ pode causar depressão profunda, paranoia e delírios, falta de memória, incontinência e perda do paladar e do olfato, entre outros problemas graves. A literatura médica está repleta de relatos de caso de pessoas que tinham essas afecções e que se curaram com uma única injeção de vitamina $B_{12}$. Os bebês nascidos de mães que têm deficiência de vitamina $B_{12}$ correm um grande risco de apresentar sintomas neurológicos, como letargia, atraso de desenvolvimento e atraso motor e cognitivo.[2]

A deficiência de vitamina $B_{12}$ tem enormes consequências. Ela diminui a capacidade dos nervos de se comunicarem e transmitirem mensagens, além de causar depressão, confusão mental e, com o tempo, encolhimento do cérebro e demência.[3] Sempre peço um exame de sangue simples para determinar os níveis de vitamina $B_{12}$ das pacientes. Isso já é algo praticamente automático para mim hoje em dia, pois sei que posso melhorar de modo substancial a saúde de muitas pacientes com essa medida simples. A reposição de vitamina $B_{12}$ é feita por meio de uma injeção vendida com receita médica ou um comprimido sublingual de venda livre. Talvez isso a leve a se perguntar: será que você tem deficiência apenas de vitamina $B_{12}$ ou de alguma outra substância de que o seu organismo necessita? Será que é possível acabar com a depressão tomando um suplemento?

Antes de começar o programa de trinta dias, vou falar sobre dois componentes importantes do meu protocolo geral: exames laboratoriais e suplementos. Em outras palavras, a realização de análises clínicas para determinar seus valores iniciais e descartar deficiências e problemas de saúde subjacentes, bem como descobrir que suplementos e terapias não invasivas poderão ajudá-la. Embora eu só vá pedir para você começar a tomar suplementos depois de duas semanas que tiver realizado mudanças nos seus hábitos alimentares e no seu estilo de vida, seria bom saber que tipo de esquema de suplementação diária você vai querer fazer mais tarde. Isso porque os benefícios da suplementação serão mais visíveis depois de passada a fase, às vezes difícil, de transição para uma dieta à base de alimentos integrais. Eu sempre procuro me manter atualizada em relação aos exames laboratoriais e suplementos, pois o que acreditamos saber hoje pode estar ultrapassado amanhã. É preciso ter cuidado com afirmações dogmáticas como "a vitamina D é boa para todo mundo" e "o ácido fólico é sempre ruim". Lembre-se disso, enquanto lê este capítulo e começa a pensar em como poderá ajustar o programa às suas necessidades e circunstâncias. Vou começar fazendo um resumo dos exames médicos e laboratoriais que talvez você queira pedir ao seu médico. Você poderá fazer a maioria desses exames assim que estiver pronta para marcar uma consulta e solicitá-los ao seu médico.

## TESTANDO, TESTANDO, 1-2-3

Estes são os doze exames que costumo solicitar para minhas pacientes. Quando apropriado, eu incluí os valores de referência.

### Testes de função tireoidiana

Embora a capacidade de detectar hipotireoidismo funcional dos exames de sangue convencionais seja limitada, eles revelam se a glândula tireoide está funcionando de maneira correta, se o cérebro detecta os níveis hormonais e quais são esses níveis e se o sistema imunológico está atacando por engano a glândula. Recapitulando, a produção de hormônios tireoideos é controlada por uma alça de retroalimentação entre a tireoide, a hipófise e o hipotálamo. O hormônio hipotalâmico liberador da tireotropina (TRH) estimula a síntese e a secreção de hormônio tireoestimulante (TSH) pela hipófise. O TSH, então, desencadeia a produção e a liberação de T4 e T3 pela tireoide. Depois que é produzida uma quantidade suficiente de T4, este hormônio sinaliza para o TRH e o TSH que já há o suficiente na circulação e que sua a produção deve ser interrompida. O T4, forma relativamente inativa do hormônio, representa cerca de 85% do hormônio produzido pela tireoide. Uma pequena quantidade de T4 é convertida na forma ativa do hormônio tireóideo, o T3. Essa molécula também é convertida em T3 livre (T3L) ou T3 reverso (T3R).

O T3 livre é importante, pois é o principal hormônio tireóideo que pode se ligar a um receptor e exercer efeito direto sobre a nossa fisiologia. O T3 é uma das principais moléculas do corpo humano. Ele comanda o nosso metabolismo e a maneira como o nosso corpo usa a energia, controla a temperatura corporal, mantém o intestino funcionando e regula os níveis de outros hormônios. Apesar de não sabermos exatamente qual é a função do T3 reverso, seus níveis costumam ser elevados em pessoas fisicamente estressadas como uma forma de diminuir o ritmo e conservar energia para a recuperação. A maioria dos médicos convencionais pede apenas um ou dois testes (TSH e T4) para pesquisar a existência de problemas. Eles não verificam o T3 livre (T3L) e o T3 reverso (T3R), nem os anticorpos antitireoidianos. Como mencionei anteriormente, a tireoidite de Hashimoto, uma doença autoimune, é a forma mais comum de hipotireoidismo em mulheres. Eu sempre peço análises de anticorpos antitireoperoxidase (TPOAb) e anticorpos antitireoglobulina (TgAb) para pesquisar a presença de tireoidite de Hashimoto. Seguem alguns testes de tireoide que eu insisto para que você solicite ao seu médico. Ninguém deve tratar hipotireoidismo com Zoloft, se você entende o que eu quero dizer. Esses exames vão avaliar a saúde da sua tireoide (os valores de referência estão incluídos):

**TSH:** valor de referência: inferior a 2 µU/mL

**T4 livre:** valor de referência: superior a 1,1 ng/dL

**T3 livre:** valor de referência: superior a 3,0 pg/mL

**T3 reverso:** valor de referência: relação T3R:T3L inferior a 10:1

**ANTICORPOS ANTITIREOPEROXIDASE (TPOAb):** valor de referência: inferior a 4 UI/mL ou negativo

**ANTICORPOS ANTITIREOGLOBULINA (TgAb):** valor de referência: inferior a 4 UI/mL ou negativo

Você já está tomando Synthroid (levotiroxina sódica) ou foi aconselhada a tomar porque sua tireoide está produzindo uma quantidade insuficiente de hormônios? Se você foi diagnosticada como portadora de hipotireoidismo, seus exames laboratoriais não refletirão sua verdadeira condição, pois o seu médico está usando T4 sintético — Synthroid — para tentar regularizar seus níveis de TSH. Isso vai deixá-la sintomática, porém "tratada", em consequência de conversão insuficiente em hormônio ativo (T3) e da supressão da produção normal de T3, uma vez que seus níveis de TSH agora estão mais baixos. As mulheres são asseguradas de que estão "bem", como meu colega Datis Kharrazian escreveu em seu livro *Why Do I Still Have Thyroid Symptoms When My Lab Tests*

*Are Normal?* [Por que ainda tenho sintomas tireoídeos se meus exames de laboratório são normais?]. Se for detectada precocemente, a tireoidite autoimune pode ser revertida, e eu sou uma prova viva disso. Mesmo depois de anos de tratamento de reposição com hormônio sintético ou da remoção da tireoide, as pacientes podem recuperar a saúde com uma forma natural de hormônio tireoidiano, chamado "tireoide desidratada", produzido a partir da glândula tireoide de animais (geralmente de porcos). Portanto, se seu médico recomendar reposição hormonal, peça alternativas ao Synthroid e siga os protocolos deste livro. Lembre-se de que realizar mudanças positivas no estilo de vida, sobretudo por meio da alimentação, ainda é a primeira intervenção, e a mais importante, para tratar uma disfunção tireoidiana.

## MTHFR (metilação)

O gene MTHFR produz a enzima MTHFR (metilenotetrahidrofolato redutase), essencial para vários processos fisiológicos relacionados diretamente com o bem-estar mental. Quando está funcionando de maneira correta, o gene MTHFR dá início a um processo de degradação química de várias etapas chamado metilação, que nos ajuda a produzir importantes proteínas, usar antioxidantes, combater processos inflamatórios, eliminar toxinas e metais pesados, manter a homocisteína em níveis normais, otimizar a função cerebral e silenciar os genes (metilação) cuja expressão excessiva pode ser prejudicial. Uma mutação do gene MTHFR está altamente correlacionada com sintomas psiquiátricos. Existem duas variantes comuns desse gene, em que a troca de um único nucleotídeo (uma parte de DNA) resulta em diminuição funcional. Todos os dias aprendemos coisas novas sobre o verdadeiro significado clínico das variantes 1298 e C677 do gene MTHFR. Uma mutação indica que a sua enzima está funcionando com 70% da sua capacidade, e duas mutações, que essa porcentagem está abaixo de 30%. Essas mutações não são tão raras quanto você possa imaginar. Há oito anos venho solicitando análises de rotina desses genes em minhas pacientes, e só cinco delas *não* apresentaram uma variação. Portanto, não se assuste se seu exame for positivo para uma ou ambas as mutações hereditárias. Isso significa apenas que você precisa saber que corre um risco maior de ter deficiências e que é recomendável que tome suplementos de folato ativado (chamado metilfolato) e sua companheira, a vitamina $B_{12}$. (Observação: o exame para detectar essa mutação do gene MTHFR se chama simplesmente teste de mutação do MTHFR.)

## Vitamina $B_{12}$

É o exame que mede os níveis séricos de vitamina $B_{12}$. Cerca de dois quintos da população têm grave deficiência de vitamina $B_{12}$ por diversas razões, como, por exemplo, alimentação ruim, disbiose (desequilíbrio da flora intestinal) e uso de medicamentos para refluxo ácido e diabetes. Os níveis de vitamina $B_{12}$ são considerados deficientes quando estão abaixo de 150 a 200 pg/mL (picogramas por mililitro); o ideal é que sejam superiores a 600 pg/mL.

Acontece que os exames de sangue para identificar a deficiência de vitamina $B_{12}$ nem sempre são um indicador confiável do que está acontecendo no cérebro ou no organismo de um modo geral. É por isso que convém dosar também os níveis de homocisteína e ácido metilmalônico – dois outros marcadores dos níveis de vitamina $B_{12}$.

## Homocisteína e ácido metilmalônico

Como afirmei logo acima, este método é mais sensível e mais preciso para detectar uma possível deficiência de vitamina $B_{12}$, principalmente quando se compara com os resultados de uma contagem de glóbulos vermelhos. Níveis elevados dessas duas substâncias no sangue indicam deficiência de vitamina $B_{12}$. A homocisteína é uma proteína inflamatória que tem de ser metabolizada pela vitamina $B_{12}$ e pelo folato, e o ácido metilmalônico é um composto que reage com a vitamina $B_{12}$ para produzir a coenzima A, essencial para uma função celular normal. Os níveis ideais de homocisteína situam-se entre 7 e 10 micromoles por litro de sangue, e os níveis normais de ácido metilmalônico, entre 0,08 e 0,56 mmol/L (segundo minha experiência, essa é uma medida menos sensível). Em geral, níveis de homocisteína acima de 8 constituem um alerta de inflamação, um quadro que pode ser corrigido com suplemento de vitamina $B_{12}$.

## Proteína C reativa ultrassensível (PCR-us)

Proteína C reativa é uma proteína que o fígado produz quando há um processo inflamatório no organismo. Ela pode ser dosada com um exame de PCR-us. Os valores de referência da PCR são de 0,00 a 1,0 mg/L.

## Glicemia de jejum, insulina de jejum e hemoglobina glicada (HbA1C)

O objetivo desses exames é analisar o controle da glicemia. O exame de HbA1C é o mais preciso, pois pode fornecer uma média dos níveis de glicose sanguínea nos últimos noventa dias (o tempo de vida médio de uma hemácia). Os valores devem estar entre 4,8 e 5,2% (observe que anemia e desidratação podem produzir níveis falsamente baixos ou altos). O exame de glicemia em jejum consiste em única coleta de sangue em jejum, naturalmente. O nível ideal é de 70 a 85 mg/dL, com insulina de jejum abaixo de 6 µUI/mL.

O teste de tolerância à glicose também serve para detectar hipoglicemia, mas clinicamente a hipoglicemia reativa costuma ser bastante evidente: são as pacientes que acordam com sensação de saciedade, mas que não conseguem passar mais de duas horas sem sentir fome, tremor ou tontura e que vão piorando ao longo do dia.

## Vitamina D

Esse exame mede os níveis séricos dessa importante vitamina-hormônio. Eu peço exame não apenas da vitamina D (expressada clinicamente como 25OH), mas também de seu metabólito ativo (1,25) para todas as pacientes. O ideal é que a 25OH esteja entre 50 e 80 ng/mL e que o 1,25 esteja dentro da faixa normal. Não fique alarmada se seu nível de vitamina D estiver muito baixo. Existem outros motivos para a deficiência de vitamina D, além de falta de exposição aos raios solares, como os efeitos da exposição aos pesticidas sobre a capacidade do fígado de produzir vitamina D. A maioria dos americanos tem deficiência desse nutriente essencial, e pode levar tempo para que o organismo aumente seus níveis de vitamina D com suplementos (veja abaixo).

## Cortisol salivar

Nós temos duas glândulas suprarrenais, uma acima de cada rim. Os hormônios secretados por essas glândulas endócrinas ajudam a regular muitos dos processos orgânicos que influenciam a saúde mental. Avaliar o funcionamento das glândulas suprarrenais medindo os níveis na saliva e na urina de hormônios produzidos por essas glândulas pode ser revelador, mas de acordo com a minha experiência em geral essa é só uma confirmação visual do que já se sabe: estamos sob estresse crônico incessante. A análise de cortisol salivar mede os níveis desse hormônio do estresse em quatro momentos do dia (em geral às oito da manhã, ao meio-dia, às quatro da tarde e entre onze e meia e meia-noite). Embora a análise não revele o que o hormônio está fazendo no receptor, como ele está sendo degradado nem o que causou a alteração da produção de cortisol, a análise ajuda a explicar os sintomas e o momento em que eles surgiram, porque o padrão de produção de cortisol muda ao longo do dia e deve ser naturalmente mais alto pela manhã e mais baixo à noite.

Tudo o que você tem a fazer é cuspir num tubo de ensaio nos horários estipulados e enviar os tubos ao laboratório para análise (não é necessário refrigeração). Esse tipo de exame também pode ser estendido aos hormônios sexuais, como progesterona e estrogênio na semana anterior ao ciclo menstrual da mulher, ou até mesmo diariamente durante todo o mês. Na verdade, o cortisol não é apenas o principal hormônio da suprarrenal, ele é feito de progesterona, portanto cada molécula de cortisol que você produz quando está sob estresse reduz seus níveis de progesterona. Isso explica por que crises de estresse podem causar ondas de calor prematuras.

Observação: esses exames devem ser feitos *depois* de trinta dias do programa, sobretudo se persistirem os sintomas relacionados com o sono.

## Exame de fezes por PCR (reação em cadeia da polimerase)

Esse tipo de exame avalia a função gastrintestinal e pode detectar desequilíbrios na microbiota intestinal, a presença de parasitas, problemas de absorção e inflamação intestinal. Embora ainda estejamos tentando descobrir qual é o microbioma "ideal", alguns fatores importantes são os níveis de bactérias benéficas, qualquer infecção que possa estar correlacionada com marcadores inflamatórios nesse exame (só porque um resultado mostra a presença de determinado parasita, por exemplo, não significa necessariamente que isso seja um problema para a ecologia de um indivíduo) e evidências de má digestão. Como a dieta pode mudar em questão de dias, é melhor fazer esse teste *depois* dos primeiros trinta dias do programa se você achar necessário.

## Análise de ácidos orgânicos urinários

Este exame, que determina a quantidade de algumas moléculas encontradas na urina, oferece uma visão dos processos metabólicos celulares do organismo. Ele pode revelar se existe algum defeito no metabolismo. Raramente preciso pedir esse exame, que reservo para os casos de cansaço e sintomas cognitivos mais complexos.

Se o seu médico não quiser pedir alguns desses exames, talvez você tenha de procurar outro. Os clínicos gerais, por exemplo, não costumam pedir a análise do gene MTHFR. É mais provável que um naturopata ou médico especializado em medicina funcional conheça esses exames e saiba interpretar seus resultados. Defenda seus direitos e exija a realização desses exames; quase todos são cobertos pelos planos de saúde ou são relativamente baratos. O diagnóstico correto pode contribuir sobremaneira para determinar o melhor apoio durante a fase de cura.

> **LISTA DE VERIFICAÇÃO DO TESTE**
>
> **Seu médico deve pedir os seguintes exames laboratoriais:**
>
> O ideal é fazê-los antes do programa de trinta dias para definir seus valores iniciais.
>
> | | | |
> |---|---|---|
> | Testes de função tireoidiana: TSH, T4 livre, T3 livre, T3 reverso, anticorpos antitireoperoxidase e anticorpos antitireoglobulina | Teste genético de MTHFR<br>Níveis de vitamina $B_{12}$ no sangue<br>Níveis de homocisteína no sangue | CRP-us (proteína C reativa ultrassensível) no sangue<br>Glicose/insulina em jejum/hemoglobina glicada (HbA1C)<br>Níveis de vitamina D: 25OH e 1,25 |
>
> **Depois de 30 dias, você pode repetir os testes acima e acrescentar:**
>
> | | | |
> |---|---|---|
> | Cortisol salivar | Cultura de fezes por PCR e análise proteômica | Análise dos ácidos orgânicos na urina |

Ao final do programa de quatro semanas, é preciso repetir esses exames laboratoriais, embora possa ser necessário repeti-los durante vários meses para que haja uma melhora significativa. Por exemplo, pode levar vários meses para baixar os níveis de proteína C reativa. O mesmo se aplica à hemoglobina glicada, que geralmente é medida apenas em intervalos de três a quatro meses. Mas desde o primeiro dia do programa você deverá começar a observar mudanças positivas em seus níveis sanguíneos de glicose e insulina, e isso vai motivá-la a seguir em frente.

# SUPLEMENTOS[4]

Eu gostaria que vivêssemos num mundo em que não fosse necessário tomar suplementos. Eu gostaria que vivêssemos num mundo em que desintoxicação fosse apenas um artifício para vender tratamentos em *spas*. A menos que você cultive seus próprios alimentos orgânicos numa bolha hermética e protegida das devastações do mundo industrializado moderno, a suplementação estratégica provavelmente vai ajudá-la a melhorar e a conservar a saúde. O meu "cardápio" de suplementos pode ser extenso, por isso eu dividi minha lista em duas categorias: os suplementos essenciais e alguns adicionais. Eu recomendo que você tome todos os suplementos essenciais e depois acrescente outros que achar adequado de acordo com suas circunstâncias. Sem dúvida é preferível consultar um profissional versado no uso desses suplementos, e também introduzir um de cada vez (deixando passar pelo menos um dia antes de adicionar outro suplemento) para observar qualquer efeito imediato. Como os suplementos podem auxiliar no processo de desintoxicação, a cada vinte dias faça uma pausa de cinco dias, para que o seu corpo possa se recalibrar.

## Suplementos essenciais: vitaminas, minerais, ácidos graxos, glandulares e enzimas digestivas

### Complexo B ativado

As vitaminas do complexo B são as moléculas fundamentais para a produção de substâncias bioquímicas moduladoras do humor. São elas: tiamina ($B_1$), riboflavina ($B_2$), niacina ($B_3$), piridoxina ($B_6$), folato ($B_9$), vitamina $B_{12}$, biotina e ácido pantotênico ($B_5$). Essas vitaminas ajudam o organismo a converter os alimentos em combustível e a metabolizar gorduras e proteínas. Elas são necessárias para a saúde da pele, do cabelo, dos olhos, do fígado e contribuem para o bom funcionamento das glândulas suprarrenais e do sistema nervoso. Todas as oito vitaminas do complexo B são hidrossolúveis, portanto o organismo não consegue armazená-las. Embora as bactérias intestinais ajudem a produzir a maioria delas, a suplementação garante que nossas necessidades serão atendidas.

Um grande estudo realizado em 2010 por pesquisadores da Universidade Rush, Estados Unidos, com mais de 3.500 adultos demonstrou que ingestões mais altas de vitaminas $B_6$, $B_9$ e $B_{12}$ — sejam provenientes de alimentos ou suplementos — estavam associadas com menor probabilidade de depressão por um período de até doze anos de acompanhamento.[5] Para cada 10 mg adicionais de vitamina $B_6$ e cada 10µg adicionais de vitamina $B_{12}$ houve uma redução de 2% no risco de sintomas de depressão por ano.

O segredo da suplementação com vitaminas do complexo B é obter as melhores formas de nutrientes. Algumas formas podem ser menos eficazes ou até mesmo perigosas quando tomadas em excesso. O folato, por exemplo, é a vitamina que as gestantes são levadas a tomar porque previne a ocorrência de defeitos de fechamento do tubo neural. Os pesquisadores começaram a associar deficiência de folato com depressão na década de 1960. Desde então constatou-se que as pessoas que sofrem de depressão costumam ter deficiência dessa vitamina. Aumentar os níveis de folato pode aliviar os sintomas. Mas a principal forma de suplementação é com ácido fólico (usado tanto nas vitaminas do complexo B como nos alimentos fortificados), que é sintético e não é metabolizado pelo organismo da mesma maneira que o folato natural. As pesquisas mostram que a forma natural de folato (5-metiltetrahidrofolato) oferece muitos benefícios, porque é mais bem absorvida, não mascara tão facilmente a deficiência de vitamina $B_{12}$ e ajuda a evitar os efeitos nocivos do ácido fólico não metabolizado na circulação, que foi associado com maior risco de câncer.[6]

Existem diferentes formas de vitamina $B_{12}$, que variam quanto à eficácia e segurança. A cianocobalamina é a forma de nutriente mais usada. É mais barata, mas não é encontrada na natureza e a sua metabolização pode liberar pequenas quantidades de cianeto no organismo. É isso mesmo: cianeto. Embora não seja suficiente para causar intoxicação por cianeto, pode ser prejudicial para pessoas que têm dificuldade de desintoxicação em decorrência de problemas genéticos, deficiência de nutrientes ou doenças crônicas. A forma mais recomendável de vitamina $B_{12}$ é a metilcobalamina, que é produzida pelas bactérias intestinais.

Portanto, quando você estiver procurando uma vitamina do complexo B, veja se contém folato na forma de 5-metiltetrahidrofolato ou ácido folínico e $B_{12}$ na forma de metilcobalamina (ou hidroxocobalamina ou adenosilcobalamina) além de outras vitaminas B. Eu prefiro fazer a reposição de $B_{12}$ por injeção, pois esse é um método comprovadamente eficaz. Esse tratamento consiste na administração de 1 a 5 miligramas da vitamina de uma a cinco vezes por semana e durante duas a quatro semanas, dependendo das circunstâncias e da resposta da paciente. Para algumas pacientes, este será o último antidepressivos que elas vão tomar.

## Minerais

Magnésio, zinco, iodo e selênio são essenciais para as funções orgânicas. Todos esses minerais foram estudados especificamente quanto aos seus efeitos sobre o humor. Por exemplo, 80% das pessoas que sofrem de depressão têm deficiência de magnésio, que pode desempenhar um papel importante na ansiedade ao interferir no eixo hipotalâmico-hipofisário-adrenocortical (o sistema de resposta ao estresse).[7,8] Há muito tempo descobriu-se que os pacientes com tendências suicidas têm níveis baixos de magnésio no líquido cefalorraquidiano.[9]

Antigamente nós obtínhamos muitos minerais por meio dos alimentos, mas hoje a maioria das pessoas tem deficiência de minerais, em consequência das modernas práticas agrícolas que esgotam esses elementos do solo e das técnicas de processamento. O alto consumo de açúcar também pode reduzir os níveis de minerais. Isso faz com que carboidratos simples como pão, bolo e *cookies* sejam duplamente problemáticos — além de não fornecerem nutrientes de boa qualidade, eles também desregulam os níveis de glicose no sangue e reduzem ainda mais os minerais do organismo. Procure um suplemento multimineral, ou seja, que contenha uma série de minerais. Tome o suplemento mineral junto com alimentos, pois alguns podem causar indisposição estomacal. Aqui estão minhas recomendações:

### MAGNÉSIO

Em geral as doses variam de 150 a 800 miligramas por dia. Em pacientes com fortes sintomas de ansiedade, insônia e tensão pré-menstrual eu recomendo doses superiores a 300 miligramas por dia. Normalmente recomendo glicinato de magnésio, a menos que a paciente tenha problema de prisão de ventre, o citrato de magnésio e o óxido de magnésio proporcionam um bom efeito laxativo.

### ZINCO

Esse mineral essencial para a "resiliência" desempenha um papel importante no controle da resposta ao estresse do cérebro e do corpo. Na verdade, pelo menos trezentas enzimas no nosso organismo precisam do zinco para desempenhar suas funções, como produção de DNA, síntese de proteínas e divisão celular. O zinco também é fundamental para a sinalização celular. A maior quantidade de zinco é encontrada no cérebro, principalmente no hipocampo, o centro da memória. Demonstrou-se que a deficiência de zinco causa síndromes de depressão, transtorno do déficit de atenção/hiperatividade (TDAH), dificuldades de aprendizado, problemas de memória, convulsões, agressividade e violência. A dose ideal de zinco é de 15 a 30 miligramas por dia, e o gliconato de zinco é a forma mais recomendável. O cobre é um nutriente complementar essencial, na dose de 1 a 3 miligramas por dia.

## IODO

O iodo desempenha um papel fundamental na formação do hormônio da tireoide. Solos com escassez desse mineral e a exposição a substâncias químicas que prejudicam a absorção do iodo pelo organismo, como o bromo nos alimentos processados, os retardadores de chama, o cloro e o flúor na água, nos impedem de obter uma quantidade suficiente de iodo. O iodo pode ser obtido por meio do consumo de algas marinhas não contaminadas, ovos e suplementos em doses que variam de 200 microgramas a 3 miligramas. Recomendo começar com um suplemento que contenha *kelp* do Atlântico.

## SELÊNIO

O selênio é um mineral essencial para a reposição de glutationa, um importante antioxidante para o organismo, pois atua como cofator da glutationa peroxidase, enzima que auxilia na produção de glutationa. Por causa da erosão dos solos, os alimentos que consumimos atualmente não contêm selênio. As formas mais comercializadas, como selenito de sódio, podem ser tóxicas, por isso opte por uma forma quelada, de preferência a selenometionina ou o glicinato de selênio. O selênio reforça a função neurológica, ajuda o organismo a produzir neurotransmissores que melhoram o humor e é especialmente importante na conversão do hormônio tireoidiano tiroxina (T4) em sua forma mais ativa, a triiodotironina (T3). Uma revisão analisou cinco estudos clínicos, e todos indicaram que a baixa ingestão de selênio está associada com o mau humor.[10]

Estudos com suplementação de selênio revelaram que este mineral melhora o humor e reduz a ansiedade.[11] Isso é impressionante, considerando-se o quanto a dose terapêutica é infinitesimal. Bastam 200 microgramas, o que equivale a apenas um quinto de um miligrama (ou seja, a milésima parte de um grama)!

A dose preconizada de selênio é de 100 a 200 µg por dia. Este mineral é ideal para pessoas ansiosas e depressivas que também têm baixa função tireoidiana e/ou níveis baixos de T3.

## Ácidos graxos

Os ácidos graxos são essenciais para a estrutura e o funcionamento da membrana celular. Sem eles, as células simplesmente se desintegrariam. A membrana celular é um envoltório lipídico que contém e protege os mecanismos internos das células. O corpo humano tem mais de 100 trilhões de células, e a estrutura da membrana de todas elas é basicamente a mesma, inclusive dos neurônios cerebrais, que transportam mensagens de uma parte para outra do corpo. A membrana é essencial para a produção de energia nas mitocôndrias, porque sem sua estrutura dupla não haveria espaço de armazenamento para a separação de uma carga elétrica – não haveria como conduzir reações químicas para gerar energia. O volume de membrana celular no corpo humano é impressionante. Só o fígado tem mais de 27.800 metros quadrados de membrana, o equivalente a mais de quatro campos e meio de futebol americano!

Com base em minhas pesquisas e na minha experiência clínica, posso afirmar que a melhor maneira de obter ácidos graxos suplementares é consumindo gorduras naturais e tomando suplementos que contenham ácidos graxos ômega-3 e ômega-6. Suplementos de óleo de peixe e óleo de fígado de bacalhau contêm dois ácidos graxos bastante conhecidos – ácido eicosapentaenoico (EPA) e ácido docosahexaenoico (DHA). Esses ácidos graxos reduzem a inflamação e estimulam a regeneração do cérebro. Inúmeros estudos corroboram o uso de óleo de peixe no tratamento de depressão e ansiedade.[12] A dose terapêutica preconizada de óleo de peixe é de 1 a 2 gramas de EPA com DHA numa proporção de três para dois (3:2). Leia atentamente o rótulo do produto – se não especificar a proporção, compre outra marca. Devido à péssima gestão ambiental dos nossos mares, os peixes correm o risco de apresentar altos níveis de contaminantes, como mercúrio e outros metais, dioxinas e PCBs, entre outros. Só compre óleo de peixe de uma marca confiável (veja a página de Recursos no meu site). As melhores marcas usam um processo de filtragem conhecido como destilação molecular, que impede o ranço e garante que o óleo seja isento de contaminantes. Você também pode encontrar óleos extraídos com a utilização de dióxido de carbono atóxico a alta pressão, ou por um processo de baixa temperatura chamado extração supercrítica.

## ÓLEO DE PRÍMULA

Extraído das sementes da flor homônima, o óleo de prímula é uma fonte rica em ácidos graxos ômega-6, sobretudo de ácido gama-linoleico (GLA), um anti-inflamatório difícil de obter por meio da alimentação. Há quase um século, a prímula é usada para tratar uma série de problemas de saúde, como unhas e cabelos quebradiços, eczema, síndrome pré-menstrual, sintomas da menopausa, artrite reumatoide, esclerose múltipla e distúrbios neurológicos. Procure um óleo de excelente qualidade com certificação orgânica e comece tomando 500 miligramas duas vezes ao dia.

## ÓLEO DE FÍGADO DE BACALHAU

O óleo de fígado de bacalhau do Atlântico ajudou a humanidade durante séculos. Era usado como combustível de lamparinas, como base de tinta, na curtição de couros, na fabricação de sabões líquidos e, sobretudo, como alimento e terapia. O óleo de fígado de bacalhau, uma "casa de força" nutricional, antigamente era usado como suplemento pelas sociedades europeias tradicionais. Weston Price recomendava a ingestão de óleo de fígado de bacalhau com óleo de manteiga rico em vitamina $K_2$ para complementar as vitaminas naturais lipossolúveis presentes naturalmente no óleo de fígado de bacalhau. Além de ser uma fonte rica de ácidos graxos EPA e DHA, também inclui vitaminas naturais A e D e pode ser uma ótima alternativa ao óleo de peixe, que não tem essas vitaminas. Graças ao seu conteúdo de vitamina D, ele previne a deficiência desse nutriente e sua horrível consequência extrema: o raquitismo. É melhor comprar um suplemento de óleo de fígado de bacalhau que não tenha sido destituído de suas vitaminas e que contenha uma proporção de cinco para um de vitamina A em relação à vitamina D. Procure um produto natural produzido com um processo de filtragem que retém as vitaminas naturais e, de preferência, que seja embalado em um frasco de vidro lavado com nitrogênio. Escolha um suplemento com pelo menos 2.500 UI de vitamina A e 250 UI de vitamina D por colher de chá.[13]

## SUPLEMENTOS GLANDULARES ADRENAIS E HIPOTALÂMICOS

Os suplementos glandulares, ou simplesmente glandulares, são feitos de vários órgãos e tecidos de mamíferos. Durante o século XIX e o início do século XX, eram usados com sucesso para tratar diversas doenças. Esses suplementos voltaram a ser usados recentemente graças a novos estudos científicos que demonstram seus efeitos positivos sobre os tecidos e órgãos lesados ao expô-los a fatores de crescimento que aumentam a capacidade de reparação e regeneração do próprio organismo. Como os suplementos glandulares contêm uma série complexa de enzimas, vitaminas, ácidos graxos, minerais, neurotransmissores e um grande número de nutrientes, além dos tecidos do interior das glândulas, eles são difíceis de serem estudados de uma maneira padronizada. Por outro lado, isso também faz com que sejam um alimento, e um alimento que demonstra ser cada vez mais benéfico para a nossa fisiologia do que seus componentes isolados.

O suplemento glandular de córtex suprarrenal é excelente para os sintomas de depressão quando utilizado junto com um suplemento adrenal geral. Os glandulares adrenais têm de ser provenientes de animais criados a pasto. Comece tomando um comprimido de cada duas vezes ao dia.

O suplemento glandular hipotalâmico tem propriedades calmantes e começa a reparar a comunicação entre o cérebro e as glândulas. Tome um comprimido duas vezes ao dia, ou de um a quatro comprimidos em caso de nervosismo e ansiedade aguda. Com o tempo, você precisará de menos.

## ENZIMAS DIGESTIVAS

Se o seu organismo não produzir uma quantidade suficiente de enzimas digestivas, você não conseguirá decompor seus alimentos; portanto, mesmo que coma bem, não absorverá todos os nutrientes. Além disso, você sobrecarrega as enzimas disponíveis que estão sendo usadas para digerir seus alimentos, afastando-as de suas outras funções relacionadas com a manutenção e a cura do corpo. É aí que entram em ação os suplementos de enzimas digestivas, sobretudo se você estiver tentando reabilitar o seu intestino e restaurar a sua função digestiva. A terapia enzimática se baseia no trabalho realizado pelo dr. Edward Howell nas décadas de 1920 e 1930. Howell afirmava que as enzimas contidas nos alimentos digeriam previamente os alimentos no estômago. Durante o cozimento dos alimentos, muitas dessas enzimas são desnaturadas, o que aumenta a sua digestibilidade. A suplementação com enzimas de origem vegetal é complementada com enzimas de origem animal, como as encontradas nos suplementos glandulares pancreáticos.

Existe uma grande variedade de enzimas digestivas no mercado. Procure uma de origem vegetal e que contenha uma mistura de enzimas, inclusive proteases (que degradam as proteínas), lipases (que degradam as gorduras) e amilase (que degrada os carboidratos). Algumas fórmulas incluem uma variedade de cada tipo de enzima que opera em faixas distintas de pH, para que funcionem em todos os indivíduos e com várias combinações de alimentos. O dr. Nicholas Gonzalez salientou a importância das enzimas pancreáticas no tratamento de doenças crônicas e recomendava a suplementação com suplementos glandulares pancreáticos de excelente qualidade. Essa é minha forma preferida de complementar as enzimas de origem vegetal para melhorar a digestão. Tome de um a três comprimidos de enzimas digestivas e glandulares pancreáticos de excelente qualidade até trinta minutos depois da refeição.

## CLORIDRATO DE BETAÍNA

O cloridrato de betaína pode aumentar a capacidade digestiva do estômago — principalmente se o estômago não produz ácido gástrico suficiente, um problema muito comum. Trata-se de uma forma ácida de betaína, uma substância parecida com uma vitamina presente em alguns alimentos. O cloridrato de betaína aumenta o nível de ácido clorídrico no estômago, necessário para uma boa digestão e assimilação dos nutrientes dos alimentos. As pessoas que têm problema de azia, má digestão, gases e refluxo muitas vezes são levadas a crer que seu estômago produz ácido em excesso. Mas essa é uma concepção errada reforçada pela medicina convencional, que prescreve medicamentos bloqueadores de ácido gástrico ao menor sinal de distúrbio estomacal. Ela deixa de diagnosticar o problema digestivo, que muitas vezes é o oposto: uma deficiência de ácido que resulta na putrefação dos alimentos, que, por sua vez, liberam gases que causam úlcera, como sulfeto de hidrogênio. Esse quadro aparentemente causado por excesso de ácido clorídrico é, na verdade, causado por uma deficiência. A dose normal é de uma a três cápsulas (em geral uma cápsula tem cerca de 500 mg) junto com uma refeição contendo proteína. Depois de um ou dois meses provavelmente você poderá reduzir a dose. Se tiver azia com apenas uma cápsula, não tome esse suplemento.

## Outros suplementos a serem considerados

SAMe

A S-adenosilmetionina (SAMe), uma molécula natural sintetizada pelo ciclo de 1 carbono dependente de vitamina $B_{12}$ e folato, é precursora de muitas biomoléculas importantes, como creatina, fosfatidilcolina, coenzima Q10, carnitina e mielina. Todas essas substâncias químicas no corpo desempenham um papel na dor, na depressão, na doença hepática e em outras doenças. A SAMe também participa da produção de neurotransmissores. Seu uso como nutracêutico foi aprovado desde a década de 1990, e há três décadas é receitada na Europa para depressão. Diversos estudos duplos-cegos comprovaram a sua eficácia no tratamento de depressão e ansiedade.[14] Experimente tomar de 400 a 1.600 miligramas por dia; procure comprar cápsulas com revestimento entérico e embaladas em cartelas.

L-TEANINA

L-teanina é um aminoácido calmante encontrado principalmente no chá. Ele pode promover a produção de ondas cerebrais alfa, que reduzem a ansiedade e aumentam a concentração. É como uma meditação em cápsula! Comece tomando entre 1 e 200 miligramas duas vezes ao dia.

## N-ACETILCISTEÍNA (NAC)

N-acetilcisteína é uma versão levemente modificada da cisteína, um aminoácido que contém enxofre. Quando tomada como suplemento, a NAC aumenta os níveis intracelulares de glutationa (GSH), um antioxidante natural, ajudando a restaurar a capacidade das células de combater os danos causados pelos radicais livres. Grande parte da atividade benéfica da NAC se deve à sua capacidade de controlar a expressão de genes relacionados com a resposta inflamatória. Comprovou-se que ela também melhora a sensibilidade à insulina e que é eficaz no tratamento de comportamentos compulsivos. Tome de 600 a 1.800 miligramas por dia. Estudos clínicos demonstraram que doses diárias de até 2.000 miligramas são seguras e eficazes.

## RODIOLA

*Rhodiola rósea*, chamada também de raiz ártica ou raiz de ouro, é uma planta adaptogênica que age de maneiras inespecíficas para aumentar a resistência ao estresse sem alterar as funções biológicas normais. As evidências indicam que ela é um antioxidante com capacidade de reforçar a função do sistema imunológico e até mesmo de aumentar a energia atlética e sexual. Essa planta cresce em regiões de grande altitude nas áreas árticas da Europa e da Ásia, e há séculos suas raízes são usadas na medicina tradicional da Rússia e da Escandinávia. Um estudo publicado em 2007 mostrou que pacientes com depressão leve a moderada que tomaram um extrato de radiola apresentaram menos sintomas de depressão do que os que tomaram placebo.[15] Um pequeno estudo com seres humanos realizado na UCLA e publicado em 2008 relatou melhora significativa em dez pessoas com ansiedade generalizada que tomaram um extrato dessa planta por dez semanas.[16] Portanto, vá em frente e experimente: comece com 100 miligramas uma vez ao dia durante uma semana e aumente a dose em 100 miligramas a cada semana até chegar a 400 miligramas por dia. Procure produtos que contenham 2% a 3% de rosavina e 0,8% a 1% de salidrosida.

## CURCUMINA

Eu já escrevi muito sobre a curcumina — que chamei de medicamento milagroso — no meu blog. A literatura médica que analisa a eficácia da curcumina (o mais ativo polifenol presente na cúrcuma, um tempero indiano) aumenta a cada dia, com mais de sete mil estudos publicados. A curcumina é um agente terapêutico usado para vários problemas de saúde e também um anti-inflamatório natural. Além disso, é um poderoso agente antioxidante e neuroprotetor, um modulador hormonal e neuroquímico e um amigo do nosso genoma.[17] A menos que você use muita cúrcuma na cozinha, experimente a forma de suplemento: 500 a 1.000 miligramas duas vezes ao dia.

PROBIÓTICOS

Com seu novo protocolo alimentar, você vai obter uma grande quantidade de probióticos naturais (e também de prebióticos, como amido resistente e fibra, os alimentos preferidos das bactérias benéficas), mas não custa nada acrescentar mais probióticos na forma de suplemento. As cepas que demonstraram influenciar o sistema imunológico são *L. paracasei, L. rhamnosus, L. acidophilus, L. johnsonii, L. fermentum, L. reuteri, L. plantarum, B. longum* e *B. animalis*. As mais estudadas quanto às suas propriedades anti-inflamatórias são *L. paracasei, L. plantarum* e *P. pentosaceus*. Estudos demonstraram que algumas dessas cepas podem ter efeitos semelhantes aos dos fármacos.[18] As cepas dos gêneros *Bifidobacterium* e *Lactobacillus* têm um papel emergente no tratamento psiquiátrico e estão disponíveis em produtos comerciais. Procure probióticos de excelente qualidade que contenham uma variedade de cepas aos bilhões (veja a página de Recursos no meu site). Tome diariamente na dose especificada no rótulo.

## Se você estiver tentando parar de tomar um ISRS

Vou falar mais detalhadamente sobre esse protocolo no Capítulo 10, mas recomendo enfaticamente que você analise a possibilidade de tomar um suplemento de aminoácido de amplo espectro, bem como um suplemento de triptofano ou 5-HTP de excelente qualidade. Como são necessárias mais pesquisas para definir a dose ideal, seria bom começar com 500 miligramas por dia de triptofano tomadas junto com um carboidrato simples (uma fatia de maçã ou bolacha sem glúten) em jejum e ir aumentando a dose até atingir 3 gramas por dia, se necessário. Em relação à dose de 5-HTP, pode começar com 50 miligramas três vezes ao dia e ir aumentando até chegar a 200 miligramas três vezes ao dia, também em jejum. A tirosina, um aminoácido complementar, é importante se você já estiver tomando triptofano ou 5-HTP durante algumas semanas (1.500 miligramas de duas a quatro vezes por dia antes das refeições). Inositol, PharmaGaba e Phenibut também podem ser agentes calmantes de grande ajuda nesse período. Segundo a minha experiência, aminoácidos específicos só são necessários durante a retirada do medicamento.

## Se você estiver pensando em tomar hormônios bioidênticos

Se você sabe que a intensidade ou a frequência de seus sintomas estão relacionados com o seu ciclo menstrual, comece tomando maca e passe para vitex (*Vitex agnus castus*). A maca, uma raiz pertencente à família do rabanete, é cultivada nas montanhas do Peru; é conhecida também como ginseng peruano. Os benefícios da maca são conhecidos há muito tempo. A raiz era valorizada em todo o império inca por suas qualidades adaptogênicas que lhe permitem nutrir e equilibrar nosso delicado sistema hormonal e nos ajudar a lidar com o estresse. Além de ser um estimulante natural, sem os efeitos adversos da cafeína, ela pode auxiliar na função reprodutiva, ajudando a equilibrar os hormônios e aumentando a fertilidade. A maca é geralmente é vendida em pó. Para minhas pacientes, eu recomendo um produto gelatinizado da Natural Health International e estabeleço a dose de acordo com as recomendações do rótulo, com ótimos resultados.

### *Vitex (Vitex agnus-castus)*

O vitex tem sido amplamente usado pelos herboristas europeus e americanos para tratar acne, problemas digestivos, irregularidades menstruais, tensão pré-menstrual (TPM) e infertilidade, bem como para reforçar a lactação. Vitex é uma planta decídua nativa dos países da Europa, do Mediterrâneo e da Ásia central. Seus frutos são usados há séculos para fins medicinais. Graças à sua capacidade de promover o equilíbrio hormonal, é excelente auxiliar natural para combater problemas relacionados ao ciclo menstrual, de ciclo irregular à menopausa.[19,20,21] A dose convencional é de 150 a 250 miligramas contendo 30 a 40 miligramas de extrato dos frutos secos.

## Inositol

Quando as irregularidades menstruais são causadas por desequilíbrios glicêmicos (pense na síndrome do ovário policístico), o mio-inositol, uma molécula de carboidrato, é polivalente. Ele melhora a sensibilidade à insulina, reduz os hormônios masculinos (em doses diárias de 2 a 4 gramas) e tem sido estudado para tratamento de sintomas de ansiedade e transtorno obsessivo-compulsivo (em doses diárias de 12 a 18 gramas).[22,23,24] Existem algumas evidências de que a combinação de mio-inositol e d-quiro-inositol, em uma proporção de 40:1 é bastante eficaz para o reequilíbrio hormonal.[25]

## APARELHOS DE SUPLEMENTAÇÃO

Apesar de estar mais interessada em descobrir a causa primordial do que chamamos de depressão e ansiedade, quadros desencadeados por intolerâncias alimentares, desequilíbrio glicêmico, tireoidite autoimune, deficiências nutricionais e estresse, eu sempre apresento às minhas pacientes opções alternativas para um alívio mais imediato dos sintomas. Há muitos anos receito o estimulador elétrico craniano da Fisher Wallace,* um aparelho que gera corrente alternada de baixa intensidade e que é transmitida através do crânio (não tenho nenhuma relação comercial com essa empresa). Eu o considero um dispositivo de meditação. Aprovado pelo FDA em 1979, seu funcionamento se baseia na premissa de que somos seres energéticos e de que o corpo pode se recalibrar de diferentes formas. Recomenda-se usá-lo durante vinte minutos duas vezes ao dia para promover atividade de ondas alfas e modular os neurotransmissores,

---

* O estimulador elétrico Fisher Wallace é um aparelho de neuroestimulação aprovado pelo FDA (Food and Drug Adminstration) e sua comercialização é feita nos Estados Unidos desde 1990. No Brasil, o equipamento possui registro na Anvisa e pode ser comercializado para depressão, ansiedade, insônia e dor crônica. Diversos estudos científicos foram feitos comprovando a eficácia e segurança do Estimulador Fisher Wallace. O aparelho pode ser usado em conjunto com medicamentos. (N. do R.)

as endorfinas e o cortisol.[26] Minhas pacientes que experimentaram costumam usá-lo durante três semanas e depois conforme a necessidade.

Com mais de 160 estudos com seres humanos publicados, inclusive relatos de resultados positivos de 23 estudos randomizados e controlados, é curioso que eu nunca tenha ouvido falar da existência desse tratamento de baixíssimo risco durante a década da minha formação médica. Um estudo publicado em 2014 apresentou novas evidências: dois cientistas realizaram um estudo clínico randomizado, duplo-cego e controlado por placebo com duração de cinco semanas para testar a eficácia da eletroestimulação craniana no tratamento de vários transtornos de ansiedade e depressão no contexto de atendimento primário à saúde.[27] Em questão de semanas, 83% dos pacientes tiveram redução de mais de 50% dos sintomas de depressão em relação aos controles. E 82% dos pacientes que sofriam de ansiedade tiveram o mesmo alívio. Consulte a seção de Recursos para obter informações sobre como comprar esse aparelho.

Outro aparelho que recomendo às minhas pacientes, sobretudo para as que sofrem de insônia, é uma "caixa de luz". Como o corpo tem seu próprio relógio interno, programado pelos ciclos de dia e noite, a melhor maneira de ajustar um relógio corporal desregulado é se expondo à luz do sol pela manhã. Essa estratégia está diretamente relacionada com a nossa fisiologia. Receptores localizados atrás dos olhos captam a luz e enviam mensagens ao cérebro para recalibrar o nosso relógio. As caixas de luz produzem uma luz artificial que imita a luz do sol sem emitir radiação ultravioleta. Eles são projetados para produzir comprimentos de onda de luz perfeitos (que atingem o pico na faixa de comprimento de onda do "azul", ou 460 nanômetros) com a luz dirigida aos olhos em ângulo para maior efeito. Consulte a página de Recursos no meu site para obter mais informações sobre caixas de terapia de luz.

> ## O PODER DO GARGAREJO
>
> O dr. Datis Kharrazian, neurologista funcional e autor do livro *Why Isn't My Brain Working?* , sintetizou os resultados de um grande número de estudos e propôs soluções inovadoras para o tratamento de distúrbios cognitivos e doenças degenerativas. Uma de suas recomendações para ativar o nervo vago, promover a harmonia entre o intestino e o cérebro e melhorar a motilidade intestinal é simples e eficaz: encha um copo de água e faça gargarejos vigorosos até começar a lacrimejar. Faça isso varias vezes ao dia.

## Equipe de apoio

Eu acredito que o médico tem obrigação de falar sobre os instrumentos de autocura com seus pacientes, mas acredito também que os pacientes precisam montar a sua própria equipe de apoio. Eu defendo o emprego de equipes multidisciplinares e sempre encaminho minhas pacientes a outros profissionais de saúde. Muitas delas obtiveram melhoras fantásticas com o auxílio de terapeutas craniossacrais, especialistas em neurorretroalimentação e acupunturistas, bem como modalidades de medicina energética, como musicoterapia, trabalho corporal e homeopatia.

Eu acredito que a medicina energética é a medicina do futuro.

Todas as formas de cura ao longo da história levavam em consideração a mente, o corpo e o espírito. A ciência está recuperando o terreno, e a física quântica já começou a explicar a capacidade informativa da energia subatômica, as limitações da quantificação e a relevância dos sistemas e redes. A medicina energética reconhece que a nossa existência neste planeta pode ser atribuída fundamentalmente a forças invisíveis e mal compreendidas. Essas forças podem ser despertadas e exploradas para a cura espontânea. Como disse Allan Watts, grande filósofo do século XX, a palavra chinesa para natureza significa aquilo que acontece por si só. A natureza não pode ser comandada ou forçada a obedecer, sem consequências. A medicina energética não se baseia em crenças falíveis sobre biologia nem no último grande estudo, tampouco na tendência reinante de combate às doenças. Ela se baseia simplesmente nos dons de agentes de cura que conseguem destravar o potencial natural do corpo. Simples, elegante e poderosa, ela nos coloca de volta em contato com nossos impulsos mais fundamentais — ou seja, chi, prana, shatki, ou seja qual for o termo que usamos para descrever essa força vital inegável que infunde vida ao nosso corpo e clareza e serenidade à nossa mente.

## Na noite da anterior

Respire fundo. Eu lhe dei uma grande quantidade de informações até agora. Você aprendeu mais sobre os hábitos de uma mulher que experimenta uma "sensação de bem-estar natural" do que a maioria dos médicos e psiquiatras nos dias de hoje. Se ainda não começou a efetuar algumas das mudanças que recomendei, poderá fazê-lo agora. No próximo capítulo, você vai seguir um programa de quatro semanas elaborado com o objetivo de mudar a sua alimentação e devolver o seu bem-estar físico e mental. Você se sentirá cheia de energia e vitalidade, tanto física como emocionalmente. Todas nós sonhamos com isso, e você está muito mais perto de alcançar esse sonho do que imagina.

Promover mudanças no estilo de vida, por menores que sejam, pode parecer muito difícil no início. Você se pergunta como vai fazer para não retomar seus hábitos antigos. Será que vai sentir privação, fome? Será que achará impossível manter para sempre esses novos hábitos? Será que esse programa é viável, tendo em vista o tempo de que você dispõe e os compromissos que já assumiu? Será que um dia essas diretrizes se tornarão mais naturais?

Este programa é a resposta. Trata-se de uma estratégia simples, clara, estruturada e adaptável que respeita suas preferências pessoais e seu direito de escolha. Você terminará meu programa de quatro semanas munida de conhecimentos e inspirada a permanecer na trilha da saúde para o resto da vida. Quanto mais você seguir minhas diretrizes, mais rápido obterá resultados. Saiba que este programa oferece muitos benefícios, além dos benefícios físicos aparentes. Talvez sua prioridade seja acabar com a depressão, mas as recompensas não param por aí. Você vai observar mudanças em todas as áreas da sua vida. Você se sentirá mais confiante e com maior autoestima, mais jovem e mais no controle da sua vida e do seu futuro. Será capaz de atravessar períodos estressantes com facilidade, ficará motivada a permanecer ativa e a se relacionar com outras pessoas e se sentirá mais realizada na vida pessoal e profissional. E o seu sucesso trará mais sucesso. Quando sua vida se tornar mais rica, mais plena e mais energizada em consequência de seus esforços, você não terá vontade de retomar seus antigos hábitos nocivos. Você sabe que consegue. Você tem de fazer isso, por si mesma e por seus entes queridos. As recompensas – e as possíveis consequências calamitosas se não fizer isso – são imensas.

Portanto, prepare-se para o próximo capítulo da sua vida. Para "reiniciar" o seu corpo, algo que você achou que era impossível; para superar todas as expectativas em relação à sua experiência de vida. Prepare-se para mudar e observar essas mudanças.

Para começar, na noite anterior ao início do programa de trinta dias, reserve dezenove minutos para fazer o seguinte exercício. Trata-se de um *kryia* (uma série de yoga) que poderá "desentulhar" a sua mente e lhe dar a energia necessária para seguir em frente.* Leia as instruções uma vez e use um *timer* para cronometrar cada uma das três partes. O exercício é o seguinte:

**Primeira parte:** sente-se numa posição confortável (no chão com as pernas cruzadas ou numa cadeira com os pés apoiados no chão), com a coluna ereta e os olhos fechados. Coloque as mãos sobre os joelhos e toque a ponta do dedo indicador na ponta do polegar (isso se chama Gyan Mudra). Inspire longamente com a boca formando um círculo. Em seguida, feche a boca e solte lentamente todo o ar pelo nariz. Repita essa parte do exercício por sete minutos.

**Segunda parte:** inspire e prenda a respiração confortavelmente. Enquanto estiver prendendo a respiração, medite sobre o zero. Pense consigo mesma: "Tudo é zero; eu sou zero; cada pensamento é zero; minha dor é zero; esse problema é zero; essa doença é zero". Medite sobre todos os seus problemas físicos, mentais ou emocionais negativos e, à medida que eles forem surgindo em sua mente, reduza cada um deles a zero – um único ponto de luz, uma insignificante inexistência. Solte o ar e repita essa parte do exercício durante sete minutos, respirando num ritmo confortável.

---

* Este e outros exercícios podem ser encontrados em: <http://www.spiritvoyage.com> e <http://www.yogibhajan.org>.

**Terceira parte:** pense naquilo que você mais deseja para ser feliz. Resuma numa única palavra, como "riqueza", "saúde", "relacionamento", "orientação", "conhecimento", "sorte". Visualize as diversas facetas dessa palavra. Sinta como seria alcançar esse desejo na sua vida agora. Inspire e prenda a respiração enquanto reflete longamente sobre isso. Solte a respiração, conforme precisar, e repita esse exercício por cinco minutos.

**Para finalizar:**
Inspire e chacoalhe delicadamente os ombros, os braços e a coluna. Em seguida, erga os braços, abra bem os dedos e respire profundamente algumas vezes.

Agora você está pronta para virar a página...

## CAPÍTULO 10

# Quatro Semanas para uma Sensação de Bem-estar Natural

*Programa de 30 dias*

---
Bem-vinda ao seu novo eu.

---

Em junho passado, uma mulher que vou chamar de Jane me enviou um e-mail do exterior, onde vivia com o marido e os quatro filhos (menores de 10 anos!). O e-mail dizia o seguinte:

> Eis o meu dilema [...]. Em outras circunstâncias eu simplesmente "aguentaria calada", mas meus problemas estão afetando gravemente minha qualidade de vida. Tenho tireoidite de Hashimoto há muitos anos, e sofro de ansiedade há mais tempo ainda. Desde 2011, quando tratei uma infecção por H. pylori, tenho fortes sintomas gastrintestinais. Desenvolvi intolerância ao glúten, mas o fato de eliminá-lo da minha alimentação não fez com que meus problemas de distensão abdominal, desconforto, cansaço etc., desaparecessem. Tomo anticoncepcional oral para controlar minha síndrome pré-menstrual (SPM), que começou a ser particularmente problemática depois do nascimento dos meus filhos. Quando minha ansiedade piorou e passei a ter problemas graves de insônia, consultei um psiquiatra. Ele me receitou Zoloft, que tomei durante anos. Eu engordei, apesar de correr de 25 a 40 km por

*semana (as corridas me ajudaram muito).* Mudei o medicamento para Pristiq, que tomei durante uns três meses, mas não gostei. Na maior parte do dia eu ficava nervosa, tonta e suava muito. Não tomo mais esses medicamentos. Não sei até que ponto eles fizeram alguma diferença.

A experiência de Jane é a mesma de muitas outras mulheres que me procuram desesperadas, em busca de cura. Poucas semanas depois de me enviar esse e-mail ela foi ao meu consultório, e eu lhe prescrevi um protocolo que tinha certeza de que produziria resultados no prazo de um mês. Trata-se do mesmo protocolo que apresento neste capítulo. Vou guiá-la passo a passo ao longo das próximas quatro semanas para ajudá-la a colocar em prática o que você aprendeu comigo neste livro — independentemente do tipo de diagnóstico psiquiátrico que você tenha ou espera evitar. Você aprenderá a efetuar as mudanças de estilo de vida que precisa fazer no seu dia a dia.

Talvez você esteja apavorada, com medo de ter de se privar de seus alimentos preferidos. Sei que algumas pessoas terão muita dificuldade de deixar de comer pão, macarrão, *pizza*, tortas, bolos e a maioria das sobremesas (entre outras coisas). Em geral, a primeira pergunta que me fazem é: O que eu vou *comer?* Sem se lembrar que futuramente você poderá ficar livre da medicação (depois de trinta dias; consulte a página 277), pode ser que esteja se preocupando com o fato de ter de deixar de consumir açúcar e farinha de trigo. E se você sentir uma necessidade incontrolável de ingerir carboidratos? Talvez ache que sentirá desejos intensos, que não conseguirá resistir, além de temer a reação do organismo a uma mudança radical na alimentação. Se você não tem força de vontade, talvez esteja se perguntando se isso é de fato viável.

Sim, tudo isso é possível. Basta que você dê o pontapé inicial. Tenho certeza de que depois de alguns dias ou de umas duas semanas você sentirá menos ansiedade, dormirá melhor e terá mais energia. Você se sentirá mais leve e mais capaz de lidar com os estresses diários. Com o tempo, provavelmente você perderá os quilos indesejados, e exames laboratoriais específicos mostrarão uma grande melhora em muitos de seus parâmetros bioquímicos.

Consulte o seu médico antes de começar este programa, sobretudo se tiver problemas graves de saúde, como diabetes. Isso é especialmente importante se você decidir optar por algumas das minhas estratégias "turbinadas", como enema de café ou argila bentonítica. Se você toma medicamentos e espera poder largá-los, siga os primeiros trinta dias do programa e eu lhe darei mais instruções na página 279.

Durante o próximo mês você atingirá quatro metas importantes:

1. Adotar uma nova maneira de nutrir o seu corpo com os alimentos que ingerir.
2. Livrar a sua casa e o seu ambiente das substâncias tóxicas.
3. Incorporar uma prática meditativa diária à sua vida, para estimular uma resposta de relaxamento natural do corpo e preparar o terreno para uma transformação duradoura.
4. Priorizar uma rotina de sono reparador e exercícios adequados durante toda a semana.

Eu dividi o programa em quatro semanas, cada uma delas dedicada a uma dessas metas, para que você possa estabelecer um novo ritmo e manter esses hábitos saudáveis por toda a vida. Alguns dias antes de começar o programa, consulte o médico e peça-lhe para solicitar os exames que recomendei no Capítulo 9, a fim de definir seus valores iniciais. Aproveite esse período também para organizar sua cozinha e começar a diminuir a ingestão de produtos que contenham açúcar e farinha de trigo e substituí-los por alimentos integrais.

Na primeira semana, "Desintoxicação Alimentar", você vai começar a seguir o meu cardápio e minhas recomendações nutricionais, que manterá durante os trinta dias do programa.

Na segunda semana, "Desintoxicação Doméstica", você vai eliminar as substâncias tóxicas da sua casa e do seu ambiente e experimentar algumas estratégias de desintoxicação, como escovação da pele e enema de café.

Na terceira semana, "Paz de Espírito", você vai estabelecer uma rotina diária de meditação para ativar a resposta de relaxamento natural do seu corpo. Você vai acabar cultivando esse hábito por toda a vida.

Na quarta semana, "Movimento e Sono", você vai iniciar um programa regular de exercícios, se é que já não o fez. Vou lhe dar algumas ideias para se movimentar mais durante todo o dia. Além disso, vou lhe pedir para se concentrar em seus hábitos de sono e seguir algumas diretrizes fáceis para dormir melhor todos os dias, inclusive nos fins de semana.

Eu vou ajudá-la a reunir todos os elementos deste programa e a incorporar de modo permanente esses novos hábitos à sua vida. Não subestime a sua capacidade de obter êxito; este é um programa prático e fácil de seguir.

## Prelúdio à primeira semana: preparação

### Defina seus valores iniciais.

Antes de começar o programa alimentar, faça os seguintes exames laboratoriais, além das análises rotineiras de sangue e urina, se possível. Consulte as informações fornecidas no Capítulo 9 para saber quais são os níveis e resultados desejáveis.

- TSH, T3 livre, T4 livre. *Você tem problemas de tireoide?*
- Anticorpos antitireoidianos, T3 reverso.
- Variante do gene MTHFR. *Você tem uma mutação?*
- Vitamina $B_{12}$, homocisteína. *Você tem deficiência de vitamina $B_{12}$?*
- Proteína C reativa ultrassensível. *Quais são seus níveis de inflamação?*
- Hemoglobina glicada (A1C). *Como estão seus níveis de glicose sanguínea?*
- Vitamina D. *Você tem deficiência de vitamina D?*

Depois que concluir o programa de quatro semanas, você poderá fazer um exame de fezes para ver se tem algum desequilíbrio no microbioma intestinal. Faça também uma análise de cortisol salivar e, se for o caso, uma análise dos ácidos orgânicos na urina, dependendo das suas circunstâncias pessoais. Se os exames iniciais revelarem que você tem deficiência de vitaminas, comece a tomar suplementos desde o primeiro dia. Caso contrário, espere até o início da terceira semana para iniciar a suplementação. É nesse ponto que você vai começar a incorporar os suplementos básicos (relacionados abaixo) ao seu cardápio diário. Após os trinta dias do programa, você vai personalizar o seu esquema com suplementos adicionais (também relacionados abaixo) conforme a necessidade.

## Limpeza da cozinha

Antes de começar seu novo programa de alimentação, quero que você elimine da sua cozinha tudo o que não vai comer mais. Comece removendo o seguinte:

- Todas as fontes de glúten (ver lista completa nas pp. 158-60), inclusive pães integrais e multigrãos, macarrão, bolos, massas e cereais.
- Todas as formas de carboidrato processado, açúcar e alimentos embalados: salgadinhos tipo *chips*, bolachas, biscoitos, *cookies*, massa de *pizza*, bolos, *donuts*, doces de todos os tipos, balas, barras energéticas, sorvete/*frozen* iogurte/*sorbet*, geleias, gelatinas, *ketchup*, queijos cremosos, sucos, frutas desidratadas, bebidas energéticas, refrigerantes, frituras, açúcar (branco e mascavo) e xarope de milho.
- Margarina, gordura vegetal e marcas comerciais de óleo de cozinha (soja, milho, algodão, canola, amendoim, cártamo, sementes de uva, girassol, arroz e germe de trigo), mesmo que sejam orgânicos.
- Laticínios (inclusive manteiga, leite, iogurte, queijo, creme de leite e sorvete) e soja (inclusive leite, queijo, hambúrguer, salsicha, sorvete, iogurte e molho de soja, e qualquer produto que tiver "proteína isolada de soja" na lista de ingredientes).

Em seguida, reabasteça a cozinha. Você pode consumir à vontade os produtos mencionados a seguir (sempre que possível, prefira produtos orgânicos produzidos na sua região).

- **Gorduras saudáveis:** azeite de oliva extravirgem, óleo de coco virgem orgânico, azeite de dendê, *ghee* orgânico, óleo de linhaça, óleo de macadâmia, abacate, coco, azeitona, castanhas e pastas de castanhas, banha de porco, sebo bovino e sementes (linhaça, girassol, abóbora, gergelim e chia).

- **Ervas aromáticas, temperos e condimentos:** praticamente não existem restrições às ervas e temperos, contanto que sejam frescos, orgânicos e isentos de aditivos e corantes artificiais. Jogue fora o *ketchup* e qualquer condimento que contenha glúten, soja e açúcar ou que tenha sido processado numa fábrica junto com trigo e soja. Pode comer mostarda, raiz-forte, patê de azeitona (*tapenade*), guacamole e molho de tomate, desde que não contenham ingredientes processados.
- **Frutas e verduras frescas:** veja as listas no Capítulo 6.
- **Proteína:** ovo caipira; peixe selvagem; mariscos e moluscos. Carne de vaca, aves e porco; carne de caça (veja as listas no Capítulo 6).

## Primeira semana:
### desintoxicação alimentar

Agora que sua cozinha está em ordem, chegou a hora de aprender a preparar suas refeições. Na página 261, você encontrará o cardápio da primeira semana; ele servirá de modelo para o planejamento das refeições das três semanas restantes. Ao contrário das outras dietas, essa não lhe pedirá para contar calorias, restringir a ingestão de gordura nem se preocupar com o tamanho das porções. Você vai comer até se sentir saciada, e o controle das porções ocorrerá naturalmente. Preste atenção aos horários em que sentir fome, e você verá que o seu apetite vai mudar ao longo das semanas. O bom é que esse tipo de dieta é extremamente autorregulada — você não vai comer demais, mas ao mesmo tempo ficará saciada por várias horas.

Quando seu organismo é movido principalmente a açúcar, ele é guiado pela montanha-russa da glicose e da insulina, que desencadeia uma fome intensa quando os níveis de glicose no sangue caem, seguida por uma sensação de saciedade passageira. Uma dieta com baixo teor de açúcar e com alto teor de gorduras produzirá o efeito contrário. Quando o organismo recebe uma fonte de energia estável, mais limpa e mais eficiente, ele elimina a compulsão alimentar e previne a confusão mental de final da tarde que pode ocorrer com dietas à base de açúcar. Isso lhe permitirá controlar automaticamente as calorias sem pensar, queimar mais gordura, deixar de comer apenas por comer (aquelas 500 calorias extras diárias que muita gente consome inconscientemente para controlar o caos glicêmico) e melhorar sem esforço o desempenho geral do organismo. Quando o pâncreas não é forçado a produzir insulina extra constantemente, as pessoas que têm problema de peso perdem rapidamente os quilos extras. Diga adeus ao mau humor, à sensação de confusão mental, lentidão e cansaço ao longo do dia. E dê as boas-vindas ao seu novo eu.

A única diferença entre esse mês e os restantes é que você vai eliminar também todos os laticínios, cereais (exceto quinua e trigo-sarraceno), o arroz branco, a batata-inglesa, o milho e o feijão. Na página 275, vou ensiná-la a reintroduzir esses alimentos com moderação. Convém fazer um diário alimentar durante o programa. Tome nota das receitas que forem do seu agrado e dos alimentos que você acha que ainda estão causando problemas (por exemplo, sintomas de dor articular ou confusão mental toda vez que come pimentão).

Evite comer fora durante as duas primeiras semanas, para que possa seguir à risca o protocolo alimentar. Assim você saberá o que pedir quando, mais tarde, for a um restaurante. As duas primeiras semanas vão ajudar a acabar com suas compulsões alimentares, para que você fique menos tentada ao ler um cardápio repleto de pratos que produzem alterações do humor.

Na primeira semana, procure dominar seus novos hábitos de alimentação. Use minhas receitas, inclusive minha sugestão de cardápio para uma semana, ou monte seu próprio cardápio, contanto que siga as diretrizes do programa. Se você seguir meu cardápio para a primeira semana, depois será moleza elaborar suas próprias refeições.

Se seu tempo for curto e você não tiver acesso a uma cozinha, como costuma acontecer na hora do almoço, faça uma marmita. Tenha sempre na geladeira alguns pratos preparados com antecedência, como frango assado ou grelhado, salmão cozido, caldo de ossos ou tiras de contrafilé grelhadas. Convém também ter sempre à mão latas de sardinha e pequenas porções de castanhas e sementes. Prepare uma salada de folhas verdes e verduras cruas picadas, acrescente carne, peixe ou um ovo, tempere com um pouquinho de azeite e leve com você. E não se esqueça das sobras. Você pode preparar muitas das receitas no fim de semana (dobrando as porções), assim terá várias refeições prontas ao longo da semana.

## O que beber: somente água pura filtrada durante os próximos trinta dias

Beba diariamente 33 ml de água para cada quilo de peso corporal. Se você pesa 70 kg, beba cerca de 2,30 litros de água por dia, mais ou menos nove copos de 250 ml de água pura (não da torneira!). Nada de álcool, café, chá, refrigerante ou suco de frutas. Algumas pessoas podem precisar largar gradativamente as bebidas que contêm cafeína, como café, tomando quantidades decrescentes de variedades orgânicas e descafeinadas uma semana antes de iniciar o programa. Depois disso, só água, água e mais água, porque todas as outras bebidas, inclusive os chás, têm efeitos diuréticos e substituem a ingestão vital de água. Depois de trinta dias, você poderá reintroduzir o álcool, o café e o chá (veja a p. 276). Recomendo que comece o dia com dois copos de água. Se quiser, misture uma colher de sopa de vinagre de maçã, por seus efeitos acidificantes, um recurso nutricional importante no tratamento da depressão, de acordo com o dr. Gonzales. Depois, beba um copo cheio de água entre as refeições.

Na última década, houve uma grande mudança na variedade de alimentos oferecidos pelos supermercados. Se você mora numa área urbana, por exemplo, é bem provável que consiga comprar qualquer tipo de ingrediente num raio de poucos quilômetros, seja no supermercado em que você costuma fazer compras, que provavelmente tem uma boa seleção de produtos orgânicos, ou numa feira de produtores rurais. Conheça os vendedores; eles podem lhe dizer quais são os produtos mais fresquinhos e qual é a sua procedência. Escolha produtos da estação e experimente novos alimentos, como vegetais fermentados e sardinhas em conserva (se você gosta de atum em lata, garanto vai adorar!). Sempre que possível, compre produtos orgânicos ou selvagens. Priorizar a qualidade e não o preço tem benefícios incalculáveis. Quando tiver dúvida, pergunte ao vendedor.

Ao eliminar alimentos viciantes, como álcool, açúcar, carboidratos refinados e laticínios, você terá a oportunidade de assumir uma postura totalmente diferente em relação aos alimentos. Você não ficará mais à mercê de suas compulsões alimentares, não usará mais a comida como uma forma de punição e recompensa nem pensará nela o dia todo. Quando você comer, vai achar a comida saborosa, ficará saciada, uma vez que será profundamente nutrida, e se sentirá estável. É exatamente isso que ela deve fazer!

O que é que poderia sabotar o mês inteiro? Eu sou bastante radical nessa primeira fase, pois não há nada pior do que resultados ambíguos. Ninguém quer passar trinta dias fazendo dieta e, no final, não obter os resultados esperados. Escolha um período de trinta dias em que tenha mais probabilidade de obter êxito. Uma boa época do ano pode ser entre janeiro e abril, pois muita gente tem menos compromissos nesses meses. Se você não resistir e comer certos alimentos, sobretudo glúten e laticínios (inclusive molho de soja e manteiga, por exemplo), terá que começar tudo de novo. Portanto, se for a um restaurante, faça de conta que é celíaca e intolerante à lactose e pergunte ao garçom quais são as opções de pratos sem glúten e sem produtos lácteos. Hoje em dia a maioria dos restaurantes já se adaptou a essas restrições. Essa é uma excelente maneira de saber se o restaurante é bom: aqueles que respeitam essas intolerâncias alimentares geralmente também se preocupam mais em servir produtos frescos e de boa qualidade. Segundo a minha experiência, se você comer um pouquinho ou até mesmo uma porção de milho, soja, feijão ou arroz, ou até mesmo beber uma taça de bebida alcoólica, não terá de voltar à estaca zero, mas faça o possível para evitar isso.

## Lanches

Como as refeições do meu cardápio satisfazem plenamente e estabilizam a glicose no sangue, é provável que você não vai ficar faminta entre as refeições depois dos primeiros dez ou quatorze dias. Mas saiba que você pode fazer um lanche sempre que precisar. Aqui estão algumas sugestões:

- Um punhado de castanhas e/ou sementes cruas (de preferência germinadas, mas nada de amendoins).
- Alguns quadradinhos de chocolate amargo que não contenha açúcar branco (como o chocolate com pelo menos 70% de cacau).

- Verduras cruas picadas (como pimentão, brócolis, pepino e rabanete) mergulhadas em guacamole, patê de azeitona (*tapenade*) ou pasta de castanha.
- Fatias de peito de peru, peito de frango ou rosbife mergulhados na mostarda.
- Metade de um avocado com azeite, limão, sal e pimenta-do-reino.
- Dois ovos quentes.
- Frutas vermelhas com leite de coco (integral e sem adição de açúcar).
- Caldo de ossos.
- Carne seca orgânica.
- Vegetais lactofermentados.
- Algas marinhas (de preferência do Atlântico).

## Sugestão de cardápio
### para uma semana

Este é um cardápio para uma semana típica. As receitas estão destacadas em negrito; a seção de receitas começa na página 290. Observação: você pode usar azeite extravirgem, *ghee* orgânico ou óleo de coco virgem para refogar; evite óleos processados e óleos de cozinha em aerossol, a não ser que sejam feitos de azeite de oliva orgânico. O mais importante nos primeiros trinta dias é excluir todos os cereais (principalmente os que contêm glúten), leite e derivados, açúcares processados, soja e milho. Evite também batata-inglesa e arroz branco durante esse período. Mais adiante, vou lhe mostrar como reintroduzir esses alimentos na sua dieta.

Lembre-se de beber dois copos de água filtrada ou mineral antes de cada refeição, e também ao longo do dia, entre as refeições. Eu adoro começar o dia tomando um copo de solução de salmoura feita com sal do Himalaia, por causa do seu conteúdo mineral (veja como prepará-la na p. 290). Experimente!

## Segunda-feira

- Café da manhã: 2 ovos caipiras poché com espinafre refogado no azeite e com uma pitada de sal + 2 tiras de bacon orgânico + 1 xícara de tubérculo cozido (como batata-doce, cenoura ou beterraba) com *ghee*, um pouquinho de limão e sal marinho.
- Almoço: frango orgânico ou peixe selvagem assado com guarnição de salada de folhas e hortaliças refogadas com *ghee* e alho.
- Jantar: batata-doce com **Molho de Carne Moída** (p. 290) + brócolis e aspargos cozidos no vapor e temperados com sal e azeite.
- Sobremesa: uma fruta regada com um pouquinho de mel.

## Terça-feira

- Café da manhã: *Smoothie* **KB** (p. 291).
- Almoço: carne bovina orgânica (ao ponto) com salada de hortaliças frescas.
- Jantar: **Frango ao** *Curry* (p. 292) acompanhado de quinoa e hortaliças assadas à vontade.
- Sobremesa: 2 ou 3 quadradinhos de chocolate amargo.

## Quarta-feira

- Café da manhã: *Musli* **de Sementes** (p. 292) + 1 ovo cozido duro (opcional) temperado com azeite, sal marinho e umas gotinhas de limão.
- Almoço: sardinhas sem pele e sem espinha (a menos que queira comer a sardinha inteira) com guarnição de chucrute ou kimchi + avocado com sementes de girassol regado com azeite e vinagre de maçã e uma pitada de sal.
- Jantar: **Salmão Cozido** (p. 293), **Arroz de Couve-flor** (p. 294) e abobrinha refogada em óleo de coco, com alho e coentro.
- Sobremesa: **Musse de Abacate com Chocolate** (p. 294) com canela em pó e mel ou *maple syrup* (xarope de bordo).

## Quinta-feira

- <u>Café da manhã:</u> **Panquecas Paleolíticas** (p. 295) com *ghee*.
- <u>Almoço:</u> salada mista com peixe ou frango grelhado.
- <u>Jantar:</u> bife de carne de vaca e tubérculos assados.
- <u>Sobremesa:</u> **Barrinhas de Coco** (p. 295).

## Sexta-feira

- <u>Café da manhã:</u> **Abobrinha com Carne Moída** (p. 296).
- <u>Almoço:</u> **Salada do Chef à Moda da Kelly** (p. 296).
- <u>Jantar:</u> **Costeletas de Cordeiro com Mostarda e Alecrim** (p. 297), acompanhadas de quinoa e couve refogada.
- <u>Sobremesa:</u> **Leite de Coco com Especiarias** (p. 297).

## Sábado

- <u>Café da manhã:</u> *Smoothie* **KB** (p. 291).
- <u>Almoço:</u> rolinhos de presunto (rúcula temperada com limão e azeite envolta em presunto).
- <u>Jantar:</u> **Frango "Frito" da Vovó** (p. 298) com **Arroz de Couve-flor e Coco** (p. 294).
- <u>Sobremesa:</u> **Barrinhas de Castanhas e Mel** (p. 299).

## Domingo

- <u>Café da manhã:</u> 2 ovos caipiras poché com espinafre refogado no azeite e com uma pitada de sal + 2 tiras de *bacon* orgânico + 1 xícara de tubérculo cozido (como batata-doce, cenoura ou beterraba).
- <u>Almoço:</u> **Lasanha de Abóbora** (p. 299).
- <u>Jantar:</u> **Bolo de Carne** (p. 300-01) com **Repolho Roxo com Alcaparras** (p. 300)

- <u>Sobremesa:</u> 2 quadradinhos de chocolate amargo mergulhados em uma colher de sopa de pasta de amêndoa.

O mais importante que você precisa aprender ao iniciar essa nova maneira de se alimentar (e de viver!) é começar a ouvir o seu corpo. Ele sabe o que quer. Quando eliminamos os alimentos processados idealizados para fazer com que nosso cérebro animal fique viciado, começamos a nos alimentar melhor. Há séculos sabemos, por meio de observação prática, que o nosso corpo tem uma inteligência intrínseca, e com mais embasamento científico, desde 1939, quando a dra. Clara M. Davis, pediatra de Chicago, apresentou os resultados surpreendentes de um experimento que demonstrava a sabedoria do corpo. Trata-se de uma atração instintiva por alimentos de que o nosso corpo precisa para nutrir-se. Essa sabedoria nos diz exatamente o que devemos comer, quando devemos comer e o quanto devemos comer. A dra. Davis comprovou sua tese com crianças, pois suspeitava que elas comeriam exatamente os nutrientes de que precisavam se pudessem escolher entre uma grande variedade de alimentos saudáveis. E ela estava certa. Seus achados, publicados no *Canadian Medical Association Journal*, mudaram as recomendações dos pediatras em todos os Estados Unidos.[1] Comer demais por razões emocionais ou compulsão (comer quando você não está com fome para suprir sua carências afetivas) e comer alimentos processados, alterados para fazer com que você coma cada vez mais os alimentos errados, são o que mais atrapalha a sabedoria do seu corpo.

Digamos que você se sente uma nova pessoa depois de um mês de mudança alimentar. Então, um dia, depois de comer um pão — o mesmo pão que vem consumindo há uns trinta anos —, você tem dor de cabeça e não consegue se lembrar da senha do banco. Agora você estabeleceu uma relação linear de causa e efeito que, em outras circunstâncias, teria passado despercebida. Essa nova maneira de se alimentar diz respeito a autoeducação e conscientização.

Ao longo do programa, comece a prestar atenção em seus desejos e preferências por determinados alimentos. Com que frequência você tem vontade de comer carne vermelha? Duas ou três vezes por semana ou todos os dias? Você adora frutas, ou tanto faz? E verduras? Você só come verduras porque elas fazem bem para a saúde ou porque gosta? Se você ouvir o seu corpo, aos poucos vai descobrir qual é a melhor dieta para você, a que mais complementa o seu sistema nervoso e equilibra a sua fisiologia.

> **COMER DE MANEIRA CONSCIENTE**
>
> Como nós participamos da transferência de energia que é a cadeia alimentar, é importante que tenhamos consciência dos alimentos que consumimos. Antes de cada refeição, respire fundo de uma a três vezes com os olhos fechados e expresse gratidão pelo caminho que os alimentos percorreram para chegar até você, para se integrarem no seu ser e mantê-la nutrida.

## Segunda semana: desintoxicação doméstica

No Capítulo 8 eu lhe dei várias ideias para eliminar os agentes tóxicos da sua casa e do seu ambiente. Durante a segunda semana, eu a aconselho a reler esse capítulo e a começar imediatamente a fazer uma limpeza em sua casa. Comece pelo mais fácil: troque os produtos de limpeza, artigos de higiene pessoal, produtos de beleza e cosméticos tóxicos por outros naturais. Pense em como vai atualizar outros itens mais caros, como colchões, móveis e pisos. E coloque algumas plantas dentro de casa, como gérberas e heras para purificar naturalmente o ar. Instale filtros de água nas pias e chuveiros.

Durante essa semana experimente uma ou mais das seguintes opções:

- Escovação da pele seca (consulte a p. 218).
- Enema de café diariamente e dois banhos com sal de Epsom (consulte o quadro da p. 268).
- Argila bentonítica (veja abaixo).

Conhecida também como montmorilonita, a bentonita é composta por cinza vulcânica envelhecida e é uma das argilas com maiores propriedades curativas. Seu nome faz alusão ao maior depósito de argila de bentonita de que se tem conhecimento, localizado em Fort Benton, no estado de Wyoming, Estados Unidos. A argila bentonítica tem a capacidade única de produzir carga elétrica ao entrar em contato com líquidos, o que lhe permite absorver e remover toxinas, metais pesados, impurezas e substâncias químicas. É um ingrediente comum de produtos para desintoxicação e purificação e pode ser utilizada externamente como cataplasma ou máscara de argila, no banho, e em protocolos de cuidados para a pele. Com textura fina e aveludada, ela é inodora e não mancha. Existe bentonita de boa qualidade na forma líquida. para limpeza interna, experimente beber 1 colher de sopa de bentonita líquida diluída em um copo de água quase todos os dias.

### ENEMA DE CAFÉ

Embora possa parecer inusitado, o enema de café não é nenhuma novidade. Há muito tempo ele é usado por médicos e naturopatas para tratar vários tipos de problemas de saúde, como prisão de ventre, desintoxicação hepática, cansaço crônico, insônia e câncer. Na verdade, eu descobri as vantagens do enema de café com o dr. Gonzalez. Ele me mostrou um artigo publicado em 1932 no *New England Journal of Medicine* que descrevia casos de desaparecimento dos sintomas de depressão e psicose, bem como de alta hospitalar, simplesmente graças ao uso de enema de café.[2] Os efeitos da administração de café no reto são radicalmente diferentes dos efeitos da ingestão de café. Alguns dos benefícios dos enemas do café são: quando você introduz café no reto, seus compostos estimulam um reflexo no cólon que auxiliam os processos de desintoxicação do fígado, bem como a secreção de bile, para uma melhor digestão. Esse reflexo é parassimpático, portanto trata-se de uma experiência totalmente distinta da estimulação simpática produzida pela ingestão de café.

Eis como fazer um enema de café básico:

Preparação: numa cafeteira francesa (prensa francesa), coloque 2 colheres de sopa de café orgânico e 1 litro de água filtrada fervente. Deixe descansar por cinco minutos e, depois, pressione o êmbolo. Deixe esfriar à temperatura ambiente até atingir a temperatura corporal (duas a três horas). Encha o recipiente para o enema: uma bolsa de dois litros, um balde de plástico ou aço inoxidável e uma mangueira com braçadeira.

Remoção do ar: retire todo o ar da mangueira segurando a braçadeira, mas sem fechá-la. Coloque a extremidade da mangueira na pia. Segure a bolsa no alto, acima da extremidade da mangueira, até que a água comece a fluir. Em seguida, feche a braçadeira. Dessa maneira, todo o ar da mangueira será expelido.

Lubrificação: lubrifique a extremidade da mangueira com um pouco de óleo de coco.

Posicionamento: deite-se de lado, virada para o lado esquerdo.

Coloque o recipiente em cima de você: com a braçadeira fechada, segure a bolsa cerca de 30 cm acima do seu abdome ou coloque o balde numa pia próxima.

Inserção: insira a extremidade lentamente, com delicadeza, cerca de 30 cm.

Abertura do fluxo: abra a braçadeira e segure a bolsa de enema uns 30 cm acima do abdome. Pode levar alguns segundos para a água começar a fluir. Se sentir cãibra, feche a braçadeira da mangueira, vire de um lado para o outro e respire fundo algumas vezes. A cãibra costuma passa rapidamente.

Retenha a metade do volume da bolsa por dez minutos, depois expulse-o e repita o processo.

Para assistir a um vídeo com instruções passo a passo sobre como fazer um enema, acesse meu site, www.kellybroganmd.com.

Para um período prolongado de desintoxicação, os enemas diários são mais eficazes quanto combinados com banhos de quinze minutos com sal de Epsom e bicarbonato de sódio, duas vezes por semana. Você mesma pode preparar, colocando 1 xícara de bicarbonato de sódio e 1 xícara de sal de Epsom na água do banho.

## Terceira semana: paz de espírito

Depois de duas semanas do protocolo, você deve estar se sentindo um pouco melhor. Você ainda sente vontade de comer doces? Sente-se um pouco mais leve? Com maior clareza mental? Tem menos sintomas de "depressão"?

Tenho duas metas para você esta semana. Uma delas é começar a tomar os suplementos essenciais (veja abaixo) e a outra é fazer meditação diariamente. Consulte as estratégias do Capítulo 7 e descubra qual é a técnica que mais lhe convém, seja fazer três minutos de respiração profunda pela manhã e à noite ou sentar-se em silêncio por onze minutos e evocar sentimentos de gratidão. Experimente fazer uma aula de Kundalini Yoga numa academia perto da sua casa esta semana ou compre um vídeo para fazer em casa. Incorpore essas importantes práticas à sua vida.

### Comece a tomar os suplementos essenciais

Esta semana você começará um esquema diário de suplementos. Todos os suplementos relacionados abaixo podem ser encontrados em lojas de produtos naturais, na maioria das farmácias e supermercados e na internet. Eu gostaria de registrar que não tenho nenhuma relação financeira com nenhuma empresa de suplemento ou de aparelhos de suplementação. Mas, como muitas vezes me perguntam sobre marcas, eu menciono algumas, pois sei que são de boa qualidade e que correspondem às minhas expectativas. Não quero que as pessoas que estão seguindo o meu protocolo comprem produtos de má qualidade inadequada. Eu forneço uma lista de algumas das minhas marcas preferidas em meu site: www.kellybroganmd.com. Fique à vontade para comprar outras marcas, desde que faça seu dever de casa e se informe sobre a qualidade dos ingredientes.

Para mais detalhes sobre esses suplementos, reveja o Capítulo 9. Se tiver alguma dúvida sobre as doses, peça ao seu médico para fazer os devidos ajustes.

- Complexo B (lembre-se de procurar uma vitamina do complexo B que contenha folato na forma de 5-metiltetrahidrofolato e $B_{12}$ na forma de metilcobalamina, hidroxocobalamina ou adenosilcobalamina).
- Um complexo multimineral que contenha magnésio, zinco, iodo e selênio.
- Um ácido graxo que contenha EPA e DHA e outro que contenha GLA (de óleo de prímula).
- Um suplemento glandular adrenal.
- Enzimas digestivas/enzimas pancreáticas.

## Saiba como sair do seu próprio caminho: siga o fluxo

No Capítulo 7, eu descrevi a influência que o livro *The Untethered Soul*, de Michael Singer teve sobre mim. Eu nunca o teria lido se não o tivesse ganhado de presente. Suas belas palavras abriram a minha mente. Nada de unicórnios nem de borboletas, este livro apresenta uma opção realista para a felicidade e liberdade. Todos nós podemos escolher entre deixar-nos levar pelo fluxo ou permanecer num estado de sofrimento crônico marcado por experiências agudas de vitimização e traumas.

Em seu segundo livro, apropriadamente intitulado *The Surrender Experiment*, Singer relata experiências esclarecedoras que afloraram quando ele decidiu se entregar; quando decidiu simplesmente se render à vida e parar de tentar fazer com que ela fosse do jeito que ele queria. Em suas próprias palavras: "As dificuldades criam a força necessária para produzir mudanças. O problema é que em geral usamos todas as energias destinadas a produzir mudanças para resistir a elas. Eu estava aprendendo a me sentar em silêncio em meio aos ventos uivantes e a esperar para ver que ação construtiva me estava sendo solicitada".[3]

Sou uma meio irlandesa, meio italiana de cabeça quente, e essas palavras me ensinaram o que, a partir de então, seria a base do meu trabalho pessoal: observar e esperar que o turbilhão de emoções passe antes de agir. Para muitas de minhas pacientes, isso significa contemplar a angústia, a desesperança e a inquietação e deixar que a onda de emoções flua e reflua. Significa ter neutralidade — assumir a posição de um expectador sem preferências que não participa dos acontecimentos.

Como fazer isso? Neste modelo, você opta por sair do seu próprio caminho ao permitir que o burburinho mental se atrofie — ignorando aquela voz maçante que está incessantemente questionando, criticando, entrando em pânico e tramando.

Você não é esses pensamentos. Você é aquela que testemunha esses pensamentos. Tudo o que você tem a fazer é permanecer aberta àquilo que é colocado no seu caminho e em suas mãos. Aceitar o fluxo. Valorizar o crescimento inesperado que surge da adversidade. Nos momentos de tensão, desconforto ou até mesmo agonia, experimente fazer o seguinte:

- Observe e reconheça seu desconforto.
- Relaxe e libere-o, por mais que sinta uma necessidade de agir. Deixe a energia passar por você antes de tentar consertar alguma coisa.
- Imagine que você está sentada num lugar alto de onde pode contemplar seus pensamentos, emoções e comportamentos de uma maneira distanciada.
- Fique aterrada. Conecte-se com o momento presente — sinta o solo sob seus pés, cheire o ar, imagine que estão brotando raízes da sua coluna e penetrando no solo.

Pratique esse exercício esta semana, leva apenas alguns minutos. Nunca espero que minhas pacientes reduzam o estresse de suas vidas, mas sim que se esforcem para mudar a sua atitude em relação a ele. Que enxerguem e aceitem a sua realidade, para poder mudá-la organicamente quando pararem de lutar contra ela. Que parem de pensar apenas nos resultados. Que batalhem todos os dias para tirar o ego do caminho do espírito.

Peço que minhas pacientes comecem com três minutos. Todo mundo dispõe de três minutos. Esses minutos vão se acumular e fazer com que seja mais fácil atingir as metas da quarta semana.

## Quarta semana: movimento e sono

Se você ainda não faz exercício, está na hora de começar a se movimentar. Se você é sedentária, comece com cinco a dez minutos de "exercício explosivo ou de exaustão" (trinta segundos de esforço máximo e noventa segundos de recuperação) e vá aumentado até atingir vinte minutos pelo menos três vezes por semana. Você pode fazer isso de várias maneiras. Por exemplo, sair para caminhar e alternar a velocidade e o nível de intensidade com um terreno inclinado, usar equipamentos clássicos de academia ou assistir a vídeos *on-line* e fazer os exercícios no conforto da sua casa.

Se você já faz exercícios regularmente, veja se consegue passar a fazer no mínimo trinta minutos por dia pelo menos cinco dias por semana. Talvez você possa experimentar algo novo nesta semana, como fazer aula de dança ou de yoga, ou então pedir ajuda e algumas ideias a uma amiga que adora malhar. Hoje em dia as oportunidades para fazer exercício vão muito além das academias de ginástica tradicionais, portanto não tem desculpa. Para mim, qualquer exercício que você escolher estará bom — mas escolha um! Pegue sua agenda e organize sua atividade física.

Depois que você estiver se exercitando regularmente, poderá incluir diferentes tipos de exercícios em sua rotina diária. Para algumas pessoas repetição é essencial, enquanto para outras o importante é variedade. Eu gosto de variedade e eficiência. Faço uma seção curta de Kundalini Yoga diariamente, uma aula completa uma ou duas vezes por semana, vinte minutos de treinamento de alta intensidade no aparelho elíptico uma vez por semana, uma aula de *hip-hop* por semana e *spinning* uma ou duas vezes por semana. Isso é o bastante para me manter forte!

Nos dias em você não tiver nenhum tempo para se dedicar ao exercício formal, tente incluir algum tipo de atividade física no seu dia. As pesquisas indicam que os benefícios de três séries de exercícios de dez minutos são os mesmos proporcionados por uma única sessão de trinta minutos. Portanto, se um dia você não tiver tempo, divida a rotina em partes menores. Além disso, tente combinar o exercício com outras tarefas. Por exemplo, faça uma reunião com um colega de trabalho enquanto caminha ao ar livre ou então exercícios de alongamento enquanto assiste televisão à noite. Se possível, restrinja ao mínimo o tempo em que passa sentada. Ande enquanto fala ao telefone; use as escadas, em vez do elevador; e estacione o carro longe da entrada do seu prédio. Quanto mais você se mexer ao longo do dia, melhor para o seu corpo — e para o seu humor.

Além de adotar bons hábitos de exercício, use esta semana para se concentrar nos seus hábitos de sono. Se você dorme menos de seis horas por noite, comece aumentado para pelo menos sete horas. Esse é o tempo mínimo, se você quiser ter níveis hormonais normais. Além da orientação fornecida no Capítulo 7, aqui estão três excelentes sugestões para ter uma boa noite de sono:

### *Siga um ritual na hora de dormir*
Deite-se e levante-se mais ou menos no mesmo horário todos os dias, aconteça o que acontecer. Mantenha a sua rotina consistente na hora de ir para a cama, que pode incluir uma redução do ritmo, um banho quente ou qualquer coisa de que você precise para relaxar e sinalizar ao seu corpo que está na hora de dormir. Nós fazemos isso com nossos filhos, mas muitas vezes nos esquecemos do nosso próprio ritual. Os rituais fazem maravilhas, pois ajudam a nos preparar para o sono. E não se esqueça de que o quarto deve ser silencioso, escuro e livre de aparelhos eletrônicos.

### *Preste atenção à hora do jantar*
Jante pelo menos três horas antes de ir para a cama, para que o estômago esteja assentado e pronto para você dormir. Evite comer tarde da noite. Se precisar comer alguma coisa antes de dormir, experimente um punhadinho de castanhas.

### *Não trapaceie*
Você já sabe que o café é um estimulante, mas os corantes, os flavorizantes, o açúcar e outros carboidratos refinados também são. Se você seguir meu protocolo alimentar, não vai encontrar esses ingredientes. Mas se trapacear, pode ser que as consequências atrapalhem seu sono.

Quando você chegar ao final dos primeiros trinta dias, estará se sentindo muito melhor do que um mês antes. Não entre em pânico se achar que não está em sua melhor forma. A maioria de nós tem pelo menos um ponto fraco que requer atenção especial. Talvez você seja do tipo que tem dificuldade de dizer não às pessoas que, inadvertidamente, tentam desviá-la de seu intento numa festa com amigos (pense em álcool e alimentos inflamatórios), ou talvez seja impossível encontrar tempo para fazer exercício por causa de seus compromissos pessoais. Aproveite esta quarta semana para estabelecer um ritmo em sua nova rotina. Identifique áreas em sua vida em que você tem de se esforçar para manter o protocolo e veja o que pode fazer para mudar isso. Depois, faça a si mesma a seguinte pergunta: *E agora?*

## Depois dos trinta dias: como reintroduzir alguns alimentos numa dieta carnívora equilibrada

Eis como reintroduzir alguns dos alimentos que foram colocados de lado durante os primeiros trinta dias:

### Cereais, arroz branco, batata-inglesa e feijão

Depois de um mês, escolha um dia para comer carne com batata. Cozinhe as batatas na água ou no vapor e deixe que esfriem antes de comê-las, para que fiquem mais resistentes ao amido. Coma uma boa porção e veja como se sente. Fique atenta a sintomas como cansaço, gases, distensão abdominal ou confusão mental. Depois de três dias, experimente arroz branco (deixe esfriar antes de comer). Nesse ponto, a maior parte das minhas pacientes apresenta uma notável melhora no ecossistema intestinal e tolera muito bem esses amidos resistentes. Muitas também toleram bem o feijão que foi deixado de molho antes de ir para o fogo. Se provocar gases ou distensão abdominal, não será um problema viver sem ele. Quando reintroduzir o feijão, experimente um tipo de cada vez numa quantidade significativa (duas ou três porções num dia) e continue evitando a soja (por causa de seus efeitos prejudiciais para a tireoide e o pâncreas).

### Laticínios

Muitas de minhas pacientes não voltam a comer laticínios. Se você estiver curiosa e quiser reintroduzi-los na sua dieta, comece com as formas que têm menos probabilidade de causar problemas (veja logo adiante), consuma-os pelo menos duas vezes ao longo do dia e observe durante três dias. A maioria das pacientes sente cansaço, gases, distensão abdominal ou náusea quando têm problemas de intolerância. Reintroduza os laticínios na seguinte ordem:

1. Produtos fermentados de leite de ovelha ou cabra.
2. Queijo de ovelha ou de cabra.
3. Manteiga orgânica de leite de vaca (baixa em caseína).

Em geral não recomendo voltar a consumir leite ou queijo de leite de vaca, porque é muito difícil encontrar leite com betacaseína A2 nos Estados Unidos (o tipo de caseína que causa menos problemas) e por causa das respostas inflamatórias "silenciosas" que ele desencadeia, mas se você quiser verificar se tolera leite de vaca, introduza-o nesta ordem:

1. Creme de leite.
2. Produtos fermentados.
3. Queijo curado.
4. Leite.

Lembre-se de que os laticínios devem ser crus e orgânicos, o que pode representar um problema logístico para muita gente (para mais informações, acesse www.rawdairy.com e www.realmilk.com).

## Álcool

Eu clinico em Nova York, onde o consumo de álcool faz parte da cultura da cidade. Trata-se de um ambiente que, em muitos sentidos, não é favorável à saúde. Dito isso, é essencial conhecer a sua relação com o álcool. Tenho muitas pacientes que nunca pensaram que o álcool as afetasse e que, depois dos trinta dias, notaram que talvez esse tenha sido o item mais importante da lista de eliminação. Se decidir voltar a beber depois de trinta dias, que seja vinho orgânico ou uma bebida destilada como gin ou tequila com uma fruta cítrica, e preste bastante atenção aos efeitos. O que acontece com o seu humor? Com o seu sono? O seu coração dispara? Você se sente confusa dois dias depois? Isso a

# TIPO METABÓLICO: CARNÍVORO EQUILIBRADO

## CARNES

AVES: UMA A DUAS VEZES POR SEMANA
PEIXES (MAGROS): DUAS A TRÊS VEZES POR SEMANA
CARNE VERMELHA: TRÊS A CINCO VEZES POR SEMANA
* Carne de vaca, cordeiro e porco; vísceras como fígado, coração e rim.

OVOS: UMA A DUAS VEZES AO DIA

## HORTALIÇAS

PELO MENOS DE TRÊS A QUATRO VEZES AO DIA
TODAS AS HORTALIÇAS SÃO ACEITÁVEIS
* Melhores: beterraba, cenoura, batata, batata-doce, nabo, inhame, picles.
* Verduras de folha só devem ser consumidas uma vez por dia.

## CASTANHAS/SEMENTES

PODEM SER CONSUMIDAS SEMPRE QUE SE QUISER
* Melhores: amêndoa, castanha-do-pará, castanha-de-caju, coco, avelã, noz, chia, pinhão, pistache, sementes de abóbora, gergelim e girassol.

## FRUTAS

PELO MENOS DUAS VEZES AO DIA
TODAS AS FRUTAS SÃO ACEITÁVEIS
* Melhores: banana, frutas vermelhas, ameixa e frutas tropicais.

EM QUANTIDADE/FREQUÊNCIA MÍNIMA
* Cítricas: *grapefruit*, limão, laranja, tangerida e lima.

## CEREAIS

CEREAIS SEM GLÚTEN PODEM SER CONSUMIDOS SEMPRE QUE SE QUISER
* Arroz, quinoa, trigo-sarraceno, aveia, painço.

## FEIJÃO

PODE SER CONSUMIDO SEMPRE QUE SE QUISER
* Os melhores: feijão-azuqui, feijão-preto, grão-de-bico, feijão-roxinho, lentilha, feijão-de-lima, feijão-branco, ervilha e feijão-rajado.
* Evite soja e todos os produtos de soja.

MEL, *MAPLE SYRUP* E MELADOS, OK
50% COZIDOS

---

TODOS OS ALIMENTOS DEVEM SER ORGÂNICOS E DE ORIGEM CONSCIENTE, SEMPRE QUE POSSÍVEL

DR. NICHOLAS GONZALEZ

ajudará a avaliar o impacto da bebida, para que futuramente você possa associar causa e efeito.

## Equilíbrio

Como ocorre com tantas coisas na vida, é preciso fazer malabarismo para adotar e manter um novo hábito. Mesmo depois de mudar a sua alimentação e a sua maneira de comprar, cozinhar ou pedir comida, ainda existem momentos em que os velhos hábitos tentam retornar. Agora que você sabe disso, espero que continue consciente das verdadeiras necessidades diárias do seu corpo. Sempre que achar que está prestes a ter uma recaída, repita o protocolo de quatro semanas. Essa pode ser a sua tábua de salvação para um modo de vida saudável que vai ao encontro das suas aspirações. Sei por experiência que retomar o programa, mesmo que seja por duas semanas, pode aliviar os sintomas agravados pelos excessos feitos durante as férias ou numa festa.

A vida, como você bem sabe, é uma série infindável de escolhas. *Eu como isso ou aquilo? Visto essa ou aquela roupa? Hoje ou amanhã? Plano A ou plano B?* A missão deste livro é ajudá-la a tomar decisões melhores para que você possa desfrutar a vida ao máximo. Espero ter lhe dado ideias suficientes para pelo menos começar a fazer uma diferença na sua vida. Todos os dias em meu consultório eu vejo como é bom se sentir saudável e cheia de energia. Vejo também o que a doença crônica e a depressão podem fazer com as pessoas, independentemente de suas conquistas pessoais e do quanto elas são amadas.

Quando nos sentamos serenamente e observamos, podemos ver o que a vida nos reserva. Às vezes os desafios são exatamente aquilo de que precisamos. Às vezes a tragédia faz parte do nosso caminho; outras, algo aparentemente espetacular pode se transformar num grande fardo. No mundo da psiquiatria, a angústia é um sintoma de doença que deve ser curada com medicamentos que suprimem a consciência, e não uma porta que conduz à mudança, um convite para olhar e consertar o que está desalinhado ou em desequilíbrio. Seja o que for que tenha levado você a ler este livro, foi para o bem. É o que você precisava para se conscientizar e se preparar para atravessar um umbral. Que minhas mensagens e ideias sejam uma oportunidade de mudança.

## Circunstâncias especiais:
## "Desmame" de medicamentos depois de trinta dias

Eva tomava antidepressivos havia dois anos, mas queria parar porque estava pensando em engravidar. Com base nas evidências científicas disponíveis, seu médico a aconselhou a continuar com o medicamento. Por esse motivo, ela me procurou. Eva me explicou que sua saga havia começado com a TPM: todo mês, durante uma semana, ela ficava irritadiça e tinha crises de choro. O médico lhe receitou pílulas anticoncepcionais (um tratamento comum), e em pouco tempo Eva começou a se sentir ainda pior, pois passou a ter insônia, cansaço, baixa libido e indiferença emocional o mês inteiro. Seu médico então lhe receitou Wellbutrin para lhe dar "injeção de ânimo", como ela mesma disse, e tratar sua suposta depressão. Eva achava que os antidepressivos aumentavam seus níveis de energia, mas pouco faziam por seu humor e irritabilidade. Se ela tomava o medicamento depois da meia-noite, a insônia piorava. Logo ela se acostumou a se sentir estável, embora não propriamente bem, e se convenceu de que a medicação a estava ajudando a seguir em frente.

A boa notícia para Eva era que, com uma preparação cuidadosa, ela poderia parar de tomar o medicamento – e recuperar sua energia, seu equilíbrio e sua sensação de controle sobre suas emoções. O primeiro passo foi meu programa de trinta dias. O segundo foi parar de tomar anticoncepcionais e dosar seus níveis hormonais. Logo antes da menstruação, seus níveis de cortisol e progesterona estavam baixos, o que provavelmente era a causa da TPM que deu início o todo o problema. Outros exames revelaram uma função tireoidiana no limite inferior de normalidade, o que podia ser consequência dos anticoncepcionais e a causa de seus sintomas crescentes de depressão.

Quando Eva estava pronta para começar a largar a medicação, ela fez isso seguindo meu protocolo. Mesmo enquanto seu cérebro e seu corpo se ajustavam à ausência de ISRS, ou inibidores seletivos da recaptação da serotonina, seus níveis de energia aumentaram, sua insônia desapareceu e sua ansiedade diminuiu. Depois de um ano ela estava sadia, não tomava nenhum medicamento, tinha função tireoidiana normal, sentia-se bem e estava grávida.

A julgar pelos artigos mais acessados do meu site e pelas perguntas que me fazem com mais frequência no consultório, para muitas pessoas esta será a seção mais importante do livro. Não é fácil deixar de tomar medicamentos psiquiátricos. Não é fácil nem mesmo obter informações sobre como fazer isso com segurança. Você vai escutar "fale com seu médico antes de parar" e ser aconselhada a reduzir os medicamentos de modo lento e gradual, e essas são medidas sensatas. Mas essas informações estão longe de ser suficientes para que você consiga largar os medicamentos.

Ninguém tem mais interesse em largar os medicamentos psiquiátricos de maneira segura e eficaz do que as gestantes — ou, mais especificamente, as mulheres que querem engravidar. Essa é uma das minhas especialidades. Mas a necessidade dessas mulheres não é maior nem menor do que a das outras que estão na sala de espera. A maneira que você prepara o seu organismo para deixar a medicação sem efeitos adversos é, em muitos aspectos, a mesma com que você prepararia o seu corpo para a gestação. Em ambos os casos, você obterá os melhores resultados possíveis se estiver em sua melhor forma antes de embarcar nessa nova jornada. Vou ser sincera, algumas pessoas que estão tomando antidepressivos não conseguirão largá-los de modo seguro e terão de continuar a usá-los indefinitivamente ou até que a medicina tenha uma solução melhor. Ainda assim, as informações que forneço neste livro vão ajudá-la a obter alívio, e você estará muito melhor do que se depender unicamente dos antidepressivos, sem promover nenhuma outra mudança.

O que me deixou indignada em relação à prescrição irresponsável de medicamentos psiquiátricos foram os casos graves de síndrome de abstinência. Eu me refiro aos meses e anos de instabilidade nervosa que a interrupção desses medicamentos pode provocar. O processo de abandonar os antidepressivos é exatamente isso, um processo. Se o tratamento durou mais de dois meses, esse processo deve ser lento, com reduções graduais das doses da medicação e, quando isso não é possível, com o uso de preparações líquidas e medicamentos manipulados. Naturalmente isso requer a ajuda de um médico, um médico que respeite a sua decisão de parar de tomar o medicamento de maneira responsável e segura. Você deve se empenhar nesses primeiros trinta dias de mudança dos hábitos alimentares para adquirir resiliência antes de interromper o uso do medicamento, para que o seu organismo consiga se adaptar à mudança. A ideia é esvaziar o balde para que ele não transborde quando a bomba da abstinência de medicamento cair sobre o seu cérebro e o seu corpo.

Cada pessoa vivencia esse processo de retirada do medicamento de maneira distinta. Infelizmente, me ensinaram a repudiar a preocupação do paciente de ficar "viciado" nos medicamentos psiquiátricos e a negar a existência de síndrome de abstinência prolongada, afirmando que essa é apenas uma prova cabal da "necessidade" de tratamento medicamentoso permanente. Nunca me ensinaram a efetuar a retirada do medicamento. Na primeira revisão sistematizada de síndrome de abstinência dos ISRSs, os pesquisadores analisaram 23 estudos e 38 relatos de caso, e concluíram que o termo eufemístico *síndrome de descontinuação* deve ser abandonado em favor de uma descrição mais precisa dos efeitos viciantes dos antidepressivos: síndrome de abstinência. Sim, como Xanax, Valium, álcool e heroína. Nas palavras de Chouinard e Chouinard, dois pesquisadores dos departamentos de psiquiatria e medicina da Universidade McGill: "Os pacientes podem ter sintomas clássicos de abstinência, rebote e/ou transtornos persistentes pós-retirada ou recaída/recidiva da doença original. Sintomas novos e de rebote podem ocorrer até seis semanas após a retirada do medicamento, dependendo da meia-vida de eliminação do fármaco, enquanto os transtornos persistentes pós-retirada e os transtornos tardios associados com alterações duradouras nos receptores podem persistir por mais de seis semanas após a retirada do medicamento".[4]

Esses pesquisadores apesentam uma tabela útil dos horrores a que os pacientes incautos estão sujeitos, desde os que pulam uma única dose até os que vão reduzindo cuidadosamente a dose do medicamento. O dr. Jonathan Prousky foi um dos poucos a documentar o processo de retirada dos medicamentos psiquiátricos dos pacientes. Num de seus artigos de referência, ele descreve em detalhes a sua abordagem em casos complexos. Ele auxilia o paciente a reformular sua experiência de doença mental e a se ajudar, reduz gradualmente a dose do medicamento e emprega agentes naturais como nicotinamida ($B_3$), fitoterápicos como *Rhodiola rosea* e aminoácidos como GABA e L-teanina. Assim como eu, ele concorda que não existe um suplemento mágico e que o mais importante é empregar estratégias alimentares e suplementos que tenham efeitos antidepressivos e que promovam o relaxamento do sistema nervoso. Afinal de contas, esses efeitos são o verdadeiro objetivo.

Foge ao escopo deste livro oferecer a cada leitora um protocolo para parar de tomar antidepressivos. Mas se você seguiu minhas recomendações e concluiu com êxito os trinta dias do programa, já deu o passo decisivo para encontrar a porta de saída e está pronta para começar esse processo guiada por um médico que pode orientar o seu tratamento.

É essencial que o tratamento combine diversas estratégias, pois os melhores resultados são obtidos com mudanças no estilo de vida, redução cuidadosa das doses e apoio de nutracêuticos. A maioria dos pacientes e dos médicos sabe que as doses fornecidas pelos laboratórios farmacêuticos não possibilitam uma retirada eficaz do medicamento. Preparações líquidas, medicamentos manipulados e até mesmo a remoção meticulosa de grânulos das cápsulas são medidas indispensáveis sobre as quais você pode falar com seu médico.

Saiba que o risco de recaída geralmente está relacionado com a natureza dos efeitos da medicação sobre o cérebro e o corpo. Segundo minha experiência, os sintomas mais comuns da síndrome de abstinência são agitação, ansiedade e insônia, que podem se manifestar poucas horas depois de uma redução da dose ou, às vezes, vários meses após a última administração. Esses sintomas podem desaparecer espontaneamente ou voltar. Os danos causados por esses medicamentos em longo prazo são um fenômeno real, porém mal compreendido, a não ser por relatos dos pacientes e de grupos de apoio. Mas os pacientes raramente estão errados.

Se você toma um antidepressivo, não está sozinha, embora em muitos aspectos possa se *sentir* sozinha. Milhões de pessoas caem na teia do sortilégio da psiquiatria — cujo feitiço pode durar para sempre. Assim como no seu caso, disseram-lhes que elas têm um desequilíbrio químico. Que o melhor que podem fazer por si mesmas é "tomar a medicação pelo resto da vida". Como afirma a dra. Joanna Moncrieff: "Simbolicamente, a medicação sugere que o problema está dentro do cérebro e que para ter bem-estar é preciso manter o 'equilíbrio químico' por meios artificiais. Essa mensagem faz com que os pacientes se vejam como deficientes e vulneráveis e pode explicar os maus resultados do tratamento da depressão nos estudos naturalísticos".

Esses pacientes sofreram uma crise de resiliência.

O estresse da experiência de vida desses pacientes foi maior do que seus recursos físicos poderiam suportar. Os médicos não perguntam *por que* eles ficaram doentes, não investigam as causas primordiais. Sei que a esta altura provavelmente pareço um disco riscado, mas agora que completamos o círculo é importante reforçar novamente esse ponto. Se você está tomando antidepressivo, é provável que seu médico não tenha discutido alternativas baseadas em evidências ao tratamento farmacológico. Tampouco explicado os riscos em longo prazo dos psicotrópicos, inclusive piora do quadro e maior risco de recaída — muito menos revelado a falta de integridade dos dados manipulados e financiados pela indústria farmacêutica que fundamentam a aprovação desses medicamentos pelos órgãos competentes.

O pior é que você foi levada a crer que a medicação está tratando a sua doença, e não induzindo um efeito que não difere do produzido por drogas como álcool ou cocaína. Se uma única dose de antidepressivo é capaz de alterar a arquitetura cerebral de maneiras que ainda não podemos avaliar, quais são os resultados do uso crônico a longo prazo? O que acontece quando os pacientes querem suspender o uso do medicamento? Quando eles estão descontentes com o tratamento? Quando fazem mudanças suficientes em seu estilo de vida para apoiar uma nova abordagem?

Segundo o psiquiatra e ativista Peter Breggin, a intervenção mais urgentemente necessária na área da psiquiatria é a criação de programas para a retirada dos medicamentos.[5]

Alguns colegas compartilham meu ponto de vista. A maior parte do que sei sobre a retirada de medicamentos psiquiátricos eu aprendi com meus pacientes e com minha experiência clínica. A melhor maneira de promover resiliência é enviar um sinal de segurança para a mente e para o corpo. E esse sinal assume a forma de hábitos de vida simples, por meio de **nutrição**, ambiente sem substâncias tóxicas, ciclo de luz ideal durante o dia e a noite e exercício; as evidências da eficácia dessas estratégias estão se acumulando na literatura especializada.

Além das recomendações e instruções detalhadas que apresentei neste livro, um dos passos mais importantes consiste em mudar a sua mentalidade, ter opinião própria. Em outras palavras, não tenha medo. É isso que mais aconselho às minhas pacientes. O medo é inimigo da saúde. É o medo que leva as pessoas a procurarem o psiquiatra; a discarem para o serviço de emergência. É o medo que produz um sentimento esmagador de desesperança. Os psiquiatras são movidos pelo medo e pela necessidade de controlar e regular a experiência emocional. Como agentes de cura, temos a oportunidade de enfrentar esse medo com compaixão e equanimidade. Podemos deixar de lado nossa preocupação obsessiva com intervenção reativa e cuidados guiados por responsabilidade civil e aprender a tolerar o que é incômodo em relação à aflição dos pacientes. Não nos resta outra alternativa, pois os dados confirmam o fato inegável de que o modelo atual de intervenção farmacológica não está produzindo bons resultados.

Depois de ter seguido à risca os primeiros trinta dias do programa, é bem possível que a causa original de seus sintomas tenha sido abordada. Talvez você não tenha a mesma necessidade da medicação ou não esteja obtendo um grande benefício com ela. Eu acredito que cada pessoa deve tratar da própria saúde de acordo com suas convicções sobre saúde e bem-estar. Essa decisão deve ser tomada com os olhos bem abertos e de preferência com intervenções suaves antes da adoção de intervenções mais agressivas. O corpo humano é extremamente complexo, e a depressão é uma síndrome que tem causas muito distintas. Procure descobrir a raiz do problema, procure se curar e realizar mudanças que sejam realmente duradouras. Use os instrumentos que lhe dei e consulte este livro sempre que precisar refrescar sua memória. Além disso, aproveite o poder da internet: visite meu site para obter materiais mais atualizados e participe de fóruns de apoio em www.madinamerica.com para entrar em contato com outras pessoas e ter acesso a diversos recursos.

Eu procuro transmitir uma sensação de empoderamento às minhas pacientes. Eu lhes descrevo esse processo como um "renascer das cinzas" e um passo deliberado na direção de uma vida plena e radiante.

Porque a saúde — e a vida — é muito mais do que a ausência de comprimidos e uma longa lista de diagnósticos. Saúde é libertação. E um direito fundamental do ser humano.

COMENTÁRIOS FINAIS

# Seja Dona do seu Próprio Corpo e Liberte a sua Mente

*Na verdade, tenho convicção de que jamais houve um médico, em nenhum lugar, em nenhuma época, em nenhum país e em nenhum período da história que já curou alguma coisa. Cada pessoa tem dentro de si um agente de cura.*
— MARLO MORGAN, MUTANT MESSAGE DOWN UNDER

Antes que você feche este livro, eu gostaria de compartilhar com você algo que aprendi recentemente e que foi muito importante na minha vida. Afinal, eu não escrevi este livro apenas para dar a minha opinião sobre a nova psiquiatria. Ele trata também do novo feminismo. Veja o que eu quero dizer com isso.

Quando minha querida mestra e guia de Kundalini Yoga, Swaranpal Kaur Khalsa, me falou sobre o significado de *Adi Shakti*, um dos mais antigos símbolos do feminino sagrado, eu compreendi que era aí que eu precisava levar minhas pacientes. O *Adi Shakti* é composto por quatro armas simbólicas que representam o poder criativo primordial feminino, segundo uma tradição que defende tudo aquilo que é incomparável na energia de uma mulher.

Nesta representação, toda mulher tem de equilibrar o papel de mulher e mãe:

"Como mãe, você tem de se sacrificar, ser tolerante, paciente e atenciosa para com os outros, e compreender todos os prós e os contras de qualquer situação. Como mulher, você não precisa dar nada; em primeiro lugar, tem de se proteger; e não precisa aguentar nenhuma insensatez. A mulher deve ser capaz de saber qual é a relação correta — mulher ou mãe", espada ou escudo.[1]

A espada é sua determinação incisiva de se dedicar a um caminho de verdade, intolerância à agressão e rejeição feroz a tudo o que se interponha entre sua intuição e sua integridade. Assim como é uma guerreira, ela é também uma nutriz.

Minha missão tem sido ajudar as mulheres a recuperar essa bússola interior, a empunhar a espada e defender o enigma de sua beleza e poder incomensuráveis. Acho bastante preocupante que esse poder tenha sido cooptado por um sistema paternalista que procura incutir o medo, controlar por meio de coerção e calar a voz interior das mulheres ao afirmar que a ciência decifrou o código da condição humana. Sistema esse que faz vista grossa quando a ciência e a medicina cometem erros. Acho preocupante que nós, como sociedade, tenhamos deixado que o medo nos conduzisse para um caminho vergonhoso.

Muitas de vocês acharão que não têm espaço nem energia para empunhar essa espada, para redescobrir o verdadeiro significado de saúde, paz e felicidade. Mas eu digo que você não tem espaço nem energia para *não* fazer isso. Se você chegou até este ponto do livro, sei que está pronta. Agora você sabe que tem de abrir espaço e arranjar tempo para seguir em frente com determinação.

Na situação em que se encontra atualmente a área de saúde, se as alegações da indústria farmacêutica, do governo e dos meios de comunicação não forem questionadas, você e a sua família poderão enveredar por um caminho solitário de remorso, mágoa e ruína financeira. Como diz Elizabeth Lesser, autora de *Broken Open*, toda experiência de luta nos oferece aquilo de que precisamos para renascer. Essas são maneiras pelas quais alcançamos a iluminação e uma conexão com nosso poder primordial. Dizem-nos que sensações de mal-estar são problemas que devem ser curados com medicamentos. Somos reunidas como gado em currais de conformidade.

Estou aqui para lembrá-la de que, para dizer "sim" a si mesma, primeiro você precisa dizer "não" ao complexo médico-agrícola-industrial, e também para ajudar a inspirar as mulheres de mente suficientemente aberta a começarem a *se questionar*. Para começar a sentir gratidão pelo que ela é. Gosto de chamar essa atitude de não resistência pessoal. Ao mesmo tempo que seguramos a espada no alto, sentimos ternura, docilidade e aceitação pelo que acontece aqui no chão. Isso significa equilibrar entre a mulher e a mãe. Significa lutar para que possamos amar melhor, ser mais livres e sentir menos medo. Significa viver consciente num estado de alerta sereno.

Comece a explorar tudo o que foge à compreensão da medicina alopática. Adote um novo tipo de feminismo – um feminismo em que as mulheres se juntam, conversam umas com as outras, confiam em seu instinto e constroem um modelo de saúde tão extraordinário que os interesses escusos e os erros do modelo vigente logo serão revelados. É aí que reside o seu poder. Depois que você o provar, o mundo saberá e ninguém conseguirá detê-la.

## A religião da medicina[2]

Eu achava que dogma religioso era produto do medo e de problemas não resolvidos entre pais de filhos. Com certeza, grande parte da religião atual perdeu o contato com suas raízes mais místicas, mas não resta dúvida de que o que aflige o americano médio, como diz Graham Hancock, escritor e jornalista britânico, é uma desconexão com o espírito.

Quando perdemos a noção de orientação interior e deixamos de confiar em nossa intuição, somos forçados a depender de construtos externos, confiar cegamente nas autoridades e nos supostos especialistas. A verdade é que você é a sua própria autoridade, mas precisa ficar entusiasmada com essa nova posição. Você tem de ter fé que ela agirá em seu benefício se você simplesmente relaxar durante o processo. Meu mentor, o dr. Nicholas Gonzalez, disse o seguinte: "Os pacientes têm de fazer o tratamento no qual acreditam. O medo é uma doença contagiosa. Você pode ser contagiado pelo medo, mas não ser contagiado pela fé. Esta tem de vir de dentro".

Sempre segui esse etos. Sei que o medo tem um efeito nocebo (literalmente, "pode fazer mal"), o efeito negativo de uma crença de que algo vai fazer mal, de que não pode ser desfeito. Trata-se do oposto do efeito placebo.

Mas quando se tem fé na capacidade do corpo de se curar, quando é devidamente apoiado, coisas mágicas podem acontecer.

Uma vez que nos alimentamos e colocamos um teto sobre nossa cabeça, podemos nos preocupar com os perigos externos, com os relacionamentos, com a autoestima, com a espiritualidade e em entrar em contato com o nosso próprio poder. Essa é a Hierarquia de Necessidades de Maslow (ou Pirâmide de Maslow), do trabalho que o famoso psicólogo escreveu sobre o assunto em 1943, intitulado "A Teoria da Motivação Humana".[3]

- Necessidade de autorrealização
- Necessidade de estima
- Necessidades sociais
- Necessidade de segurança
- Necessidades fisiológicas básicas

Naturalmente, hoje em dia muitas de nós podemos ficar presas entre os três degraus inferiores da escada, sem nunca chegar ao topo. Para mim, o trabalho de ensinar medicina do estilo de vida às pacientes produz o efeito não intencional de mudar radicalmente a trajetória de vida de alguém para a descoberta de comportamentos voltados para um propósito.

Todas nós queremos saber qual é o nosso propósito nesta vida. Queremos saber para que estamos aqui. Mas como podemos nos preocupar com isso se estamos aflitas com medo de doenças degenerativas e má saúde crônica e atoladas em rótulos e diagnósticos?

Quando o corpo entra em harmonia, não apenas ocorre um alívio dos sintomas como também surge uma oportunidade de ascender nessa pirâmide.

Antes de poder me abrir para a minha grande missão e para as dádivas da prática de Kundalini Yoga e me conectar com o poder da medicina energética, eu tive de curar meu corpo e minha doença autoimune. Agora eu entendo que cultivar uma bússola interior é confiar num guia interior e também confiar sem medo no desenrolar do universo. Um desenrolar que só podemos observar. Nesse caminho, as dificuldades e as aflições são um convite para olhar o que está desalinhado ou em desequilíbrio. Esse é um enfoque totalmente novo sobre a complexidade da vida da mulher atualmente.

Espero ter lhe dado os instrumentos necessários para você encontrar o seu caminho.

Seja dona do seu corpo. Liberte a sua mente. Trata-se muito mais do que uma "cura".

# Receitas

As receitas a seguir são apresentadas na ordem em que aparecem no cardápio de uma semana. Contanto que você siga as diretrizes principais, sinta-se à vontade para se divertir com as receitas e substituir ingredientes de modo a adaptá-las às suas necessidades e preferências.

## SALMOURA COM SAL DO HIMALAIA

Encha um quarto de uma jarra com capacidade para meio litro com sal do Himalaia ou sal marinho não processado e complete o volume com água filtrada. Cubra e deixe descansar de um dia para o outro. Coloque 1 colher de chá dessa solução num copo de água filtrada. Beba logo pela manhã em jejum.

## MOLHO DE CARNE MOÍDA

*Rende de 4 a 6 porções*

**Ingredientes**

1 maço de couve, sem o talo com as folhas rasgadas
Folhas de 1 maço de coentro
1 cebola picada
3 beterrabas picadas
4 cenouras picadas
4 talos de salsão picados
2 colheres (sopa) de *ghee* orgânico
500 g de carne de vaca moída (orgânica)

3 latas de 240 g de tomate pelado orgânico picado miudinho

1 colher (sopa) de cúrcuma em pó

Sal marinho não processado e pimenta-do-reino preta moída na hora

**Modo de fazer**

Coloque a couve, o coentro, a cebola, a beterraba, a cenoura e o salsão no processador de alimentos e pulse até que fiquem finamente picados, mas sem deixar virar um purê.

Derreta o *ghee* numa frigideira grande, em fogo médio. Refogue as verduras por uns 3 minutos, até a cebola ficar transparente. Junte a carne e cozinhe, mexendo para desfazer os grumos, por 3 a 5 minutos, até corar. Acrescente o tomate e a cúrcuma e tempere a gosto com sal e pimenta. Depois que ferver, abaixe o fogo e deixe cozinhar por 20 a 30 minutos para incorporar todos os sabores. Sirva sobre abóbora, quinoa ou brócolis.

## SMOOTHIE KB

*Rende 1 porção*

**Ingredientes**

½ xícara de cerejas orgânicas congeladas (ou outras frutas vermelhas)

240 ml de água de coco ou água filtrada

3 colheres (sopa) de colágeno hidrolisado (como uma base proteica; veja a nota no final da receita)

1 colher (sopa) de pasta de castanhas germinadas ou de sementes de girassol

3 gemas de ovos grandes orgânicos

1 colher (sopa) de óleo de coco virgem

1 a 2 colheres (sopa) de *ghee* orgânico

1 a 2 colheres (sopa) de cacau cru em pó

**Modo de fazer**

Bata todos os ingredientes no liquidificador até obter uma mistura homogênea.

*Nota:* o colágeno hidrolisado é uma complemento proteico rico nos aminoácidos glicina, prolina a e lisina. É vendido em pó.

## FRANGO AO CURRY

*Rende 4 porções*

**Ingredientes**

2 colheres (sopa) de óleo de coco ou *ghee*

750 g de sobrecoxas de frango, desossadas e sem pele, cortadas em pedaços pequenos

1 cebola média cortada em pedaços grandes

2 abobrinhas em rodelas grossas

1 colher (sopa) de *curry* em pó

½ colher (chá) de páprica

3 dentes de alho amassados

1 colher (chá) de sal marinho não processado

420 ml de leite de coco orgânico

1 xícara de tomate-cereja orgânico

¼ de xícara de coentro picado, para decorar

**Modo de fazer**

Aqueça o óleo ou o *ghee* em fogo médio-alto e refogue o frango por 8 a 10 minutos, até que os pedaços estejam corados de todos os lados. Retire o frango da panela e reserve. Refogue a cebola e a abobrinha no óleo que sobrou na panela por uns 5 minutos, até ficarem levemente corados. Em seguida, acrescente o *curry*, a páprica, o alho e o sal e deixe por meio minuto. Volte o frango para a panela e junte o leite de coco. Deixe ferver, abaixe o fogo e tampe a panela. Cozinhe por cerca de 30 minutos, até o frango ficar macio. Cinco minutos antes de deligar a panela, acrescente os tomates. Salpique salsinha antes de servir.

## MUSLI DE SEMENTES

*Rende 1 porção*

### Ingredientes

¼ de xícara de castanhas e/ou sementes cruas (como nozes, amêndoas laminadas e sementes de abóbora)

1 colher (sopa) de chia

1 colher (sopa) de linhaça

1 colher (sopa) de sementes de cânhamo (opcional)

½ a 1 xícara de frutas vermelhas inteiras ou frutas sortidas picadas (como frutas vermelhas, banana e nectarina)

1 xícara de leite de amêndoas sem açúcar

### Modo de fazer

Misture as castanhas e sementes numa tigela. Adicione as frutas e o leite de amêndoas.

## SALMÃO COZIDO

*Rende 2 porções*

### Ingredientes

Dois filés de salmão selvagem do Atlântico de 180 g cada

1 limão

4 dentes de alho amassados

Sal marinho não processado e pimenta-do-reino preta moída na hora

¼ de xícara de *ghee* orgânico

¼ de xícara de salsinha ou endro picadinhos

### Modo de fazer

Coloque o salmão numa frigideira funda com tampa. Esprema o suco do limão sobre os filés, junte o alho e tempere com sal e pimenta-do-reino. Corte o limão espremido em rodelas distribua-as sobre o peixe. Tampe e leve à geladeira por pelo menos uma hora.

Acrescente o *ghee* à frigideira com o peixe. Tampe novamente e cozinhe em fogo médio até que o salmão adquira uma coloração laranja claro e esteja macio no centro. Sirva salpicado com salsinha.

## ARROZ DE COUVE-FLOR

*Rende 6 porções*

**Ingredientes**

1 couve-flor grande
1 colher (sopa) de azeite extravirgem
Sal marinho não processado

**Modo de fazer**

Corte a couve-flor em pedaços grandes e bata no processador (faça isso em partes, se necessário). Processe até ficar bem fininho.

Aqueça o azeite numa frigideira grande, em fogo médio. Coloque a couve-flor e tempere com sal, se quiser. Tampe e cozinhe por cerca de 7 minutos, até que ela esteja macia. Para uma variação desta receita, use óleo de coco em vez de azeite de oliva e salpique coco cru ralado por cima antes de servir.

## MUSSE DE ABACATE COM CHOCOLATE

*Rende 4 porções*

**Ingredientes**

2 abacates/avocados
2 a 4 colheres (sopa) de mel ou *maple syrup* puro
⅓ de xícara de cacau cru em pó
2 colheres (sopa) de leite de amêndoa, coco ou castanha-de-caju sem açúcar
½ colher (chá) de essência de baunilha

**Modo de fazer**

Coloque a polpa dos avocados/abacates no processador, adicione o mel, o cacau em pó, o leite de amêndoa e a baunilha e bata por cerca de 1 minuto, até obter uma mistura lisa. Prove e, se necessário, coloque mais mel. Distribua em recipientes individuais, cubra e leve à geladeira por pelo menos 30 minutos antes de servir.

## PANQUECAS PALEOLÍTICAS

*Rende 1 porção*

**Ingredientes**

½ xícara de batata-doce ou abóbora cozida (abóbora de pescoço ou japonesa), ou 1 banana

3 ovos orgânicos grandes

2 colheres (sopa) de sementes de cânhamo, linhaça ou pasta de castanhas

Óleo de coco virgem

**Modo de fazer**

Bata todos os ingredientes no liquidificador até obter uma mistura lisa. Frite colheradas no óleo de coco, formando círculos, em fogo médio. Elas ficam prontas num minuto!

## BARRINHAS DE COCO

*Rende de 6 a 8 barrinhas*

**Ingredientes**

1 xícara de coco orgânico ralado sem açúcar

¼ de xícara de *maple syrup* puro

2 colheres (sopa) de óleo de coco virgem

½ colher (chá) de essência de baunilha

⅛ colher (chá) de sal marinho

¼ de xícara de gotas de chocolate amargo (opcional)

**Modo de fazer**

Bata todos os ingredientes, exceto as gotas de chocolate, no processador até misturar bem, ou misture vigorosamente à mão. Se quiser, adicione as gotas de chocolate. Espalhe uniformemente num refratário de 18 x 12 cm, pressionando com firmeza, e leve à geladeira por 1 hora ou ao freezer por 15 minutos. Corte em 6 ou 8 quadrados. Salpique gotas chocolate por cima (opcional).

## ABOBRINHA COM CARNE MOÍDA

*Rende 2 ou 3 porções*

**Ingredientes**

2 colheres (sopa) de *ghee* orgânico
½ cebola picada
2 abobrinhas grandes ou 4 pequenas em rodelas
Uma pitada de sal marinho não processado
Uma pitada de cominho
Algumas gotas de vinagre de maçã
250 g de carne de vaca moída (orgânica)

**Modo de fazer**

Aqueça o *ghee* numa frigideira grande em fogo médio. Acescente a cebola e a abobrinha e refogue por 5 ou 7 minutos, até ficarem macias. Adicione o sal, o cominho e o vinagre. Junte a carne moída e cozinhe até corar, por 3 a 5 minutos, mexendo sempre para ficar soltinha.

## SALADA DO CHEF À MODA DA KELLY

*Rende 1 porção*

**Ingredientes**

Um saquinho de 120 a 150 g de alface orgânico
2 ovos cozidos duros partidos na metade
½ a 1 peito de frango orgânico cozido, cortado em pedaços
2 fatias de *bacon* orgânico fritas e esmigalhadas
1 tomate grande picado
½ avocado cortado em pedaços
3 cebolinhas verdes picadas
2 talos de salsão picados
½ lata de anchovas (opcional)
Azeite de oliva extravirgem
Um pouquinho de vinagre de maçã
Sal marinho não processado e pimenta-do-reino moída na hora

**Modo de fazer**

Misture as folhas de alface, os ovos cozidos, o frango, o *bacon*, o tomate, o avocado, a cebolinha verde, o salsão e as anchovas, se quiser, numa saladeira. Regue com azeite e vinagre e tempere com sal e pimenta.

## COSTELETAS DE CORDEIRO COM MOSTARDA E ALECRIM

*Rende 4 porções*
**Ingredientes**
2 colheres (sopa) de mostarda tipo dijon
2 dentes de alho amassados
2 colheres (sopa) de alecrim fresco picado
8 pitadas de sal marinho não processado e pimenta-do-reino preta moída na hora
8 costeletas de cordeiro orgânico
1 colher (sopa) de *ghee*

**Modo de fazer**

Misture a mostarda, o alho, o alecrim, o sal e a pimenta numa tigelinha. Esfregue essa pasta uniformemente nos dois lados das costeletas e coloque-as numa assadeira. Cubra e leve deixe na geladeira por pelo menos 30 minutos.

Derreta o *ghee* em fogo alto numa chapa para grelhar. Frite as costeletas por cerca de 8 minutos de cada lado, até ficarem no ponto de sua preferência.

## LEITE DE COCO COM ESPECIARIAS

*Rende 1 porção*
**Ingredientes**
1 xícara de leite de coco
½ colher (chá) de cúrcuma em pó
1 fatia (de uns 2,5 cm) de gengibre fresco, descascado e cortadinho
½ colher (chá) de canela em pó
½ colher (chá) de mel cru ou *maple syrup*, ou a gosto
Uma pitada de pimenta vermelha em pó (opcional)

**Modo de fazer**

Bata bem todos os ingredientes no liquidificador. Despeje a mistura numa panela pequena e aqueça em fogo médio por 3 a 5 minutos, sem deixar ferver. Beba imediatamente.

## FRANGO "FRITO" DA VOVÓ

*Rende 4 porções*

**Ingredientes**

2 colheres (sopa) de *ghee* ou azeite extravirgem

1 cebola em rodelas

Sal marinho não processado e pimenta-do-reino preta moída na hora

3 latas de 240 g de tomate pelado orgânico picado miudinho

1 colher (sopa) de óleo de coco virgem

1 xícara de farinha de amêndoa

2 ovos

500 g de bifes de frango orgânico

**Modo de fazer**

Derreta 1 colher de sopa de *ghee* numa panela em fogo médio. Acrescente a cebola e refogue por uns 5 minutos, até ficar macia. Tempere com sal e pimenta-do-reino e acrescente o tomate.

Aqueça o óleo de coco junto com o *ghee* restante numa frigideira grande em fogo médio. Coloque a farinha de amêndoa numa vasilha rasa e tempere com sal e pimenta-do-reino. Bata os ovos em outra vasilha. Passe cada bife na farinha de amêndoa e depois nos ovos batidos. Frite-os na frigideira com óleo de coco até ficarem dourados dos dois lados, por 3 a 4 minutos. Transfira os bifes para a panela com o molho de tomate e deixe cozinhar por 1 ou 2 minutos. Sirva em seguida.

## BARRINHAS DE CASTANHAS E MEL

*Rende 12 porções*

**Ingredientes**

1 xícara de castanha-de-caju
½ xícara de amêndoas
½ xícara de noz-pecã
½ xícara de coco ralado sem açúcar
½ xícara de nibs de cacau
1 colher (chá) de essência de baunilha
½ colher (chá) de sal marinho
9 colheres (sopa) de mel cru (pouco mais de ½ xícara)

**Modo de fazer**

Preaqueça o forno a 180 ºC e forre uma assadeira de 20 x 28 cm com papel-manteiga.

Com a mão ou com o auxílio do processador, pique grosseiramente as castanhas.

Misture bem todos os ingredientes, exceto o mel, numa tigela grande. Em seguida, junte o mel e misture com um garfo até que os ingredientes fiquem uniformemente cobertos. Espalhe bem a mistura por toda a assadeira, pressionando bem.

Asse por 20 minutos, deixe esfriar completamente sobre uma grade de metal. Retire todo o bloco pelo papel-manteiga e corte em 12 quadrados.

## LASANHA DE ABÓBORA

*Rende 6 porções*

**Ingredientes**

1 colher (sopa) de *ghee*
1 cebola picadinha
500 g de carne orgânica moída (de vaca ou de porco)
3 dentes de alho amassados
1 litro de purê de tomate orgânico (de preferência em embalagem de vidro)

120 g de massa de tomate orgânico (de preferência em embalagem de vidro)
Sal marinho não processado e pimenta-do-reino preta moída na hora
2 abóboras médias ou 1 grande
4 ovos batidos

**Modo de fazer**
Preaqueça o forno a 200 graus.

Derreta o *ghee* numa frigideira funda em fogo médio. Acrescente a cebola e refogue até ficar macia, por uns 5 minutos. Junte a carne moída e o alho, aumente o fogo para médio-alto e refogue até ela ficar corada, por 3 a 5 minutos, mexendo com uma colher de pau para não formar grumos. Acrescente o purê de tomate e a massa de tomate e tempere com sal e pimenta-do-reino. Abaixe o fogo e deixe cozinhar enquanto prepara a abóbora.

Descasque e corte a abóbora em rodelas bem finas e uniformes; retire as sementes e a fibra. Forre o fundo de um refratário com um pouco de molho. Distribua uma camada de rodelas de abóbora, cubra com uma quantidade generosa de molho. Espalhe um terço dos ovos batidos no refratário. Continue fazendo camadas de abóbora, molho e ovo, terminando com uma camada fina de molho.

Asse por 25 a 30 minutos, até que a ponta da faca entre facilmente na abóbora.

## BOLO DE CARNE

Rende 6 *porções*
**Ingredientes**
500 g de carne bovina orgânica moída
500 g de carne suína orgânica moída
1 ovo caipira grande
½ xícara de molho de tomate orgânico
1 chalota picadinha
½ de xícara de farinha de amêndoa
¼ de xícara de pimentão vermelho picado

1 colher (chá) de sal marinho

½ colher (chá) de aipo em pó

2 ou 3 dentes de alho amassados

Uma pitada de pimenta-do-reino preta moída na hora

2 colheres (sopa) de manjericão fresco picado (opcional)

½ colher (chá) de páprica defumada (opcional)

1 colher (sopa) de massa de tomate orgânico

1 colher (sopa) de mostarda amarela

**Modo de fazer**

Preaqueça o forno a 180 graus e unte um refratário ou uma forma de bolo inglês com *ghee*.

Misture todos os ingredientes com as mãos (exceto a massa de tomate e a mostarda, que serão reservados para o molho) e modele em formato de pão no refratário ou na forma de bolo inglês.

Misture a massa de tomate e a mostarda numa tigelinha. Pincele esse molho sobre o bolo de carne. Asse destampado por 45 a 60 minutos, até que a temperatura interna seja de 80 a 85 graus. Retire do forno e deixe descansar por 15 minutos. Fatie e sirva com repolho roxo refogado com alcaparras (receita logo abaixo).

REPOLHO ROXO COM ALCAPARRAS
---

*Rende 6 porções*

**Ingredientes**

2 colheres (sopa) de azeite extravirgem

1 dente de alho picadinho ou amassado

1 colher (sopa) de alcaparras

120 g de repolho roxo picado

Algumas gotas de limão

Pimenta-do-reino preta moída na hora

**Modo de fazer**

Aqueça o azeite numa frigideira em fogo médio. Acrescente o alho e as alcaparras e refogue por 1 minuto. Acrescente o repolho e refogue por mais 1 minuto. Tempere com um pouquinho de limão e cozinhe por 2 a 4 minutos, até que o repolho comece a corar ligeiramente nas bordas.

RECEITA EXTRA:
CALDO DE FRANGO (PREPARE TODA SEMANA)

**Ingredientes**
1 cebola grande grosseiramente picada
2 cenouras grandes picadas
3 talos de salsão picados
1 frango orgânico (2,5 a 4,0 kg), lavado
2 a 4 colheres (sopa) de vinagre de maçã (½ colher de sopa por litro de água)
Sal marinho não processado e pimenta-do-reino preta moída na hora
1 maço (ou 10 raminhos) de coentro ou salsinha picados
250 g de fígado de frango (opcional; quando é bem picadinho, o sabor do fígado não aparece e ele fornece muitos nutrientes)

**Modo de fazer**

Coloque todos os ingredientes numa panela grande de aço inoxidável e cubra com água fria filtrada. Depois que ferver, passe para fogo mínimo, tampe e deixe cozinhar por cerca de 3 horas. Se você usar uma panela de pressão, reduzirá esse tempo pela metade. Depois que o frango estiver cozido, você poderá separar a carne dos ossos e usá-la em outro prato. Basta refogar o frango desfiado em azeite e temperar com sal e limão.

# Agradecimentos

Só posso esperar tocar a vida das pessoas que estou destinada a tocar e também que as portas estejam abertas para que eu possa fazê-lo. O meu despertar para a verdade certamente envolveu esforço, alienação e perda. Por meio de tudo isso, eu entrei em contato com minha intuição, minha paixão inata pela medicina natural e meu propósito nesta vida. Meu caminho é pavimentado pela mente, pelo coração e pela alma dessas pessoas, e sou eternamente grata por seu amor.

Leela Hatfield, por ser minha parceira nas trincheiras e minha irmã em todos os outros lugares.

Ron Brogan, por sua devoção inabalável e por me transmitir o dom da palavra, da pontualidade e da realização.

Marusca Brogan, por semear o meu solo com empoderamento feminino, por prever este livro desde a minha infância e por ser um exemplo de compaixão.

Andy Fink, por tornar isto possível, por me ver, crescer comigo, me aconselhar e ter o coração mais radiante que já conheci em toda a minha vida.

John e Sharkey Fink, por esperarem que eu despertasse e me mostrarem o quanto pode ser divertido viver na Verdade.

Brendan Broga, Sara Ojjeh e Lily e John Harrington, por aceitarem o desafio desta vida selvagem comigo.

Dean Raffelock, Kat Toups, Michael Schachter, Sylvia Fogel, Alan Logan e Cornelia Tucker Mazzan, por sua generosidade, apoio e companheirismo afetuoso no caminho para a liberdade intelectual.

Joseph Aldo, Olivier Bros e Laura Kamm, por me mostrarem que a energia é a medicina do futuro.

James Maskell, por acreditar que a minha mensagem tem um lugar na Evolução da Medicina e na liberdade de saúde para todos.

Kristin Loberg, por me dar uma voz sem censura para que eu pudesse ir muito além do que achava que fosse possível, por suas habilidades superlativas e encarar com a melhor atitude do mundo minhas montanhas de referências, artigos e opiniões.

Karen Rinaldi, por sua paixão, seu destemor e por ser tão refrescantemente verdadeira (e divertida).

Bonnie Solow, por me iluminar como sua luz como um raio do alto e pelo enorme prazer do seu carisma, da sua força e da doçura.

Lea Pica, for sua maestria em dar forma à minha mensagem.

Keith Rhys e Jon Humberstone, por estarem sempre certos sobre como efetuar mudanças numa escala global.

Omri Chaimovitz, Whitney Burrell, Bipin Subedi, Healy Smith e Jason Pinto, por seu amor incondicional durante todo o meu Processo de Fênix.

Nick Gonzalez, pelo tesouro da sua existência neste plano humano e além dele, por me mostrar a Verdade e como amá-la.

Sarah Kamrath, por me levar para a kundalini e por manter esse espaço comigo com uma graça sem igual.

Sayer Ji, por quebrar meu ovo cósmico, e por concordar comigo em todos os assuntos, do acadêmico ao esotérico, por seu olhar vital sobre este texto.

Tahra Collins, por seus talentos, por me amar, por me servir de inspiração e fazer essa jornada ao meu lado.

Swaranpal Kaur Khalsa, por ser a parteira iluminada do meu renascimento.

Louise Kuo Habakus, por nossa irmandade, por ir ao meu encontro no espaço de retidão feroz e por me fazer baixar a espada tempo suficiente para explorar minha sabedoria feminina.

Sofia e Lucia, pelo meu nascimento por meio delas.

Minhas pacientes, por serem minhas gurus e me ensinarem o que é a verdadeira cura.

O universo, pela riqueza de uma vida guiada por um propósito.

# Notas

### Introdução: Não Está Tudo na Mente

1. Troy Brown. "100 Best-Selling, Most Prescribed Branded Drugs Through March [2015]". *Medscape Medical News*, 6 de maio de 2015, www.medscape.com/viewarticle/844317, acessado em 21 de setembro de 2015.
2. Roni Caryn Rabin. "A Glut of Antidepressants". *The New York* Times, 12 de agosto de 2013, http://well.blogs.nytimes.com/2013/08/12/a-glut-of-antidepressants/, acessado em 21 de setembro de 2015.

### Capítulo 1: Decodificando a Depressão

1. Katherine Bindley. "Women and Prescription Drugs: One in Four Takes Mental Health Meds". *Huffington Post*, 16 de novembro de 2011, www.huffingtonpost.com/2011/11/16/women-and-prescription-drug-use_ n_1098023.html, acessado em 21 de setembro de 2015.
2. James Warren. "When Health Care Kills". *New York Daily News*, 20 de julho de 2014, www.nydailynews.com/opinion/health-care-kills-article- 1.1872544, acessado em 21 de setembro de 2015. Veja também: J. T. James. "A New, Evidence-based Estimate of Patient Harms Associated with Hospital Care". *J Patient Saf* 9, nº 3 (setembro de 2013): 122-28, doi: 10.1097/PTS.0b013e3182948a69. Este último estudo revela que, segundo estimativas do Instituto de Medicina, até 98 mil americanos morrem todos os anos em decorrência somente de erros médicos.
3. "The Third Leading Cause of Death after Heart Disease and Cancer? Experts Debate the Harmful Effects of Psychiatric Medications". Council for Evidence-Based Psychiatry, 13 de maio de 2015, http://cepuk.org/2015/05/13/third-leading-cause-death-heart-disease--cancer-experts-debate-harmful-effects-psychiatric-medications/, acessado em 21 de setembro de 2015.
4. "Psychiatry Gone Astray", postado pelo dr. David Healy, 21 de janeiro de 2014, http://davidhealy.org/psychiatry-gone-astray/, acessado em 21 de setembro de 2015. Veja também: Peter Gøtzsche. *Deadly Medicines and Organised Crime: How Big Pharma Has Corrupted Healthcare* (Nova York: Radcliffe Publishing, 2013). Para saber mais sobre more o dr. Gøtzsche e seu trabalho, acesse www. deadlymedicines.dk. E para obter mais informações sobre o Relatório Cochrane, acesse www.cochrane.org.
5. Fiona Godlee. "Balancing Benefits and Harms". *British Medical Journal* 346 (2013): f3666.
6. V. Prasad *et al.* "A Decade of Reversal: An Analysis of 146 Contradicted Medical Practices". *Mayo Clinic Proceedings* 88, nº 8 (agosto de 2013): 790-98, doi: 10.1016/j.mayocp.2013.05.012. Epub 18 de julho de 2013.

7. Z. S. Morris, S. Wooding e J. Grant. "The Answer Is 17 Years, What Is the Question: Understanding Time Lags in Translational Research." *Journal of the Royal Society of Medicine* 104, nº 12 (dezembro de 2011): 510-20, doi:10.1258/jrsm.2011.110180.
8. Richard Horton. "Offline: What Is Medicine's 5 Sigma?" *Lancet* 385 (abril de 2015).
9. J. S. Garrow. "What to Do about CAM: How Much of Orthodox Medicine Is Evidence Based?" *British Medical Journal* 335, nº 7627 (novembro de 2007): 951.
10. Brian Berman et al. "Reviewing the Reviews". *International Journal of Technology Assessment in Health Care*, 17 (2001): 457-66.
11. Para os fatos sobre depressão em todo o mundo, visite o site da Organização Mundial da Saúde sobre o assunto: www.who.int/mediacentre/factsheets/fs369/en/.
12. Esta seção é adaptada das publicações do meu próprio *blog* em www.kellybroganmd.com. Em particular, veja "Have You Been Told It's All In Your Head? The New Biology of Mental Illness", 25 de setembro de 2014.
13. R. Mojtabai e M. Olfson. "Proportion of Antidepressants Prescribed without a Psychiatric Diagnosis Is Growing." *Health Affairs* (Millwood) 30, nº 8 (agosto de 2011): 1434-442. doi: 10.1377/hlthaff.2010.1024. Veja também: Nancy Shute. "Antidepressant Use Climbs, as Primary Care Doctors Do the Prescribing." National Public Radio, 4 de agosto de 2011, www.npr.org/sections/health-shots/2011/08/06/138987152/antidepressant-use-climbs-as--primary-care-doctors-do-the-prescribing, acessado em 22 de setembro de 2015.
14. Veja a publicação no meu *blog* em www.kellybroganmd.com, "Antidepressants: No Diagnosis Needed", 21 de abril de 2014.
15. Y. Takayanagi et al. "Antidepressant Use and Lifetime History of Mental Disorders in a Community Sample: Results from the Baltimore Epidemiologic Catchment Area Study." *Journal of Clinical Psychiatry* 76, nº 1 (janeiro de 2015): 40-4, doi: 10.4088/JCP.13m08824.
16. Para uma revisão geral da relação entre inflamação e depressão, veja: A. H. Miller et al. "Inflammation and Its Discontents: The Role of Cytokines in the Pathophysiology of Major Depression." *Biol Psychiatry* 65, nº 9 (1º de maio de 2009): 732-41, doi: 10.1016/j.biopsych.2008.11.029. Veja também: E. Haroon et al. "Psychoneuroimmunology Meets Neuropsychopharmacology: Translational Implications of the Impact of Inflammation on Behavior." *Neuropsychopharmacology* 37, nº 1 (janeiro de 2012): 137-62, doi: 10.1038/npp.2011.205.
17. R. Dantzer et al. "From Inflammation to Sickness and Depression: When the Immune System Subjugates the Brain." *Nat Rev Neurosci*, 9, nº 1 (janeiro de 2008): 46-56.
18. M. Udina et al. "Interferon-induced Depression in Chronic Hepatitis C: A Systematic Review and Meta-analysis." *J Clin Psychiatry* 73, nº 8 (agosto de 2012): 1128-138, doi: 10.4088/JCP.12r07694. Veja também: M. Alavi et al. "Effect of Pegylated Interferon-α-2a Treatment on Mental Health During Recent Hepatitis C Virus Infection." *J Gastroenterol Hepatol* 27, nº 5 (maio de 2012): 957-65, doi: 10.1111/j.1440-1746.2011.07035.x.
19. C. Andre et al. "Diet-induced Obesity Progressively Alters Cognition, Anxiety-like Behavior and Lipopolysaccharide-induced Depressive-like Behavior: Focus on Brain Indoleamine 2,3-dioxygenase Activation." *Brain Behav Immun* 41 (outubro de 2014): 10-21, doi: 10.1016/j.bbi.2014.03.012.
20. A. Pan et al. "Bidirectional Association between Depression and Type 2 Diabetes Mellitus in Women." *Arch Intern Med* 170, nº 21 (22 de novembro de 2010): 1884-891. doi: 10.1001/archinternmed.2010.356.
21. F. S. Luppino et al. "Overweight, Obesity, and Depression: A Systematic Review and Meta--analysis of Longitudinal Studies." *JAMA Psychiatry* 67, nº 3 (março de 2010).

22. M. Berk et al. "So Depression Is an Inflammatory Disease, but Where Does the Inflammation Come From?" *BMC Med* 11 (12 de setembro de 2013): 200, doi: 10.1186/1741-7015-11-200.
23. G. Anderson et al. "Biological Phenotypes Underpin the Physio-somatic Symptoms of Somatization, Depression, and Chronic Fatigue Syndrome." *Acta Psychiatr Scand* 129, nº 2 (fevereiro de 2014): 83-97, doi: 10.1111/ acps.12182.
24. Ibid.
25. A. Louveau et al. "Structural and Functional Features of Central Nervous System Lymphatic Vessels." *Nature* 523, nº 7560 (16 de julho de 2015): 337-41, doi: 10.1038/nature14432.
26. Para uma visão geral do microbioma humano, visite o site do Projeto Microbioma Humano em http://hmpdacc.org/overview/about.php.
27. Para ler sobre Hans Selye e a história do "nascimento do estresse", vá para o Instituto Americano do Estresse em www.stress.org.
28. Bruce S. McEwen e Eliot Stellar. "Stress and the Individual: Mechanisms Leading to Disease." *Arch Intern Med* 153, nº 18 (1993): 2093-101, doi:10.1001/archinte.1993.00410180039004.
29. E. S. Wohleb et al. "Monocyte Trafficking to the Brain with Stress and Inflammation: a Novel Axis of Immune-to-brain Communication that Influences Mood and Behavior." *Front Neurosci* 8 (21 de janeiro de 2015): 447, doi: 10.3389/fnins.2014.00447.
30. R. L. O'Sullivan et al. "The Neuro-immuno-cutaneous-endocrine network: Relationship of Mind and Skin." *Arch Dermatol* 134, nº 11 (novembro de 1998): 1431-435.
31. Z. Durisko et al. "An Adaptationist Perspective on the Etiology of Depression." *J Affect Disord* 172C (28 de setembro de 2014): 315-23, doi: 10.1016/j.jad.2014.09.032.
32. Veja meu *post* em www.kellybroganmd.com, "A Model Consent Form for Psychiatric Drug Treatment", 2 de junho de 2015.
33. J. Tiihonen et al. "Psychotropic Drugs and Homicide: a Prospective Cohort Study from Finland", *World Psychiatry* (2015), doi: 10.1002/wps.20220.
34. P. C. Gøtzsche et al. "Does Long Term Use of Psychiatric Drugs Cause More Harm than Good?" *BMJ* 350 (12 de maio de 2015): h2435, doi: 10.1136/bmj.h2435.
35. A. Amerio et al. "Are Antidepressants Mood Destabilizers?" *Psychiatry Res* 227, nºs 2-3 (30 de junho de 2015): 374-75, doi: 10.1016/j.psychres.2015.03.028.
36. Veja meu *post* em www.kellybroganmd.com, "Psych Meds Put 49 Million Americans at Risk for Cancer", 5 de maio de 2015.
37. A. Amerio et al. "Carcinogenicity of Psychotropic Drugs: A Systematic Review of US Food and Drug Administration-required Preclinical in Vivo Studies". *Australian and New Zealand Journal of Psychiatry* 49, nº 8 (agosto de 2015): 686-96, doi: 10.1177/0004867415582231.
38. N. Berry et al. "Catatonia and Other Psychiatric Symptoms with Vitamin $B_{12}$ Deficiency." *Acta Psychiatr Scand* 108, nº 2 (agosto de 2003): 156-59.

## Capítulo 2: Soro da Verdade: Derrubando o Mito da Serotonina

1. Julia Calderone. "The Rise of All-Purpose Antidepressants." *Scientific American* 24, nº 6 (16 de outubro de 2014), www.scientificamerican.com/article/the-rise-of-all-purpose-antidepressants/.
2. Partes dessa seção são adaptadas do meu *post* em Mercola.com, intitulado "A Psychiatrist's Perspective on Using Drugs", 16 de janeiro de 2014, http://articles.mercola.com/sites/articles/archive/2014/01/16/dr-brogan-on-depression.aspx, acessado em 12 de setembro de 2015.

3. Para uma história bastante citada sobre o uso de antidepressivos, veja *Anatomy of an Epidemic: Magic Bullets, Psychiatric Drugs, and the Astonishing Rise of Mental Illness in America* de Robert Whitaker (Nova York: Crown, 2010). Visite também seu site em www.MadinAmerica.com.
4. *Ibid.*
5. M. A. Posternak *et al.* "The Naturalistic Course of Unipolar Major Depression in the Absence of Somatic Therapy." *J Nerv Ment Dis* 194, nº 5 (maio de 2006): 324-29.
6. L. Cosgrove *et al.* "Financial Ties between DSM-IV Panel Members and the Pharmaceutical Industry." *Psychother Psychosom* 75, nº 3 (2006): 154-60.
7. Para acessar uma coletânea de artigos do dr. Allen Frances, veja suas postagens em *Psychiatric Times*, www.psychiatrictimes.com/authors/allen-frances-md. Leia também seu livro, *Saving Normal: An Insider's Revolt Against Out-of-Control Psychiatric Diagnosis, DSM-5, Big Pharma, and the Medicalization of Ordinary Life* (Nova York: William Morrow, 2013). Veja também: www.psychiatrictimes.com/authors/allen-frances-md#sthash.NJ03o7jI.dpuf.
8. Allen Frances. "The New Crisis of Confidence in Psychiatric Diagnosis." *Annals of Internal Medicine* 159, nº 3 (6 de agosto de 2013): 221-22. Veja também: "The Past, Present and Future of Psychiatric Diagnosis" de Allen Frances, *World Psychiatry* 12, nº 2 (junho de 2013): 111-12.
9. Y. Takayanagi *et al.* "Antidepressant Use and Lifetime History of Mental Disorders in a Community Sample: Results from the Baltimore Epidemiologic Catchment Area Study." *Journal of Clinical Psychiatry* 76, nº 1 (janeiro de 2015): 40-4, doi: 10.4088/JCP.13m08824.
10. Peter Doshi. "No Correction, No Retraction, No Apology, No Comment: Paroxetine Trial Reanalysis Raises Questions about Institutional Responsibility." *BMJ* 351 (2015): h4629.
11. Para acessar o documento real do processo, veja www.justice.gov/sites/default/files/opa/legacy/2012/07/02/us-complaint.pdf.
12. J. Moncrieff e D. Cohen. "Do Antidepressants Cure or Create Abnormal Brain States?" *PLoS Med* 3, nº 7 (julho de 2006): e240.
13. Partes dessa seção são adaptadas do meu *post* em Mercola.com, intitulado "A Psychiatrist's Perspective on Using Drugs", 16 de janeiro de 2014, http://articles.mercola.com/sites/articles/archive/2014/01/16/dr-brogan-on-depression.aspx, acessado em 21 de setembro de 2015.
14. Veja as partes I e II de F. Lopez-Munoz *et al.* "Half a Century of Antidepressant Drugs: On the Clinical Introduction of Monoamine Oxidase Inhibitors, Tricyclics, and Tetracyclics. Monoamine Oxidase Inhibitors." *J. Clin Psychopharmacol* 27, nº 6 (dezembro de 2007): 555-59. Veja também: D. L. Davies e M. Shepherd. "Reserpine in the Treatment of Anxious and Depressed Patients." *Lancet* 269, nº 6881 (16 de julho de 1955): 117-20.
15. D. L. Davies e M. Shepherd. "Reserpine in the Treatment of Anxious and Depressed Patients." *Lancet* 269, nº 6881 (16 de julho de 1955): 117-20.
16. J. J. Schildkraut. "The Catecholamine Hypothesis of Affective Disorders: A review of Supporting Evidence. 1965." *J. Neuropsychiatry Clin Neurosci* 7, nº 4 (outono de 1995): 524-33; discussão 523-24.
17. E. Castrén. "Is Mood Chemistry?" *Nat Rev Neurosci* 6, nº 3 (março de 2005): 241-46.
18. R. H. Belmaker e G. Agam. "Major Depressive Disorder." *N Engl J Med* 358, nº 1 (janeiro de 2008): 55-68, doi: 10.1056/NEJMra073096.
19. K. S. Lam *et al.* "Neurochemical Correlates of Autistic Disorder: A Review of the Literature." *Res Dev Disabil* 27 (2006): 254-89. Veja também: A. Abi-Dargham *et al.* "The Role of Serotonin in the Pathophysiology and Treatment of Schizophrenia." *J Neuropsychiatry Clin Neurosci* 9 (1997): 1-17.

20. Paul W. Andrews *et al*. "Is Serotonin an Upper or a Downer? The Evolution of the Serotonergic System and Its Role in Depression and the Antidepressant Response." *Neuroscience & Behavioral Reviews* 51 (abril de 2015): 164-88. Para saber mais sobre as pesquisas de Paul Andrews e consultar uma lista selecionada de suas publicações, visite seu site em www.science.mcmaster.ca/pnb/andrews.
21. Universidade McMaster. "Science behind commonly used anti-depressants appears to be backwards, researchers say." ScienceDaily. www.sciencedaily.com/releases/2015/02/150217114119.htm, acessado em 22 de setembro de 2015.
22. E. Castrén. "Is Mood Chemistry?" *Nat Rev Neurosci* 6, n° 3 (março de 2005): 241-46.
23. R. H. Belmaker e G. Agam. "Major Depressive Disorder". *N Engl J Med* 358, n° 1 (janeiro de 2008): 55-68, doi: 10.1056/NEJMra073096.
24. Daniel Carlat. *Unhinged: The Trouble with Psychiatry-A Doctor's Revelations about a Profession in Crisis* (Nova York: Free Press, 2010).
25. Peter Breggin e David Cohen. *Your Drug May Be Your Problem: How and Why to Stop Taking Psychiatric Medications* (Nova York: Da Capo Press, 1999).
26. Avshalom Caspi *et al*. "Influence of Life Stress on Depression: Moderation by a Polymorphism in the 5-HTT Gene." *Science* (18 de julho de 2003): 386-89.
27. N. Risch *et al*. "Interaction between the Serotonin Transporter Gene (5-HTTLPR), Stressful Life Events, and Risk of Depression: A Meta-analysis." *JAMA* 301, n° 23 (17 de junho de 2009): 2462-471, doi: 10.1001/jama.2009.878.
28. Veja meu *post* em www.kellybroganmd.com, "Depression: It's Not Your Serotonin", 4 de janeiro de 2015, http://kellybroganmd.com/article/depression-serotonin/.
29. Para ler mais sobre o trabalho e as publicações de Daniel Carlat acesse www.danielcarlat.com.
30. Jeffrey R. Lacasse e Jonathan Leo. "Serotonin and Depression: A Disconnect between the Advertisements and the Scientific Literature." *PLoS Med* 2, n° 12 (8 de novembro de 2005): e 392, doi: 10.1371/journal.pmed.0020392. Veja também suas últimas atualizações desse artigo em "Antidepressants and the Chemical Imbalance Theory of Depression: A Reflection and Update on the Discourse". *Behavior Therapist* 38, n° 7 (outubro de 2015): 206. Essa é uma publicação da Associação de Terapias Comportamentais e Cognitivas.
31. E. Murray *et al*. "Direct-to-consumer Advertising: Physicians' Views of Its Effects on Quality of Care and the Doctor-patient Relationship." *J. Am Board Fam Pract* 16, n° 6 (novembro-dezembro de 2003): 513-24.
32. R. J. Avery *et al*. "The Impact of Direct-to-consumer Television and Magazine Advertising on Antidepressant Use." *J Health Econ* 31, n° 5 (setembro de 2012): 705-18, doi: 10.1016/j.jhealeco.2012.05.002.
33. Tracy Staton. "Pharma's Ad Spend Vaults to $4.5B, with Big Spender Pfizer Leading the Way", 25 de março de 2015, www.fiercepharmamarketing.com/story/pharmas-ad-spend-vaults-45b-big-spender-pfizer-leading-way/2015-03-25.
34. Jeffrey R. Lacasse e Jonathan Leo. "Serotonin and Depression: A Disconnect between the Advertisements and the Scientific Literature." *PLoS Med* 2, n° 12 (8 de novembro de 2005): e392, doi:10.1371/journal.pmed.0020392.
35. E. S. Valenstein. *Blaming the Brain: The Truth about Drugs and Mental Health* (Nova York: Free Press, 1998), p. 292.
36. Brendan L. Smith. "Inappropriate Prescribing," *Monitor on Psychology*, uma publicação da Associação American de Psicologia, vol. 43, n° 6 (junho de 2012): 36, www.apa.org/monitor/2012/06/prescribing.aspx. Veja também: o *post* de Carolyn C. Ross "Do Antidepres-

sants Really Work?" *Psychology Today*, 20 de fevereiro de 2012, www.psychologytoday.com/blog/real-healing/201202/do-anti-depressants-really-work.
37. "The Other Drug War: Big Pharma's 625 Washington Lobbysits", de Citizen.org, 23 de julho de 23, 2001, www.citizen.org/documents/pharmadrugwar. PDF. Para uma visão geral da corrupção na indústria farmacêutica em relação aos dados, veja a matéria de capa da revista *Newsweek* de Ben Wolford, "Big Pharma Plays Hide-the-Ball With Data", 13 de novembro de 2014.
38. *Ibid.*
39. E. H. Turner et al. "Selective Publication of Antidepressant Trials and Its Influence on Apparent Efficacy." *N Engl J Med* 358, nº 3 (17 de janeiro de 2008): 252-60, doi: 10.1056/NEJMsa065779.
40. M. Fava et al. "A Comparison of Mirtazapine and Nortriptyline Following Two Consecutive Failed Medication Treatments for Depressed Outpatients: A STAR*D Report". *Am J Psychiatry* 163, nº 7 (julho de 2006): 1161-172.
41. John T. Aquino. "Whistleblower Claims Forest Bribed Study's Investigator to Favor Celexa." Bloomberg Bureau of National Affairs, 1º de fevereiro de 2012, www.bna.com/whistleblower-claims-forest-n12884907568/.
42. Veja www.fda.gov/ICECI/CriminalInvestigations/ucm245543.htm.
43. Irving Kirsch e Guy Sapirstein. "Listening to Prozac but Hearing Placebo: A Meta-analysis of Antidepressant Medication." *Prevention & Treatment* 1, nº 2 (junho de 1998).
44. Irving Kirsch et al. "Initial Severity and Antidepressant Benefits: A Meta-Analysis of Data Submitted to the Food and Drug Administration." *PLoS Med* 5, nº 2 (2008): e 45, doi: 10.1371/journal.pmed.0050045.
45. Irving Kirsch. "Challenging Received Wisdom: Antidepressants and the Placebo Effect." *Mcgill J Med* 11, nº 2 (novembro de 2008): 219-22.
46. Para saber mais sobre o trabalho e as publicações do dr. Kirsch, visite seu site no Program in Placebo Studies & Therapeutic Encounter (PiPS), que faz parte da Faculdade de Medicina de Harvard, http://programinplacebostudies.org/about/people/irving-kirsch/.
47. B. R. Rutherford et al. "The Role of Patient Expectancy in Placebo and Nocebo Effects in Antidepressant Trials." *J Clin Psychiatry* 75, nº 10 (outubro de 2014): 1040-046, doi: 10.4088/JCP.13m08797.
48. Para saber mais sobre o trabalho do dr. David Healy, visite seu site em http://davidhealy.org/.
49. Veja www.MadinAmerica.com.
50. Para uma lista de estudos que corroboram os fatos sobre o uso de antidepressivos em curto e em longo prazos, veja a página "Antidepressants/Depression" de Whitaker em seu site: www.madinamerica.com/mia-manual/antidepressantsdepression/.
51. C. Ronalds et al. "Outcome of Anxiety and Depressive Disorders in Primary Care." *Br J Psychiatry* 171 (novembro de 1997): 427-33.
52. D. Goldberg et al. "The Effects of Detection and Treatment on the Outcome of Major Depression in Primary Care: A Naturalistic Study in 15 Cities." *Br J Gen Pract* 48, nº 437 (dezembro de 1998): 1840-844.
53. Thomas J. Moore et al. "Prescription Drugs Associated with Reports of Violence Towards Others". *PLoS One* 5, nº 12 (15 de dezembro de 2010): e 15337.
54. Veja: www.madinamerica.com/mia-manual/antidepressantsdepression/.
55. Veja: www.ncbi.nlm.nih.gov/books/NBK54348/.
56. A. Louveau et al. "Structural and Functional Features of Central Nervous System Lymphatic Vessels." *Nature* 523, nº 7560 (16 de julho de 2015): 337-41, doi: 10.1038/nature14432.

57. Alexander Schaefer, et al. "Serotonergic Modulation of Intrinsic Functional Connectivity." *Current Biology* 24, nº 19 (setembro de 2014): 2314-318, doi: 10.1016/j.cub.2014.08.024.
58. S. E. Hyman e E. J. Nestler. "Initiation and Adaptation: A Paradigm for Understanding Psychotropic Drug Action." *Am J Psychiatry* 153, nº 2 (fevereiro de 1996): 151-62.
59. P. W. Andrews et al. "Blue Again: Perturbational Effects of Antidepressants Suggest Monoaminergic Homeostasis in Major Depression." *Front Psychol* 2 (7 de julho de 2011): 159, doi: 10.3389/fpsyg.2011.00159.
60. Ibid.
61. E. M. van Weel-Baumgarten et al. "Treatment of Depression Related to Recurrence: 10-Year Follow-up in General Practice." *J Clin Pharm Ther* 25, nº 1 (fevereiro de 2000): 61-6.
62. A. C. Viguera et al. "Discontinuing Antidepressant Treatment in Major Depression." *Harv Rev Psychiatry* 5, nº 6 (março-abril de 1998): 293-306.
63. Veja: www.madinamerica.com/wp-content/uploads/2011/11/Can-long-term-andtidepressant-use-be-depressogenic.pdf.
64. Phil Hickey. "Antidepressants Make Things Worse in the Long Term." postado no *blog* Behaviorism and Mental Health em 8 de abril de 2014, www.behaviorismandmentalhealth.com/2014/04/08/antidepressants-make-things-worse-in-the-long-term/.
65. Robert Whitaker. *Anatomy of an Epidemic: Magic Bullets, Psychiatric Drugs, and the Astonishing Rise of Mental Illness in America* (Nova York: Crown, 2010), pp. 169-70.
66. Veja: www.madinamerica.com/2015/02/stopping-ssri-antidepressants-can-cause-long-intense-withdrawal-problems/.
67. G. Chouinard e V. A. Chouinard. "New Classification of Selective Serotonin Reuptake Inhibitor Withdrawal." *Psychother Psychosom* 84, nº 2 (21 de fevereiro de 2015): 63-71.
68. Essa linguagem vem do meu *post* em MadinAmerica.com, "Depression: It's Not Your Serotonin", em 30 de dezembro de 2014, www.madinamerica.com/2014/12/depression-serotonin/.
69. M. Babyak et al. "Exercise Treatment for Major Depression: Maintenance of Therapeutic Benefit at 10 Months." *Psychosom Med* 62, nº 5 (setembro-outubro de 2000): 633-38.

## Capítulo 3: A Nova Biologia da Depressão

1. O. Köhler et al. "Effect of Anti-inflammatoryTreatment on Depression, Depressive Symptoms, and Adverse Effects: A Systematic Review and Meta-analysisof Randomized Clinical Trials." *JAMA Psychiatry* 71, nº 12 (1º de dezembro de 2014): 1381-391, doi: 10.1001/jamapsychiatry.2014.1611.
2. E. Haroon et al. "Psychoneuroimmunology Meets Neuropsychopharmacology: Translational Implications of the Impact of Inflammation on Behavior." *Neuropsychopharmacology* 37, nº 1 (janeiro de 2012): 137-62, doi: 10.1038/npp.2011.205.
3. **Norbert Müller**. "Immunology of Major Depression." *Neuroimmunomodulation* 21, nºs 2-3 (2014): 123-30. doi: 10.1159/000356540.
4. S. M. Gibney e H. A. Drexhage. "Evidence for a Dysregulated Immune System in the Etiology of Psychiatric Disorders." *J Neuroimmune Pharmacol* 8, nº 4 (setembro de 2013): 900-20, doi: 10.1007/s11481-013- 9462-8.
5. A. C. Logan et al. "Natural Environments, Ancestral Diets, and Microbial Ecology: Is There a Modern Paleo-deficit Disorder? Part I." *J Physiol Anthropol* 35, nº 1 (2015): 1. Publicado *on-line* em 31 de janeiro de 2015, doi: 10.1186/s40101-015-0041-y.

6. Paula A. Garay e A. Kimberley McAllister. "Novel Roles for Immune Molecules in Neural Development: Implications for Neurodevelopmental Disorders." *Front Synaptic Neurosci* 2 (2010): 136, doi: 10.3389/fnsyn.2010.00136.

7. A. Louveau et al. "Structural and Functional Features of Central Nervous System Lymphatic Vessels." *Nature* 523, nº 7560 (16 de julho de 2015): 337-41, doi: 10.1038/nature14432.

8. C. Martin et al. "The Inflammatory Cytokines: Molecular Biomarkers for Major Depressive Disorder?" *Biomark Med* 9, nº 2 (2015): 169-80, doi: 10.2217/bmm.14.29.

9. J. Dahl et al. "The Plasma Levels of Various Cytokines Are Increased During Ongoing Depression and Are Reduced to Normal Levels After Recovery." *Psychoneuroendocrinology* 45 (julho de 2014): 77-86, doi: 10.1016/j. psyneuen.2014.03.019. Veja também: S. Alesci et al. "Major Depression Is Associated with Significant Diurnal Elevations in Plasma Interleukin-6 Levels, a Shift of Its Circadian Rhythm, and Loss of Physiological Complexity in Its Secretion: Clinical Implications." *J Clin Endocrinol Metab* 90, nº 5 (maio de 2005): 2522-530.

10. J. A. Pasco et al. "Association of High-sensitivity C-reactive Protein with de novo Major Depression." *Br J Psychiatry* 197, nº 5 (novembro de 2010): 372-77, doi: 10.1192/bjp.bp.109.076430.

11. C. Hoyo-Becerra et al. "Insights from Interferon-α-related Depression for the Pathogenesis of Depression Associated with Inflammation." *Brain Behav Immun* 42 (novembro de 2014): 222-31, doi: 10.1016/j.bbi.2014.06.200.

12. S. C. Segerstrom e G. E. Miller. "Psychological Stress and the Human Immune System: a Meta-analytic Study of 30 Years of Inquiry". *Psychol Bull* 130, nº 4 (julho de 2004): 601-30.

13. L. A. Carvalho et al. "Inflammatory Activation Is Associated with a Reduced Glucocorticoid Receptor alpha/beta Expression Ratio in Monocytes of Inpatients with Melancholic Major Depressive Disorder." *Transl Psychiatry* 4 (14 de janeiro de 2014): e344, doi: 10.1038/tp.2013.118.

14. O. K.hler et al. "Effect of Anti-inflammatory Treatment on Depression, Depressive Symptoms, and Adverse Effects: A Systematic Review and Meta-analysis of Randomized Clinical Trials." *JAMA Psychiatry* 71, nº 12 (1º de dezembro de 2014): 1381-391, doi:10.1001/jamapsychiatry.2014.1611.

15. J. J. Yu et al. "Chronic Supplementation of Curcumin Enhances the Efficacy of Antidepressants in Major Depressive Disorder: A Randomized, Double-Blind, Placebo-Controlled Pilot Study." *J Clin Psychopharmacol* 35, nº 4 (agosto de 2015): 406-10, doi: 10.1097/JCP.0000000000000352.

16. M. Maes et al. "The Gut-brain Barrier in Major Depression: Intestinal Mucosal Dysfunction with an Increased Translocation of LPS from Gram Negative Enterobacteria (Leaky Gut) Plays a Role in the Inflammatory Pathophysiology of Depression." *Neuro Endocrinol Lett* 29, nº 1 (fevereiro de 2008): 117-24.

17. M. Berk et al. "So Depression Is an Inflammatory Disease, but Where Does the Inflammation Come From?." *BMC Med* 11 (12 de setembro de 2013): 200, doi: 10.1186/1741-7015-11-200.

18. Y. Gao et al. "Depression as a Risk Factor for Dementia and Mild Cognitive Impairment: a Meta-analysis of Longitudinal Studies." *Int J Geriatr Psychiatry* 28, nº 5 (maio de 2013): 441-49, doi: 10.1002/gps.3845. Epub 19 de julho de 2012. Veja também: A. C. Bested et al. "Intestinal Microbiota, Probiotics and Mental Health: from Metchnikoff to Modern Advances: Part II-Contemporary Contextual Research." *Gut Pathog* 5, nº 1 (14 de março de 2013): 3, doi: 10.1186/1757-4749-5-3.

19. T. C. Theoharis. "On the Gut Microbiome-Brain Axis and Altruism." Editorial for *Clinical Therapeutics*, 37, nº 5 (2015).

20. T. G. Dinan e J. F. Cryan. "Regulation of the Stress Response by the Gut Microbiota: Implications for Psychoneuroendocrinology." *Psychoneuroendocrinology* 37, n° 9 (setembro de 2012): 1369-378, doi: 10.1016/j.psyneuen.2012.03.007.
21. Para uma excelente visão geral sobre o microbioma humano, veja "Can the Bacteria in Your Gut Explain Your Mood?" de Peter Andrey Smith na revista *New York Times*, 23 de junho de 2015, www.nytimes.com/2015/06/28/magazine/can-the-bacteria-in-your-gut-explain-your--mood.html?smid=fb-nytimes&smtyp=cur&_r=1.
22. P. Bercik et al. "Chronic Gastrointestinal Inflammation Induces Anxiety-like Behavior and Alters Central Nervous System Biochemistry in Mice." *Gastroenterology* 139, n° 6 (dezembro de 2010): 2102-112.e1, doi: 10.1053/j.gastro.2010.06.063.
23. P. Bercik et al. "The Intestinal Microbiota Affect Central Levels of Brain-derived Neurotropic Factor and Behavior in Mice." *Gastroenterology* 141, n° 2 (14 de agosto de 2011): 599-609, 609.e1-3,doi: 10.1053/j. gastro.2011.04.052.
24. M. J. Friedrich. "Unraveling the Influence of Gut Microbes on the Mind." *JAMA* 313, n° 17 (2015): 1699-1701, doi:10.1001/jama.2015.2159.
25. *Ibid.*
26. Daniel Erny et al. "Host Microbiota Constantly Control Maturation and Function of Microglia in the CNS." *Nature Neuroscience* 18 (2015): 965-77, doi:10.1038/nn.4030. Veja também: Y. E. Borre et al. "Microbiota and Neurodevelopmental Windows: Implications for Brain Disorders." *Trends Mol Med* 20, n° 9 (setembro de 2014): 509-18. doi: 10.1016/j.molmed.2014.05.002.
27. M. B. Azad et al. "Gut Microbiota of Healthy Canadian Infants: Profiles by Mode of Delivery and Infant Diet at 4 Months." *CMAJ* 185, n° 5 (19 de março de 2013): 385-94, doi: 10.1503/cmaj.121189.
28. *Canadian Medical Association Journal*. "Infant gut microbiota influenced by cesarean section and breastfeeding practices; may impact long-term health." ScienceDaily. www.sciencedaily.com/releases/2013/02/130211134842.htm, acessado em 23 de setembro de 2015.
29. Martin J. Blaser. *Missing Microbes: How the Overuse of Antibiotics Is Fueling Our Modern Plagues* (Nova York: Henry Holt and Co., 2014).
30. M. G. Dominguez-Bello, et al. "Delivery Mode Shapes the Acquisition and Structure of the Initial Microbiota Across Multiple Body Habitats in Newborns." *Proc Natl Acad Sci USA* 107, n° 26 (29 de junho de 2010): 11971-75.
31. A. C. Logan et al. "Natural Environments, Ancestral Diets, and Microbial Ecology: Is There a Modern "Paleo-deficit Disorder? Part I." *J Physiol Anthropol* 35, n° 1 (2015): 1. Publicado on-line em 31 de janeiro de 2015, doi: 10.1186/s40101-015-0041-y. Veja também a Parte II: www.ncbi.nlm.nih.gov/pmc/articles/PMC4353476/.
32. S. L. Schnorr et al. "Gut Microbiome of the Hadza Hunter-gatherers." *Nat Commun* 5 (15 de abril de 2014): 3654, doi: 10.1038/ncomms4654. Veja também: "Some Indigenous People from the Amazon Have the Richest and Most Diverse Microbiota Ever Recorded in Humans", artigo postado em 20 de maio de 2015, por Gut Microbiota Watch Organization em www. gutmicrobiotawatch.org.
33. Para saber mais sobre o trabalho do dr. William Parker e consultar uma lista de publicações, visite http://surgery.duke.edu/faculty/details/0115196.
34. A. C. Logan et al. "Natural Environments, Ancestral Diets, and Microbial Ecology: Is There a Modern "Paleo-deficit Disorder? Part I", *J Physiol Anthropol* 35, n° 1 (2015): 1. Publicado on-line em 31 de janeiro de 2015, doi: 10.1186/s40101-015-0041-y.
35. *Ibid.*

36. Peter J. Turnbaugh et al. "A Core Gut Microbiome in Obese and Lean Twins." *Nature* 457 (22 de janeiro de 2009): 480-84, doi:10.1038/nature07540. Veja também: Peter J. Turnbaugh et al. "The Effect of Diet on the Human Gut Microbiome: A Metagenomic Analysis in Humanized Gnotobiotic Mice." *Sci Transl Med* 1, nº 6 (11 de novembro de 2009): 6ra14, doi: 10.1126/ scitranslmed.3000322.
37. A. C. Bested et al. "Intestinal Microbiota, Probiotics and Mental Health: from Metchnikoff to Modern Advances: Part II-Contemporary Contextual Research." *Gut Pathog* 5, nº 1 (14 de março de 2013): 3, doi: 10.1186/1757-4749-5-3.
38. M. Hadjivassiliou et al. "Gluten Sensitivity as a Neurological Illness". *J Neurol Neurosurg Psychiatry* 72, nº 5 (maio de 2002): 560-63.
39. Para uma discussão abrangente sobre o papel do glúten na patologia do cérebro, bem como a síntese das últimas pesquisas, veja *Grain Brain: The Surprising Truth about Wheat, Carbs, and Sugar... Your Brain's Silent Killers*, de David Perlmutter (Nova York: Little, Brown, 2013). Veja também: D. B. Shor et al. "Gluten Sensitivity in Multiple Sclerosis: Experimental Myth or Clinical Truth?" *Ann N Y Acad Sci* 1173 (setembro de 2009): 343-49.
40. D. Bernardo et al. "Is Gliadin Really Safe for Non-coeliac Individuals? Production of Interleukin 15 in Biopsy Culture from Non-coeliac Individuals Challenged with Gliadin Peptides." *Gut* 56, nº 6 (junho de 2007): 889-90.
41. Para uma excelente revisão e coletânea de referências sobre os efeitos do glifosato, veja "Research Reveals Previously Unknown Pathway by which Glyphosate Wrecks Health", do dr. Joseph Mercola postado em Mercola.com em 14 de maio de 2013, http://articles.mercola.com/sites/articles/archive/2013/05/14/glyphosate.aspx.
42. J. Suez et al. "Artificial Sweeteners Induce Glucose Intolerance by Altering the Gut Microbiota." *Nature* 514, nº 7521 (9 de outubro de 2014): 181-86, doi: 10.1038/nature13793.

## Capítulo 4: Os Falsos Quadros Psiquiátricos

1. P. Caturegli et al. "Hashimoto's Thyroiditis: Celebrating the Centennial through the Lens of the Johns Hopkins Hospital Surgical Pathology Records." *Thyroid* 23, nº 2 (fevereiro de 2013): 142-50, doi: 10.1089/thy.2012.0554.
2. Para uma lista abrangente das publicações do dr. Gold, acesse www.drmarkgold.com/dr-mark-s-gold-addiction-medicine-books-and-publications/.
3. D. Degner et al. "Association between Autoimmune Thyroiditis and Depressive Disorder in Psychiatric Outpatients." *Eur Arch Psychiatry Clin Neurosci* 265, nº 1 (fevereiro de 2015): 67-72, doi: 10.1007/s00406-014-0529-1.
4. Para um resumo das pesquisas sobre tireoide e sintomas de depressão, acesse www.kellybroganmd.com e leia os seguintes *posts*: "Thyroid: What's Mental Health Got to Do with It" (14 de julho de 2014); "New Habits Die Hard-Dessicated Thyroid Treatment" (11 de dezembro de 2013); e "Is Thyroid Hormone Dangerous for Psych Patients?" (24 de março de 2015).
5. Troy Brown. "The 10 Most-Prescribed and Top-Selling Medications", *post* de WebMD, 8 de maio de 2015, www.webmd.com/news/20150508/most-prescribed-top-selling-drugs.
6. C. Sategna-Guidetti et al. "Prevalence of Thyroid Disorders in Untreated Adult Celiac Disease Patients and Effect of Gluten Withdrawal: An Italian Multicenter Study." *Am J Gastroenterol* 96, nº 3 (março de 2001): 751-57.
7. Para uma síntese das pesquisas que mostram a relação entre flúor e disfunção tireoidiana, acesse http://fluoridealert.org/issues/health/thyroid/.

8. Veja meu *post* em www.kellybroganmd.com, "Pheromones Missing From That Similac?" de 14 de novembro de 2014, http://kellybroganmd.com/snippet/pheromones-missing-similac/.
9. *Ibid.*
10. Para uma visão geral da relação entre problemas de glicemia, diabetes e depressão, acesse www.nimh.nih.gov/health/publications/ depression-and-diabetes/index.shtml.
11. W. K. Kim *et al.* "Depression and Its Comorbid Conditions More Serious in Women than in Men in the United States." *J Women's Health* (Larchmt) (1º de julho de 2015).

## Capítulo 5: Por Que Cremes Hidratantes, Água da Rede Pública e Analgésicos Vendidos sem Receita Deveriam Trazer Novos Avisos de Advertência

1. Para uma síntese das pesquisas sobre a relação entre a pílula anticoncepcional e transtornos psiquiátricos, veja meu *post* em www.kellybroganmd.com, "Is the Pill Changing Your Brain?" de 28 de abril de 2015, http://kellybroganmd.com/snippet/oral-contraceptives/. Veja também: "That Naughty Little Pill", postado em MadinAmerica.com, 8 de fevereiro de 2013, www.madinamerica.com/2013/02/that-naughty-little-pill/.
2. Partes dessa seção foram extraídas do meu *post* "That Naughty Little Pill", em MadinAmerica.com, 8 de fevereiro de 2013, http:// www.madinamerica.com/2013/02/that-naughty-little-pill/.
3. K. A. Oinonen e D. J. Mazmanian. "To What Extent Do Oral Contraceptives Influence Mood and Affect?." *J Affect Disord* 70, nº 3 (agosto de 2002): 229-40.
4. KellyBroganMD.com. "That Naughty Little Pill", postado em MadinAmerica.com, 8 de fevereiro de 2013, www.madinamerica.com/2013/02/that-naughty-little-pill/.
5. T. Piltonen *et al.* "Oral, Transdermal and Vaginal Combined Contraceptives Induce an Increase in Markers of Chronic Inflammation and Impair Insulin Sensitivity in Young Healthy Normal-weight Women: A Randomized Study." *Hum Reprod* 27, nº 10 (outubro de 2012): 3046-056, doi: 10.1093/humrep/des225.
6. C. Panzer *et al.* "Impact of Oral Contraceptives on Sex Hormone-binding Globulin and Androgen Levels: A Retrospective Study in Women with Sexual Dysfunction." *J Sex Med* 3, nº 1 (janeiro de 2006): 104-13.
7. F. Zal *et al.* "Effect of Vitamin E and C Supplements on Lipid Peroxidation and GSH Dependent Antioxidant Enzyme Status in the Blood of Women Consuming Oral Contraceptives." *Contraception* 86, nº 1 (julho de 2012): 62-6, doi: 10.1016/j.contraception.2011.11.006.
8. P. R. Palan *et al.* "Effects of Oral, Vaginal, and Transdermal Hormonal Contraception On Serum Levels of Coenzyme Q(10), Vitamin E, and Total Antioxidant Activity." *Obstet Gynecol Int* (2010): pii: 925635, doi: 10.1155/2010/925635.
9. O. Akinloye *et al.* "Effects of Contraceptives on Serum Trace Elements, Calcium and Phosphorus Levels." *West Indian Med J* 60, nº 3 (junho de 2011): 308-15. Para mais detalhes sobre os efeitos da pílula anticoncepcional, especialmente em relação ao cérebro, veja meu post em www.kellybroganmd.com, "Is the Pill Changing Your Brain?", 28 de abril de 2015.
10. Essa seção é adaptada de um post escrito por Sayer Ji e eu em www. GreenMedInfo.com, "Cracking the Cholesterol Myth: How Statins Harm the Body and Mind", 27 de fevereiro de 2015, www.greenmedinfo.com/blog/cracking-cholesterol-myth-how-statins-harm-body-and-mind?page=1#!.
11. "ACC/AHA Publish New Guideline for Management of Blood Cholesterol." American Heart Association, 12 de novembro de 2013, http://newsroom.heart.org/news/acc-aha-publish-new-guideline-for management-of-blood-cholesterol.

12. David M. Diamond e Uffe Ravnskov. "How Statistical Deception Created the Appearance that Statins Are Safe and Effective in Primary and Secondary Prevention of Cardiovascular Disease." *Expert Review of Clinical Pharmacology* 8, nº 2 (2015): 201, doi: 10.1586/17512433.2015.1012494.
13. Para uma breve visão geral sobre a relação entre colesterol baixo e depressão, veja o post do dr. James M. Greenblatt em *Psychology Today*, "Low Cholesterol and Its Psychological Effects", 10 de junho de 2011, www.psychologytoday.com/blog/the-breakthrough-depressionsolution/201106/low-cholesterol-and-its-psychological-effects.
14. Os próximos parágrafos são adaptados do meu post "Luscious Lipids" publicado em MadinAmerica.com, 20 de janeiro de 2013, www.madinamerica.com/2013/01/luscious-lipids/.
15. Para uma visão geral da história da gordura alimentar na nossa vida e a influência de Ancel Keys, veja a matéria de capa da revista *Time*, de Brian Shilhavy, "Ending the War on Fat", 12 de junho de 2014.
16. I. Björkhem e S. Meaney. "Brain Cholesterol: Long Secret Life Behind a Barrier." *Arterioscler Thromb Vasc Biol* 24, nº 5 (maio de 2004): 806-15.
17. H. Kunugi *et al.* "Low Serum Cholesterol in Suicide Attempters." *Biol Psychiatry* 41, nº 2 (15 de janeiro de 1997): 196-200.
18. C. J. Glueck *et al.* "Hypocholesterolemia and Affective Disorders." *Am J Med Sci* 308, nº 4 (outubro de 1994): 218-25.
19. E. C. Suarez. "Relations of Trait Depression and Anxiety to Low Lipid and Lipoprotein Concentrations in Healthy Young Adult Women." *Psychosom Med* 61, nº 3 (maio-junho de 1999): 273-79.
20. V. W. Henderson *et al.* "Serum Lipids and Memory in a Population Based Cohort of Middle Age Women." *J Neurol Neurosurg Psychiatry* 74, nº 11 (novembro de 2003): 1530-535.
21. H. Zhang *et al.* "Discontinuation of Statins in Routine Care Settings: A Cohort Study." *Ann Intern Med* 158, nº 7 (2 de abril de 2013): 526-34, doi: 10.7326/0003-4819-158-7-201304020-00004.
22. A. L. Culver *et al.* "Statin Use and Risk of Diabetes Mellitus in Postmenopausal Women in the Women's Health Initiative." *Arch Intern Med* 172, nº 2 (23 de janeiro de 2012): 144-52, doi: 10.1001/archinternmed.2011.625.
23. Essa seção é adaptada do meu post "Vitamin $B_{12}$ and Brain Health" em www.kellybroganmd.com, 7 de fevereiro de 2014, http://kellybroganmd.com/article/b12-deficiency-brain-health/.
24. N. Berry *et al.* "Catatonia and Other Psychiatric Symptoms with Vitamin $B_{12}$ Deficiency." *Acta Psychiatr Scand* 108, nº 2 (agosto de 2003): 156-59.
25. J. R. Lam *et al.* "Proton Pump Inhibitor and Histamine 2 Receptor Antagonist Use and Vitamin B12 Deficiency." *JAMA* 310, nº 22 (11 de dezembro de 2013): 2435-442, doi: 10.1001/jama.2013.280490.
26. Para uma boa visão geral sobre a história e os perigos do Tylenol, veja o *post* do dr Micozzi em Insiders' Cures, "Mainstream Press Finally Catches Wind of Tylenol's Dangers," 30 de março de 2015, http://drmicozzi.com/mainstream-press-finally-catches-wind-of-tylenols-dangers. Veja também meu *post* em kellybrogan.com, "Tylenol Numbing You Out?", 30 de abril de 2015.
27. G. R. Durso, *et al.* "Over-the-Counter Relief From Pains and Pleasures Alike: Acetaminophen Blunts Evaluation Sensitivity to Both Negative and Positive Stimuli." *Psychol Sci* 26, nº 6 (junho de 2015): 750-58, doi: 10.1177/0956797615570366.
28. T. Christian Miller e Jeff Gerth. "Behind the Numbers." ProPublica, 20 de setembro de 2013, www.propublica.org/article/tylenol-mcneil-fda-behind-the-numbers.

29. R. E. Brandlistuen et al. "Prenatal Paracetamol Exposure and Child Neurodevelopment: A Sibling-controlled Cohort Study." *Int J Epidemiol* 42, nº 6 (dezembro de 2013): 1702-713, doi: 10.1093/ije/dyt183.
30. Z. Liew et al. "Acetaminophen Use During Pregnancy, Behavioral Problems, and Hyperkinetic Disorders." *JAMA Pediatr* 168, nº 4 (abril de 2014): 313-20, doi: 10.1001/jamapediatrics.2013.4914.
31. E. Roberts et al. "Paracetamol: Not as Safe as We Thought? A Systematic Literature Review of Observational Studies." *Ann Rheum Dis* (2 de março de 2015), pii: annrheumdis-2014--206914,doi: 10.1136/annrheumdis-2014-206914.
32. European League Against Rheumatism. "Non-steroidal anti-inflammatory drugs inhibit ovulation after just 10 days." ScienceDaily, 11 de junho de 2015. www.sciencedaily.com/releases/2015/06/150611082124.htm, acessado em 23 de setembro de 2015.
33. D. Y. Graham et al. "Visible Small-intestinal Mucosal Injury in Chronic NSAID Users." *Clin Gastroenterol Hepatol* 3, nº 1 (janeiro de 2005): 55-9.
34. G. Sigthorsson et al. "Intestinal Permeability and Inflammation in Patients on NSAIDs." *Gut* 43, nº 4 (outubro de 1998): 506-11.
35. Veja meu *post* em Mercola.com, "Psychoneuroimmunology-How Inflammation Affects Your Mental Health", 17 de abril de 2014, http://articles.mercola.com/sites/articles/archive/2014/04/17/psychoneuroimmunology inflammation.aspx#_edn29.
36. European League Against Rheumatism. "Non-steroidal anti-inflammatory drugs inhibit ovulation after just 10 days." ScienceDaily, 11 de junho de 2015. www.sciencedaily.com/releases/2015/06/150611082124.htm, acessado em 23 de setembro de 2015.
37. G. Ozgoli, M. Goli e F. Moattar. "Comparison of Effects of Ginger, Mefenamic Acid, and Ibuprofen on Pain in Women with Primary Dysmenorrhea." *J Altern Complement Med* 15, nº 2 (13 de fevereiro de 2009): 129-32. Veja mais em: http://www.greenmedinfo.com/blog/ibuprofen-kills-more-pain-so-what-alternatives?page=2#_ftn7. Veja também: Vilai Kuptniratsaikul et al. "Efficacy and Safety of Curcuma Domestica Extracts in Patients with Knee Osteoarthritis." *Int J Mol Med* 25, nº 5 (maio de 2010): 729-34. Veja mais em: http://www.greenmedinfo.com/blog/turmeric-extract-puts-drugs-knee-osteoarthritis-shame?page=2#sthash.gQAULVLl.dpuf.
38. A. L. Choi et al. "Developmental Fluoride Neurotoxicity: A Systematic Review and Meta--analysis." *Environ Health Perspect* 120, nº 10 (outubro de 2012): 1362-368, doi: 10.1289/ehp.1104912.
39. Veja Jeremy Seifert's *Our Daily Dose*, um filme sobre fluoretação. Você pode assistir a ele no YouTube em https://youtu.be/bZ6enuCZOA8. Veja também meu *post* "Are You Fluoridated", 26 de outubro de 2015, http://kellybroganmd.com/snippet/are-you-fluoridated/.
40. Para acessar estudos e fatos sobre flúor, acesse o site da Fluoride Action Network, http://fluoridealert.org/issues/health/brain/.
41. J. Luke. "Fluoride Deposition in the Aged Human Pineal Gland." *Caries Res* 35, nº 2 (março-abril de 2001): 125-28.
42. Veja o artigo e o vídeo do dr. Michael Ruscio sobre esse assunto, "Does Fluoride Cause Hypothyroidism?," em http://drruscio.com/ fluoride-cause-hypothyroid/.
43. S. Peckham, D. Lowery e S. Spencer. "Are Fluoride Levels in Drinking Water Associated with Hypothyroidism Prevalence in England? A Large Observational Study of GP Practice Data and Fluoride Levels in Drinking Water." *J Epidemiol Community Health* 69, nº 7 (julho de 2015): 619-24. doi: 10.1136/jech-2014-204971.
44. Veja meu *post* em www.kellybrogan.com, "Will You Wait? Protect Yourself Now", 4 de novembro de 2014, http://kellybroganmd.com/snippet/will-wait-protect-now/.

45. R. U. Halden. "Epistemology of Contaminants of Emerging Concern and Literature Meta-analysis." *J Hazard Mater* 282 (janeiro de 2015): 2-9, doi: 10.1016/j.jhazmat.2014.08.074.
46. I. A. Lang et al. "Association of Urinary Bisphenol A Concentration with Medical Disorders and Laboratory Abnormalities in Adults." *JAMA* 300, nº 11 (setembro de 2008): 1303-310, doi: 10.1001/jama.300.11.1303.
47. Jenna Bilbrey. "BPA-Free Plastic Containers May Be Just as Hazardous." *Scientific American*, 11 de agosto de 2014, www.scientificamerican.com/article/bpa-free-plastic-containers-may-be-just-as-hazardous/.
48. Para acessar um centro de recursos abrangente e fácil de usar sobre os efeitos das vacinas e, em particular, relatos de reações adversas, visite o National Vaccine Information Center em http://medalerts.org/. Eu escrevi extensamente sobre minhas preocupações com as vacinas, especialmente em populações vulneráveis. Convido você a visitar meu site e usar sua função de busca para ler mais sobre a minha posição em relação às vacinas, bem como sobre estudos de apoio.
49. Veja meu *post* "A Scientist Speaks: Senate Bill 277 in California" em www.kellybroganmd.com, de 7 de maio de 2015, http://kellybroganmd.com/article/scientist-speaks-senate-bill-277-california/.
50. Para acessar o trabalho do dr. Gregory Poland e o Vaccine Research Group da Clínica Mayo, acesse www.mayo.edu/research/labs/vaccines/overview.
51. Donald L. Barlett e James B. Steele. "Deadly Medicine." *Vanity Fair*, janeiro de 2011.
52. Para saber os detalhes da história, veja "Obama Grants Immunity to CDC Whistleblower on Measles Vaccine Link to Autism" em HealthImpactNews.com, 4 de fevereiro de 2015.
53. Para ler os detalhes que estão por trás do proceso contra a Merk, veja "Judge: Lawsuit Against Merck's MMR Vaccine Fraud to Continue" e artigos relacionados em HealthImpactNews.com.

## Capítulo 6: Deixe que o Alimento Seja o seu Remédio

1. F. N. Jacka et al. "Maternal and Early Postnatal Nutrition and Mental Health of Offspring by Age 5 Years: A Prospective Cohort Study," *J Am Acad Child Adolesc Psychiatry* 52, nº 10 (outubro de 2013): 1038-047, doi: 10.1016/j.jaac.2013.07.002. Veja também: J. Sarris, et al. "Nutritional Medicine as Mainstream in Psychiatry." *Lancet Psychiatry* 2, nº 3 (março de 2015): 271-74, doi: 10.1016/S2215-0366(14)00051-0.
2. F. N. Jacka, et al. "Does Reverse Causality Explain the Relationship between Diet and Depression?." *J Affect Disord* 175 (abril de 2015): 248-50, doi: 10.1016/j.jad.2015.01.007.
3. Bonnie J. Kaplan et al. "The Emerging Field of Nutritional Mental Health: Inflammation, the Microbiome, Oxidative Stress, and Mitochondrial Function." Artigo de revisão da Associação para Ciências Psicológicas, *Clinical Psychological Science*, Sage Publications, 2014.
4. Partes dessa seção foram retiradas do meu *post* "Enhance Your Mood with Food-Eat Naturally", www.kellybroganmd.com, 7 de outubro de 2013, http://kellybroganmd.com/article/enhance-your-mood-with-food-eat-naturally/.
5. Para ler sobre o trabalho e as pesquisas de Weston Price, acesse seu abrangente site em www.westonaprice.org.
6. Karen Hardy et al. "The Importance of Dietary Carbohydrate in Human Evolution." *Quarterly Review of Biology* 90, nº 3 (setembro de 2015): 251-68.
7. Stephanie Strom. "Kellogg Agrees to Alter Labeling on Kashi Line." *The New York Times*, 8 de maio de 2014, http://www.nytimes.com/2014/05/09/business/kellogg-agrees-to-change-labeling-on-kashi-line.html.

8. O Environmental Working Group (www.ewg.org) mantém uma lista atualizada das frutas e hortaliças que devem ser orgânicas. Veja: http://www.ewg.org/foodnews/?gclid=Cj0KEQjw qsyxBRCIxtminsmwkMABEiQAzL34Pf-DLMtvPWcJSolmJXnLcNTlJc9P6wqTWP2VlAs-JnnXIaAjIr8P8HAQ.
9. Eu escrevi extensamente sobre o glifosato. Visite meu site para uma lista completa de citações e mais informações. O Earth Open Source, um grupo de cientistas independentes (ou seja, eles não são pagos para apoiar cientificamente as empresas) publicou um compêndio de literatura que chamou de "Roundup and Birth Defects: Is the public being kept in the dark?" que traz a seguinte afirmação: "A indústria de pesticida e os órgãos reguladores da União Europeia sabiam desde as décadas de 1980 e 1990 que o Roundup, o herbicida mais vendido no mundo, causa anomalias congênitas, mas não informaram ao público". O relatório foi o subproduto de uma colaboração internacional de cientistas e pesquisadores preocupados e revela com uma clareza chocante como os estudos da própria indústria mostram que o Roundup causa anomalias congênitas em animais de laboratório. Os efeitos que podem passar despercebidos são alteração endócrina, efeitos sobre o desenvolvimento, efeitos amplificados dos ingredientes adicionados (adjuvantes), efeitos de combinações de substâncias químicas e efeitos sobre as abelhas. Outros efeitos que podem passar despercebidos são os encontrados na literatura científica independente, pois as velhas diretivas não dizem explicitamente que esses estudos devem ser incluídos no dossiê do setor. Na esfera de pesticidas e herbicidas persistentes e biocumulativos, a realização de testes somente no ingrediente ativo pode deixar os fabricantes falsamente tranquilizados. A sinergia dos agentes tóxicos derrubou a noção simplista de que "o veneno está na dose", e um artigo crítico publicado na *Biomed Research International* abordou as pressuposições falhas sobre a toxicidade dos pesticidas e herbicidas, descobrindo que o Roundup da Monsanto pode ser 10 mil vezes mais tóxico do que o glifosato sozinho. Em um artigo de 2013 de Stephanie Seneff, cientista e pesquisadora do MIT, e um colega independente, os efeitos do glifosato sobre os microrganismos do corpo foram descritos claramente. O artigo afirmava que, entre outros efeitos adversos, o glifosato inibe as enzimas do citocromo P450 (CYP), responsáveis pela desintoxicação de inúmeros compostos químicos estranhos e mata microrganismos benéficos no intestino por meio do seu impacto sobre a "via metabólica do ácido chiquímico" que antes acreditava-se que não existia nos seres humanos. Até mesmo a ativação da vitamina $D_3$ no fígado pode ser negativamente afetada pelo efeito do glifosato nas enzimas hepáticas, o que poderia explicar os níveis epidêmicos de deficiência dessa vitamina.
10. K. Z. Guyton *et al.* "Carcinogenicity of Tetrachlorvinphos, Parathion, Malathion, Diazinon, and Glyphosate." *Lancet Oncol* 16, nº 5 (maio de 2015): 490-91, doi: 10.1016/S1470-2045(15)70134-8.
11. Veja: www.gmfreecymru.org/documents/monsanto_knew_of_glyphosate.html.
12. S. Thongprakaisang *et al.* "Glyphosate Induces Human Breast Cancer Cells Growth via Estrogen Receptors." *Food Chem Toxicol* 59 (setembro de 2013): 129-36, doi: 10.1016/j.fct.2013.05.057.
13. "Egg Nutrition and Heart Disease: Eggs Aren't the Dietary Demons They're Cracked Up to Be." Harvard Health Publications, Harvard Medical School, www.health.harvard.edu/press_releases/egg-nutrition.
14. Para saber mais sobre o debate sobre ovo-colesterol, veja os *posts* de Chris Kresser: "Three Eggs a Day Keep the Doctor Away", 23 de maio de 2008, http://chriskresser.com/three--eggs-a-day-keep-the-doctor-away/, e "Why You Should Eat More (Not Less) Cholesterol", 6 de janeiro de 2012, http:// chriskresser.com/why-you-should-eat-more-not-less-cholesterol/.

15. C. N. Blesso et al. "Whole Egg Consumption Improves Lipoprotein Profiles and Insulin Sensitivity to a Greater Extent than Yolk-free Egg Substitute in Individuals with Metabolic Syndrome." *Metabolism* 62, nº 3 (março de 2013): 400-10, doi: 10.1016/j.metabol.2012.08.014.
16. A. Vojdani e I. Tarash. "Cross-Reaction between Gliadin and Different Food and Tissue Antigens.". *Food and Nutrition Sciences* 4, nº 1 (2013): 20-32, doi: 10.4236/fns.2013.41005.
17. J. Mu et al. "Interspecies Communication between Plant and Mouse Gut Host Cells through Edible Plant Derived Exosome-like Nanoparticles." *Mol Nutr Food Res* 58, nº 7 (julho de 2014): 1561-573, doi: 10.1002/mnfr.201300729.
18. D. L. Freed. "Do Dietary Lectins Cause Disease?" *BMJ* 318, nº 7190 (abril de 1999): 1023-024.
19. G. W. Tannock. "A Special Fondness for Lactobacilli." *Appl Environ Microbiol* 70, nº 6 (junho de 2004): 3189-194.
20. C. D'Mello et al. "Probiotics Improve Inflammation-Associated Sickness Behavior by Altering Communication between the Peripheral Immune System and the Brain." *J Neurosci* 35, nº 30 (29 de julho de 2015): 10821-30, doi: 10.1523/JNEUROSCI.0575-15.2015. Veja também meu *post* "Probiotics for the Brain", 30 de abril de 2014, http://kellybroganmd.com/article/probiotics-brain/.
21. E. M. Selhub. "Fermented Foods, Microbiota, and Mental Health: Ancient Practice Meets Nutritional Psychiatry." *J Physiol Anthropol* 33 (15 de janeiro de 2014): 2, doi: 10.1186/1880-6805-33-2. Veja também meu *post* "Psychobiotics: Bacteria for Your Brain?" em GreenMedInfo.com, 21 de janeiro de 2014, www.greenmedinfo.com/blog/psychobiotics-bacteria--your-brain.
22. Ghodarz Akkasheh et al. "Clinical and Metabolic Response to Probiotic Administration in Patients with Major Depressive Disorder: A Randomized, Double-blind, Placebo--controlled Trial". *Nutrition* (25 de setembro de 2015), doi: http://dx.doi.org/10.1016/j.nut.2015.09.003.
23. A. P.rtty et al. "A Possible Link between Early Probiotic Intervention and the Risk of Neuropsychiatric Disorders Later in Childhood: A Randomized Trial." *Pediatr Res* 77, nº 6 (junho de 2015): 823-28, doi: 10.1038/pr.2015.51.
24. Veja meu artigo em wwwkellybroganmd.com "Guts, Bugs, and Babies", 29 de agosto de 2103, http://kellybroganmd.com/article/guts-bugs-and-babies/.

## Capítulo 7: O Poder da Meditação, do Sono e do Exercício

1. A linguagem nesse parágrafo é repetida no meu *post* "Psychoneuroimmunology – How Inflammation Affects Your MentalHealth", de 17 de abril de 2014 em Mercola.com, http://articles.mercola.com/sites/articles/archive/2014/04/17/psychoneuroimmunology-inflammation.aspx.
2. S. W. Lazar et al. "Meditation Experience Is Associated with Increased Cortical Thickness." *Neuroreport* 16, nº 17 (28 de novembro de 2005): 1893-897.
3. Para uma síntese das pesquisas, veja a postagem no *blog* de Tom Ireland: "What Does Mindfulness Meditation Do to Your Brain?" na *Scientific American*, 12 de junho de 2014, http://blogs.scientificamerican.com/guest-blog/what-does-mindfulness-meditation-do-to-your--brain/.
4. Visite o site do Benson Henry Institute em www.bensonhenryinstitute.org.
5. Veja meu artigo bastante citado para Mercola.com "Taming the Monkey Mind-How Meditation Affects Your Health and Wellbeing", 20 de fevereiro de 2014, http://articles.mercola.com/sites/articles/archive/2014/02/20/meditation-relaxation-response.aspx.

6. "Mindfulness Meditation Helps Fibromyalgia Patients", postado por Brigham e Women's Hospital em 20 de março de 2013, http:// healthhub.brighamandwomens.org/mindfulness-meditation-helps-fibromyalgia-patients#sthash.mJ71gjem.QgviZelQ.dpbs. Veja também: Psychotherapy and Psychosomatics. "Mindfulness Meditation: A New Treatment for Fibromyalgia?" ScienceDaily. www.sciencedaily. com/releases/2007/08/070805134742. htm, acessado em 23 de setembro de 2015. Mais um: E. H. Kozasa et al. "The Effects of Meditation-based Interventions on the Treatment of Fibromyalgia". *Curr Pain Headache Rep* 16, nº 5 (outubro de 2012): 383-87, doi: 10.1007/s11916-012-0285-8.

7. Michael Singer. *The Untethered Soul: The Journey Beyond Yourself* (Nova York: New Harbinger, 2013). Observe que partes desses parágrafos foram extraídas no meu *post* "Taming the Monkey Mind-How Meditation Affects Your Health and Wellbeing", 20 de fevereiro de 2014, em Mercola.com, http://articles.mercola.com/sites/articles/archive/2014/02/20/meditation-relaxation-response.aspx.

8. Eu escrevi muito sobre a Kundalini Yoga *on-line*. Algumas partes desse trecho foram extraídas do meu artigo "Kundalini Yoga: Ancient Technology for Modern Stress", 6 de janeiro de 2014, http://kellybroganmd.com/article/kundalini-yoga/.

9. A. Goshvarpour e A. Goshvarpour. "Comparison of Higher Order Spectra in Heart Rate Signals During Two Techniques of Meditation: Chi and Kundalini Meditation." *Cogn Neurodyn* 7, nº 1 (fevereiro de 2013): 39-46, doi: 10.1007/s11571-012-9215-z.

10. D. Shannahoff-Khalsa. "An Introduction to Kundalini Yoga Meditation Techniques that are Specific for the Treatment of Psychiatric Disorders." *Journal of Alternative and Complementary Medicine* 10, nº 1 (2004): 91-101.

11. L. Xie et al. "Sleep Drives Metabolite Clearance from the Adult Brain." *Science* 342, nº 6156 (18 de outubro de 2013): 373-77, doi: 10.1126/science.1241224. Para uma lista completa de referências e recursos úteis sobre o poder do sono, visite o site da National Sleep Foundation em https://sleepfoundation.org/.

12. P. M. Krueger e E. M. Friedman. "Sleep Duration in the United States: a Cross-sectional Population-based Study." *Am J Epidemiol* 169, nº 9 (1º de maio de 2009): 1052-063, doi: 10.1093/aje/kwp023. Outro grande recurso sobre o sono e os estudos realizados é o www.thesleepdoctor.com.

13. K. Spiegel et al. "Brief Communication: Sleep Curtailment in Healthy Young Men Is Associated with Decreased Leptin Levels, Elevated Ghrelin Levels, and Increased Hunger and Appetite.". *Ann Intern Med* 141, nº 11 (7 de dezembro de 2004): 846-50. Veja também: University of Chicago Medical Center. "Sleep Loss Boosts Appetite, May Encourage Weight Gain." ScienceDaily. www.sciencedaily.com/releases/2004/12/041206210355.htm (acessado em 23 de setembro de 2015).

14. S. Seneff, N. Swanson e C. Li. "Aluminum and Glyphosate Can Synergistically Induce Pineal Gland Pathology: Connection to Gut Dysbiosis and Neurological Disease." *Agricultural Sciences* 6 (2015): 42-70, doi: 10.4236/as.2015.61005. Veja também: J. Luke. "Fluoride Deposition in the Aged Human Pineal Gland." *Caries Res* 35, º 2 (março-abril 2001): 125-28.

15. Andrew Winokur and Nicholas Demartinis. "The Effects of Antidepressants on Sleep". *Psychiatric Times*, 13 de junho de 2012, www.psychiatrictimes.com/sleep-disorders/effects-antidepressants-sleep.

16. Adaptado do meu *post* "Sleep: Why You Need It and How to Get It", em www.GreenMedInfo.com, 8 de agosto de 2014, www.greenmedinfo.com/blog/sleep-why-you-need-it-and-how-get-it-2.

17. Peter L. Franzen. "Sleep Disturbances and Depression: Risk Relationships for Subsequent Depression and Therapeutic Implications." *Dialogues Clin Neurosci* 10, nº 4 (dezembro de

2008): 473-81. Veja também: C. Baglioni et al. "Insomnia as a Predictor of Depression: A Meta-analytic Evaluation of Longitudinal Epidemiological Studies." *J Affect Disord* 135, n^os 1-3 (dezembro de 2011): 10-9, doi: 10.1016/j.jad.2011.01.011.
18. M. Ghaly e D. Teplitz. "The Biologic Effects of Grounding the Human Body During Sleep as Measured by Cortisol Levels and Subjective Reporting of Sleep, Pain, and Stress." *J Altern Complement Med* 10, n° 5 (outubro de 2004): 767-76.
19. Melissa Healy. "Sleeping Pills Linked to Higher Risk of Cancer, Death, Study Says". *Los Angeles Times*, 28 de fevereiro de 2012, http://articles.latimes.com/2012/feb/28/news/la--heb-sleep-aids-cancer-death- 20120228.
20. G. S. Passos et al. "Is Exercise an Alternative Treatment for Chronic Insomnia?" *Clinics* (Sao Paulo) 67, n° 6 (2012): 653-60.
21. O volume de literatura sobre os benefícios do exercício poderia encher uma biblioteca. Você pode ter acesso a inúmeros estudos *on-line* digitando "benefícios do exercício" no Google ou visitando o site da Clínica Mayo (www.mayoclinic.org) e da Harvard Health Publications (www.health.harvard.edu).
22. Dennis M. Bramble e Daniel E. Lieberman. "Endurance Running and the Evolution of *Homo*." *Nature* 432 (18 de novembro de 2004): 345-52, doi:10.1038/nature03052.
23. A. Sierakowiak et al. "Hippocampal Morphology in a Rat Model of Depression: the Effects of Physical Activity." *Open Neuroimag J* 9 (30 de janeiro de 2015): 1-6, doi: 10.2174/1874440001509010001.
24. L. Z. Agudelo et al. "Skeletal Muscle PGC-1α1 Modulates Kynurenine Metabolism and Mediates Resilience to Stress-induced Depression." *Cell* 159, n° 1 (25 de setembro de 2014): 33-45, doi: 10.1016/j.cell.2014.07.051. Veja também o texto de Gretchen Reynolds sobre esse estudo para o *The New York Times*, "How Exercise May Protect Against Depression", 1° de outubro de 2014, http://well.blogs.nytimes.com/2014/10/01/how-exercise-may-protect--against-depression/.
25. S. Melov et al. "Resistance Exercise Reverses Aging in Human Skeletal Muscle", *PLoS One* 2, n° 5 (23 de maio de 2007): e465.
26. J. P. Little et al. "A Practical Model of Low-volume High-intensity Interval Training Induces Mitochondrial Biogenesis in Human Skeletal Muscle: Potential Mechanisms." *J Physiol* 588, Pt. 6 (15 de março de 2010): 1011-022, doi: 10.1113/jphysiol.2009.181743.
27. G. Vincent et al. "Changes in Mitochondrial Function and Mitochondria Associated Protein Expression in Response to 2-weeks of High Intensity Interval Training." *Front Physiol* 6 (24 de fevereiro de 2015): 51, doi: 10.3389/fphys.2015.00051.
28. E. V. Menshikova et al. "Effects of Exercise on Mitochondrial Content and Function in Aging Human Skeletal Muscle." *J Gerontol A Biol Sci Med Sci* 61, n° 6 (junho de 2006): 534-40.

## Capítulo 8: Casa Limpa

1. B. A. Cohn et al. "DDT Exposure in Utero and Breast Cancer." *J Clin Endocrinol Metab* 100, n° 8 (agosto de 2015): 2865-872, doi: 10.1210/jc.2015-1841.
2. Você pode fazer o *download* do boletim em: www.acog.org/-/media/Committee-Opinions/Committee-on-Health-Care-for-Underserved-Women/ExposuretoToxic.pdf.
3. Veja os textos do Instituto Nacional de Ciências da Saúde Ambiental sobre o assunto, bem como outras substâncias químicas, em www.niehs.nih.gov/health/topics/agents/endocrine/.

4. R. Yanagisawa *et al*. "Impaired Lipid and Glucose Homeostasis in Hexabromocyclododecane-exposed Mice Fed a High-fat Diet." *Environ Health Perspect* 122, nº 3 (março de 2014): 277-83. doi: 10.1289/ehp.1307421. Veja também: Universidade de New Hampshire. "Flame retardants found to cause metabolic, liver problems, animal study shows." ScienceDaily, 19 de fevereiro de 2015. www.sciencedaily.com/releases/2015/02/150219101343.htm, acessado em 23 de setembro de 2015.
5. O termo *obesogênico* é atribuído ao dr. Bruce Blumberg da Universidade da Califórnia em Irvine; ele passou a maior parte da última década estudando os efeitos das substâncias químicas sobre o metabolismo e o desenvolvimento da obesidade — especialmente em relação a como os fatores de risco para obesidade devidos à exposição química podem ser passados aos descendentes. Veja o seguinte: B. Blumberg *et al*. "Transgenerational Inheritance of Increased Fat Depot Size, Stem Cell Reprogramming, and Hepatic Steatosis Elicited by Prenatal Exposure to the Obesogen Tributyltin in Mice." *Environ Health Perspect* 121, nº 3 (março de 2013): 359-66. doi: 10.1289/ehp.1205701.
6. Para ler textos mais detalhados sobre substâncias químicas individuais e seus efeitos, pesquise a seção sobre medicina ambiental no meu site.
7. Para fatos e números sobre a Carga Corporal, visite o site do Environmental Working Group em www.ewg.org.
8. *Ibid*.
9. Susan Freinkel. "Warning Signs: How Pesticides Harm the Young Brain." *The Nation*, 31 de março de 2014, www.thenation.com/article/warning-signs-how-pesticides-harm-young--brain/.
10. V. Delfosse *et al*. "Synergistic Activation of Human Pregnane X Receptor by Binary Cocktails of Pharmaceutical and Environmental Compounds." *Nat Commun* 6 (3 de setembro de 2015): 8089, doi: 10.1038/ncomms9089.
11. Randall Fitzgerald. *The Hundred-Year Lie: How Food and Medicine Are Destroying Your Health* (Nova York: Dutton, 2006).
12. V. Delfosse *et al*. "Synergistic Activation of Human Pregnane X Receptor by Binary Cocktails of Pharmaceutical and Environmental Compounds." *Nat Commun* 6 (3 de setembro de 2015): 8089, doi: 10.1038/ncomms9089.
13. Adaptado do meu *post* "Pregnant and Pre-Polluted: 8 Choices for a Healtheir Womb", 16 de julho de 2013, http://kellybroganmd.com/article/pregnant-and-pre-polluted-8-choices--for-a-healthier-womb/.
14. R. U. Halden. "Epistemology of contaminants of emerging concern and literature meta-analysis." *J Hazard Mater* 282 (23 de janeiro de 2015): 2-9, doi: 10.1016/j.jhazmat.2014.08.074.
15. www.womensvoices.org. Veja também o artigo de Laura Kiesel para a Salon, "Toxic Tampons: How Ordinary Feminine Care Products Could Be Hurting Women", 22 de dezembro de 2013, www.salon.com/2013/12/22/toxic_tampons_how_ordinary_feminine_care_products_could_be_hurting_women/.
16. Veja meu *post* "Going Organic, Down There: Feminine Products", 11 de novembro de 2013, http://kellybroganmd.com/snippet/going-organic-down-there-feminine-products/. Veja também: Dr. Mercola, "What's in a Toxic Tampon", 6 de agosto de 2014, http://articles.mercola.com/sites/articles/archive/2014/08/06/tampons-feminine-care.aspx.
17. A. M. Hormann *et al*. "Holding Thermal Receipt Paper and Eating Food after Using Hand Sanitizer Results in High Serum Bioactive and Urine Total Levels of Bisphenol A (BPA)." *PLoS One* 9, nº 10 (22 de outubro de 2014): e110509, doi: 10.1371/journal.pone.0110509.
18. The Environmental Working Group, www.ewg.org.

19. Janet Currie et al. "Something in the Water: Contaminated Drinking Water and Infant Health." *Canadian Journal of Economics* 46, nº 3 (agosto de 2013): 791-810.
20. Princeton University, Woodrow Wilson School of Public and International Affairs. "Something in the (expecting mother's) water: Contaminated water breeds low-weightbabies, sometimes born prematurely." ScienceDaily, 8 de outubro de 2013. www.sciencedaily.com/releases/2013/10/131008122906.htm, acessado em 28 de setembro de 2015.
21. S. Roggeveen et al. "EEG Changes Due to Experimentally Induced 3G Mobile Phone Radiation." *PLoS One* 10, nº 6 (8 de junho de 2015): e0129496, doi: 10.1371/journal.pone.0129496. eCollection 2015. Veja também o artigo de Sayer Ji em GreedMedInfo.com, "Brain Wave Warping Effect of Mobile Phones, Study Reveals", 12 de julho de 2015, www.greenmedinfo.com/blog/brain-wave-warping-effect-mobile-phones-study-reveals.
22. R. Douglas Fields. "Mind Control by Cell Phone." *Scientific American*, 7 de maio de 2008, www.scientificamerican.com/article/mind-control-by-cell/.
23. Bin Lv et al. "The Alteration of Spontaneous Low Frequency Oscillations Caused by Acute Electromagnetic Fields Exposure." *Clinical Neurophysiology* 125, nº 2 (fevereiro de 2014): 277-86.
24. Para acessar a lista de publicações da dra. Bello, visite o seu site na Faculdade de Medicina da Universidade de Nova York, www.med.nyu.edu/medicine/clinicalpharm/maria-gloria--dominguez-bello-\lab.

## Capítulo 9: Exames Laboratoriais e Suplementos

1. Veja meu *post* "Acid Blocking Gut Sabotage", 9 de dezembro de 2014, http://kellybroganmd.com/snippet/acid-blocking-gut-sabotage/.
2. Veja meu *post* "Prenatal Vitamins: A to D", 16 de abril de 2014, http:// kellybroganmd.com/article/prenatal-vitamins-d/.
3. Patrick J. Skerrett. "Vitamin $B_{12}$ Can Be Sneaky, Harmful", blog de saúde de Harvard, 10 de janeiro de 2013, www.health.harvard.edu/blog/vitamin-b12-deficiency-can-be-sneaky--harmful-201301105780.
4. Para outras informações e pesquisas de apoio baseadas em evidências sobre qualquer um desses suplementos, visite www.kellybroganmd.com.
5. K. A. Skarupski et al. "Longitudinal Association of Vitamin B-6, Folate, and Vitamin B-12 with Depressive Symptoms among Older Adults Over Time." *Am J Clin Nutr* 92, nº 2 (agosto de 2010): 330-35, doi: 10.3945/ajcn.2010.29413.
6. S. Hirsch et al. "Colon Cancer in Chile Before and After the Start of the Flour Fortification Program with Folic Acid." *Eur J Gastroenterol Hepatol* 21, nº 4 (abril de 2009): 436-39, doi: 10.1097/MEG.0b013e328306ccdb.
7. C. Norman Shealy et al. "The Neurochemistry of Depression." *American Journal of Pain Management* 2, nº 1 (1992): 13-6.
8. L. Sartori et al. "When Emulation Becomes Reciprocity." *Soc Cogn Affect Neurosci* 8, nº 6 (agosto de 2013): 662-69, doi: 10.1093/scan/nss044.
9. C. M. Banki et al. "Biochemical Markers in Suicidal Patients. Investigations with Cerebrospinal Fluid Amine Metabolites and Neuroendocrine Tests." *Journal of Affective Disorders* 6 (1984): 341-50.
10. D. Benton. "Selenium Intake, Mood and Other Aspects of Psychological Functioning." *Nutr Neurosci* 5, nº 6 (dezembro de 2002): 363-74.
11. G. Shor-Posner et al. "Psychological Burden in the Era of HAART: Impact of Selenium Therapy." *Int J Psychiatry Med* 33 (2003): 55-69. Veja também: L. H. Duntas et al. "Effects of

a Six Month Treatment with Selenomethionine in Patients with Autoimmune Thyroiditis." *Eur J Endocrinol* 148, nº 4 (abril de 2003): 389-93.

12. Para um resumo sobre os efeitos do óleo de peixe sobre o alívio da ansiedade e da depressão, veja o artigo da dra. Emily Dean para a *Psychology Today*, "Fish Oil and Anxiety", 10 de novembro de 2011, www.psychologytoday.com/blog/evolutionary-psychiatry/201111/fish-oil-and-anxiety.

13. www.westonaprice.org/health-topics/cod-liver-oil-basics-and-recommendations/

14. J. Sarris *et al.* "S-adenosyl Methionine (SAMe) versus Escitalopram and Placebo in Major Depression RCT: Efficacy and Effects of Histamine and Carnitine as Moderators of Response." *J Affect Disord* 164 (agosto de 2014): 76-81, doi: 10.1016/j.jad.2014.03.041.

15. V. Darbinyan *et al.* "Clinical Trial of Rhodiola Rosea L. Extract SHR-5 in the Treatment of Mild to Moderate Depression." *Nord J Psychiatry* 61, nº 5 (2007): 343-48.

16. A. Bystritsky *et al.* "A Pilot Study of Rhodiola Rosea (Rhodax) for Generalized Anxiety Disorder (GAD)." *J Altern Complement Med* 14, nº 2 (março de 2008): 175-80, doi: 10.1089/acm.2007.7117.

17. S. W. Poser *et al.* "Spicing Up Endogenous Neural Stem Cells: Aromatic-turmerone Offers New Possibilities for Tackling Neurodegeneration." *Stem Cell Res Ther* 5, nº 6 (17 de novembro de 2014): 127, doi: 10.1186/scrt517.

18. S. Bengmark. "Gut Microbiota, Immune Development and Function." *Pharmacol Res* 69, nº 1 (março de 2013): 87-113, doi: 10.1016/j.phrs.2012.09.002. Veja também meu *post* no *blog* "Probiotics for Prevention: The New Psychiatry", 26 de março de 2015, http://kellybroganmd.com/snippet/probiotics-prevention-new-psychiatry/.

19. D. Berger *et al.* "Efficacy of Vitex Agnus Castus L. Extract Ze 440 in Patients with Pre--menstrual Syndrome (PMS)." *Arch Gynecol Obstet* 264, nº 3 (novembro de 2000): 150-53.

20. R. Schellenberg. "Treatment for the Premenstrual Syndrome with Agnus Castus Fruit Extract: Prospective, Randomised, Placebo Controlled Study." *BMJ* 322, nº 7279 (20 de janeiro de 2001): 134-37.

21. C. Lauritzen. "Treatment of Premenstrual Tension Syndrome with Vitex Agnus Castus Controlled, Double-blind Study versus Pyridoxine." *Phytomedicine* 4, nº 3 (setembro de 1997): 183-89, doi: 10.1016/S0944-7113(97)80066-9.

22. J. Levine *et al.* "Double-blind, Controlled Trial of Inositol Treatment of Depression." *Am J Psychiatry* 152, nº 5 (maio de 1995): 792-94.

23. M. Fux *et al.* "Inositol Treatment of Obsessive-compulsive Disorder." *Am J Psychiatry* 153, nº 9 (setembro de 1996): 1219-221.

24. V. Unfer *et al.* "Effects of Myo-inositol in Women with PCOS: a Systematic Review of Randomized Controlled Trials." *Gynecol Endocrinol* 28, nº 7 (julho de 2012): 509-15, doi: 10.3109/09513590.2011.650660.

25. V. Unfer e G. Porcaro. "Updates on the Myo-inositol Plus D-chiro-inositol Combined Therapy in Polycystic Ovary Syndrome." *Expert Rev Clin Pharmacol* 7, nº 5 (setembro de 2014): 623-31, doi: 10.1586/17512433.2014.925795.

26. M. Gunther e K. D. Phillips. "Cranial Electrotherapy Stimulation for the Treatment of Depression." *J Psychosoc Nurs Ment Health Serv* 48, nº 11 (novembro de 2010): 37-42. doi: 10.3928/02793695-20100701-01.2010.

27. T. H. Barclay e R. D. Barclay. "A Clinical Trial of Cranial Electrotherapy Stimulation for Anxiety and Comorbid Depression." *J Affect Disord* 164 (agosto de 2014): 171-77, doi: 10.1016/j.jad.2014.04.029.

## Capítulo 10: Quatro Semanas para uma Sensação de Bem-Estar Natural

1. S. Strauss. "Clara M. Davis and the Wisdom of Letting Children Choose Their Own Diets." *CMAJ* 175, nº 10 (7 de novembro de 2006): 1199.
2. Veja "Big Pharma Hides the Truth About Coffee Enemas and Cancer", do dr. Nicholas Gonzalez, http://thetruthaboutcancer.com/big-pharma-hides-the-truth-about-coffee-enemas-and-cancer/.
3. Michael Singer. *The Surrender Experiment* (Nova York: Harmony, 2015).
4. G. Chouinard e V. A. Chouinard. "New Classification of Selective Serotonin Reuptake Inhibitor Withdrawal." *Psychother Psychosom* 84, nº 2 (21 de fevereiro de 2015): 63-71.
5. www.breggin.com.

## Comentários Finais: Seja Dona do seu Próprio Corpo e Liberte a sua Mente

1. © The Teachings of Yogi Bhajan, por volta de1977.
2. Adaptado do *post* do meu *blog* "What Is the Point of Health?" de 4 de agosto de 2015, http://kellybroganmd.com/article/whats-the-point-of-health/.
3. A. H. Maslow. "A Theory of Human Motivation." *Psychological Review* 50 (1943): 370-96.

# Índice Remissivo

Abobrinha com Carne Moída, 265, 296
absorventes internos, 218
ácido docosahexaenoico, 240-41, 271
ácido metilmalônico, 231
ácido pantotênico (B$_5$), 236
ácidos graxos ômega-3, 173, 240
ácidos graxos ômega-6, 173, 240, 241
ácidos graxos, 240-42, 271
açúcar
    artificial, 37, 110, 115, 116, 118
    eliminação, 115, 117, 162-63, 258
    fome e, 259-60
    neurônios e, 118
    problemas com, 158
*Adi Shakti*, 258
adoçantes artificiais, 37, 100, 115, 116, 118
adrenalina, 39, 40
Advil, 136-38
Agência de Proteção Ambiental (EPA), 210, 214
Agência Internacional de Pesquisa sobre Câncer, 224
agentes tóxicos
ambientais, 206-11
    definição de, 13n
    químicos, 212-13, 323n5
água
com sal do Himalaia, 263, 290
    da rede pública, 221
    filtrada, 168, 222, 261, 263
    gargarejo, 250
AINEs (anti-inflamatórios não esteroides), 101-02, 136-38
Alcaparras com Repolho Roxo Refogado, 265, 301
álcool, 276
alergênicos, eliminação, 159-62

alimentação/dieta
    adoçantes artificiais e, 37, 100, 115, 116, 118
    carboidratos na, 156-59, 258
    depois do programa de 30 dias, 275-77
    disfunção tireoidiana e, 111-12, 114-20
    em caso de queimação facial "psicossomática", 29-30
    glúten e, 97-98, 112, 152, 160-62, 258
    laticínios e, 98-99, 152, 168-70, 260, 275-76
    mudanças diárias, 21-22
    no programa de 30 dias, 152-58
    desejo de comer durante, 255, 270
    lanchinhos durante, 262-63
    metas durante, 256
    regra nº 1: eliminação dos alimentos processados, 158-64
    regra nº 2: alimentos integrais, 164-70
    regra nº 3: gorduras naturais, 171-74
    regra nº 4: probióticos, 174-78
    regra nº 5: comer de forma consciente, 178-79
    sugestão de cardápio para uma semana, 263-66
    OGMs e, 99-100, 153
    *Veja também* suplementos
alimentos enlatados, 216
alimentos integrais, 216
    consumo de, 164-70
alimentos
    orgânicos, 165
    processados, 158-64, 258
ambiente
    depressão como resposta adaptativa ao, 41
    inflamação e, 33
    influência sobre as saúde, 45
    subprodutos químicos no, 213

amendoim, 170
*American Journal of Gastroenterology*, 112
*American Journal of Psychiatry*, 71
amido resistente, 172
amidos celulares, 158
amidos, 158, 160, 172, 275
análise de ácidos orgânicos urinários, 234
Andrews, Paul, 53-54, 72
anomalias congênitas, 165, 207, 319n9
ansiedade, 30, 90-91
antibióticos, 100-01
anticoncepcionais orais, 23, 111, 123-26
anticorpos antitireoglobulina (TgAb), 229
anticorpos antitireoperoxidase (TPOAb), 229
antidepressivos
  abstinência de, 70-5, 281-84
  aumento do uso de, 49, 70
    como carcinogênicos, 44
    crianças pequenas e, 51
    efeito placebo dos, 63-67
    efeitos colaterais dos, 42-44, 48-49, 67-75, 283
    falta de específicos, 48, 51-52
    incapacidade e, 11, 42-43, 44, 49-50, 72-73
    porcentagem de mulheres que tomam, 49
    prescrições para, 29
    requisitos do FDA para a bula, 70
    retirada gradual, 11, 279-84
    *Veja também* inibidores seletivos da recaptação da serotonina (SSRIs)
anti-inflamatórios não esteroides (AINEs), 101-02, 136-38
aparelhos de *biofeedback*, 187
aparelhos de suplementação, 248-49
aparelhos para suplementação, 248-49
*Archives of Internal Medicine*, 131
argila bentonítica, 267-68
arroz branco, 275
Arroz de Couve-flor, 264, 265, 294
artigos de casa, geral, 219-21
Associação Americana de Psicologia, 75
*Australian and New Zealand Journal of Psychiatry*, 44
autismo, 146-47
autointoxicação, 30

bactéria. *Veja* microrganismos
bacteriocinas, 176
banheiros, 216-19
barreira hematoencefálica, 213
Barrinhas de Coco, 265, 295

batata-inglesa, 275
Bayer, 142
Benson, Herbert, 183
Berman, Brian, 26
*Bifidobacterium infantis*, 90
*Bifidobacterium longum*, 90
biomonitoramento de substâncias químicas, 210-11
biotina, 236
bisfenol A (BPA), 141-42, 209, 216, 219
bisfenol S (BPS), 142, 219
Blaser, Martin, 92-93
Blumberg, Bruce, 323n5
Bolo de Carne, 265, 300-301
BPA (bisfenol A), 141-42, 209, 216, 219
BPS (bisfenol S), 142, 219
Bramble, Dennis M., 201
Breggin, Peter, 283
brinquedos, plástico, 220
*British Medical Journal*, 24, 25-26, 43, 108, 139
butirato, 173

café, enemas de, 268-69
caixa de luz, 249
Caldo de Frango, 302
cama/colchão/travesseiro, 220
*Canadian Medical Association Journal*, 92, 266
cancer de mama, 207
câncer, 207
candidíase, 100
cansaço crônico, 33
carboidratos refinados e farinha de trigo, 159
carboidratos, 156-59, 258
cardápio para um programa de 30 dias, sugestão de, 263-66
carga alostática, 39
Carlat, Daniel, 54, 55
carne de porco
  Bolo de Carne, 265, 300-301
  Lasanha de Abóbora, 299-300
carne de vaca
  Abobrinha com Carne Moída, 265, 296
  Bolo de Carne, 265, 300-301
  Lasanha de Abóbora, 299-300
  Molho de Carne Moída, 264, 290-91
carpetes, 220
Carson, Rachel, 207
casa, limpeza da, 214-16, 256
  banheiro, 216-18
  cozinha, 216, 258
  durante a semana 10, 267
  em geral, 219-22
caseína, 115

Caso de "queimação facial "psicossomática",
    29-30
castanhas, 170, 277
    Barrinhas de Castanhas e Mel, 265, 299
    Musli de Sementes, 292-93
CDC. Veja Centro de Controle e Prevenção
    de Doenças
Celexa (citalopram), 62-63, 70
celular, telefone 222-25
Centro de Controle e Prevenção de Doenças
    (CDC), 24, 146
Centro Nórdico Cochrane, 43
cereais, 163
cereais
    com glúten, 160-61
    contaminação com PBB, 206
        eliminação, 162, 260
        reintrodução, 156, 158, 275, 277
        sem glúten, 161
cérebro
    açúcar e, 118
    colesterol e, 128-30
    flúor e, 138, 139
    ligação entre intestino e, 87-89, 91, 102,
        153
    meditação e, 182-83
    microrganismos intestinais e, 90-91
    sistema imunológico e, 34, 80-81
cesariana, 92-93, 225
cesarianas, 92-93, 225
chá, 168, 197
China, 145-46
cianocobalamina, 237
citocinas pró-inflamatórias, 84
citocinas, 82
cloridrato de betaína, 243-44
Cochrane Collaboration, 25
Cohn, Barbara, 207
colchões, 220
Colégio Americano de Obstetrícia, 208
colesterol, 122, 129-30/diminuição do, com o
    uso de estatinas, 127-31
Collins, Stephen, 90, 91
comer de forma consciente, 178-79, 267
complexo B, 236-38, 271
    ativado, 236-38, 271
compulsão alimentar, 266
    emocional, 266
consciência testemunha, 187-88
contagem de calorias, 153, 259-60
controle da dor, 138
controle de porções, 152-53, 259-60
córtex cerebral, 182-83

cortisol
    açúcar e, 118
    efeitos protetores e adversos do, 39, 40,
        82
    exame de, 233, 257
    função tireoidiana e, 110, 111
    sono e, 194, 195
cosméticos, 216, 217
Costeletas de Cordeiro com Mostarda e Alecrim, 265 , 297
cozinha, 216, 258-59
CRH (hormônio liberador de corticotropina),
    40
crianças e antidepressivos,  12
Critical Psychiatry Network, 51
cúrcuma, 174
curcumina,  83, 138 ,245-46
Cymbalta, 22-23

Davis, Clara M., 266
DC (propaganda direta ao consumidor), 49,
    52-5, 60-63, 69
DDT, 146, 166, 206-07, 209
décimo par de nervos cranianos (nervo vago),
    88-89
Demartinis, Nicholas, 194
depressão clínica, sintomas de,  9
depressão pós-parto, 48-49, 69
depressão, teoria do desequilíbrio químico da,
    48, 52, 53-60
depressão
    benefícios da, 38, 40, 41
    clínica, 9
    como epigenética, 45-47
    como uma doença, 20
    desequilíbrios glicêmicos e, 106, 116-19
    disfunção intestinal e, 30-31
        frutose e,  96
        glicose no sangue alta, 32, 117
        inflamação crônica e, 15-16, 151, 153
        inflamação e, 31, 32, 77-79, 83-86
        medicamentos não psiquiátricos e, 123-
            38, 143-47
        modelo inflamatório de, 81-83
        teoria do desequilíbrio químico, 48, 52,
            53-60
        vias imunoinflamatórias e, 30-31, 32-33
desejo intenso de comer, 255, 270
desencadeantes, identificação de, 21-22
desipramina, 80-81
desreguladores endócrinos
    disfunção tireoidiana e, 112-13
    exposição a, 140-42, 206, 208
    produtos com, 206

DHA (ácido docosahexaenoico), 240, 241, 271
diabetes, 117
DDT e, - 207
depressão e 32, 117
    estatinas e, 131
    genética e, 119
Diamond, David M., 127
dieta com baixo teor de carboidratos, 156-57
dieta paleolítica, 36, 156-57
dioxinas, 209
disbiose intestinal, 83
disfunção intestinal, 30-31, 115
disfunção tireoidiana
    colesterol e, 122
    depressão e, 108-16, 122
    glicose no sangue e, 122
    principais ingredientes que devem ser eliminados da alimentação para curar, 112-13, 114-19
    tireoide hiperativa (hipertireoidismo), 108
    tireoide hipoativa (hipotireoidismo), 106, 107-08, 119, 139, 229
    tireoidite de Hashimoto, 104-05, 107, 108, 112, 229
"distúrbio de déficit paleolítico", 94
distúrbios metabólicos, 117
docosahexaenoic acid (DHA), 240-41, 241, 271
doença celíaca, 112
doença de Keshan, 145-46
doença mental
    antidepressivos e aumento dos índices de, 11, 42-43, 44, 49-50, 73
    causas de, 11
disfunção tireoidiana e sintomas de, 108-13
doenças autoimunes, 26, 104-05, 106-8, 126, 229
Dominguez-Bello, Maria Gloria, 225
DSM (*Manual Diagnóstico e Estatístico de Transtornos Mentais*), 50
Dubos, René, 79, 95

ecologia intestinal, 86-90, 102
efeito
    coquetel, 212
    nocebo, 66
    placebo, 63-67
El-Mallakh, Rif, 72
*Emperor's New Drugs, The* (Kirsch), 65
emWave, 187
endotoxinas, 85
enemas de café, 268-69
envelhecimento e exercícios, 203-05
Environmental Working Group (EWG), 213, 215, 221
enzima PGC-1alfa1, 202
enzimas digestivas, 242-43, 271
EPA (Agência de Proteção Ambiental), 210, 214
epigenética, 46-47, 207
epinefrina, 39, 40
equipes de apoio, 250
ervas, 259
*Escherichia coli*, 93
Eskenazi, Brenda, 212
espiroquetas, 93-94
estatinas, 121-22, 127-31
estimulador elétrico craniano, 248-49
estresse oxidativo, 125
estresse, 38-42, 82-83, 125, 183, 185, 202
estudo 329, 51
estudo de 2006 da Universidade do Texas, 62-63
estudos psiquiátricos, financiamento de, 62
*European Archives of Psychiatry and Clinical Neuroscience*, 108-09
EWG (Environmental Working Group), 213, 215, 221-22
exame de cortisol salivar, 233, 257
exame de fezes por PCR, 234
exame de glicose/insulina/HgA1C em jejum, 232, 235
exame de hemoglobina A1C, 232, 235, 257
exame de HgA1C, 232, 235, 257
exame de proteína C reativa ultrassensível, 232, 235, 257
exame para mutação do gene MTHFR, 230, 235, 257
exames laboratoriais, 228-35, 257
    análise de ácidos orgânicos urinários, 234-35
    de cortisol salivar, 233
    de fezes por PCR, 234
    de função tireoidiana, 228-30
    glicose/insulina/HgA1C de jejum, 232, 235
    para detectar deficiência de vitamina $B_{12}$, 231
    para medir os níveis de vitamina D, 232-33
    para mutação do gene MTHFR, 230, 235
    proteína C reativa ultrassensível, 232, 235
exames. *Veja* exames laboratoriais
exercício, 76, 180, 199-205, 252-53, 273-75

exossomos, 152, 169
experimento de Rosenhan, 28
*Expert Review of Clinical Pharmacology*, 127
exposição química
    através da placenta, 213
    biomonitoramento de, 210-11
exames para, 210-13
    fatores de risco, 206-07, 323n5
extrato de cúrcuma, 138

Faculdade de Medicina da Universidade da Virginia, 34
farinha de trigo, 159
FDA. *Veja* Food and Drug Administration (FDA)
feijão, 156, 158, 260, 275, 277
fermentação do ácido láctico, 176
fermentação, alimentos, 175
fígado em pó, 172
filtros de ar HEPA, 219
filtros solares, 217
filtros
    HEPA, 219
    água, 221-22
Fitzgerald, Randall, 212
flora intestinal, 87-88, 90-91, 134
flúor, 112, 138-40
fluoxetina. *Veja* Prozac
folato ($B_9$), 236, 271
fome, 259-60
Food and Drug Administration (FDA)
    eficácia do, 214
    regulamentação de propaganda direta ao consumidor, 60-61
    regulamentação de substâncias tóxicas, 210
    requisitos para aprovação de medicamentos, 60, 62, 65
    requisitos para bula de antidepressivos, 70
Forest Pharmaceuticals, 63
Frances, Allen, 50
Frango
    Caldo de, 302
    *com Curry*, 264, 292
"Frito da Vovó 265, 298
frutas, 164, 277
frutose, 96, 162, 163, 164

GALT (tecido linfático associado ao intestino), 87, 114
Garay, Paula, 80
gargarejo, 250

garrafa de água, 216
garrafas de água, 216
gel antisséptico para as mãos, 218-19
General Electric, 142
genética, 36, 45, 55, 119, 126
*ghee*, 173
glândulas suprarrenais, 111
    exames, 233
    suplementos, 242, 271
GlaxoSmithKlein, 51
glicose no sangue alta, 32, 46-47, 117
glicose no sangue
    alta, 32, 46-47, 117
    controle de, 115-16, 182, 200
    desequilíbrios da, 106, 116-19, 159
    disfunção tireoidiana e, 122
    exames de, 232
glicose, 116-17
glifosato, 96, 99-100, 165-66, 319n9
glutationa, 135, 245
glúten, 97-98, 112, 152-53, 159-62, 258
Gold, Mark S., 108
Gonzalez, Nicholas, 89, 145-46, 156, 243, 268, 287
gorduras
    naturais, 171-74, 240-42, 258-59
    poli-insaturadas, 171, 173, 240
    saturadas, 173
Graham, David Y., 137
gravidez
    aumento da medicação psiquiátrica tomada durante a, 49
    BPA durante, 142
    cesarianas e, 92-93, 225
    exercício durante a, 203
    ingestão de água contaminada e, 221-22
    paracetamol durante, 135
    retirada gradual dos antidepressivos quando se planeja engravidar, 23, 279-81
*Green Babies, Sage Moms*, 214
grelina, 193
Gyan Mudra, 252

Hadjivassiliou, Marios, 97
hadza da Tanzânia, 93
Hancock, Graham, 287
Hardy, Karen, 157
Healthy Home Economist, 215
Healy, David, 67, 69
hepatite C, 31, 82
herbicida Roundup, 96, 99-100, 165-66, 211, 319n9

HHA (hipotalâmico-hipofisário-adrenocortical), eixo, 40, 195
hierarquia de Maslow, 288
"hiperpermeabilidade intestinal", 84, 85, 137
hipertireoidismo, 108,
hipocampo, 118, 139
Hipócrates, 30-31
Hipoglicemia, 116, 117-18
reativa, 116, 117-18
hipotálamo, 40, 228, 242
hipótese catecolaminérgica, 52
hipótese monoaminérgica, 52
hipotireoidismo, 106, 107-08, 119, 139, 229
homocisteína, 133, 231
hormônio(s)
   bioidênticos, 247-48
   digestivos, 193
   hipotalâmico liberador da tireotropina (TRH), 228
   liberador de corticotropina (CRH), 40
Horton, Richard, 25
Howell, Edward, 243
*Hundred Year Lie, The* (Fitzgerald), 212

I Read Labels For You (*website*), 215
ianomâmis da Venezuela, 93
ibuprofeno, 136-38
imunoglobulinas, 84
incapacidade e antidepressivos, 11, 42-43, 44, 49-50, 73
indústria farmacêutica
   financiamento de estudos psiquiátricos, 62
interesse no lucro acima da responsabilidade profissional, 13, 22-23, 60
   manipulação de dados pela, 51, 63
   multas por fraude paga pela, 146
   propaganda direta ao consumidor e, 60, 61-64, 69
   requisitos para aprovação do FDA, 60
   testes de antidepressivos para vários transtornos, 49
infertilidade, 142, 247
inflamação crônica e depressão, 16, 151, 153
inflamação
   depressão e, 31, 32, 77-79
   depressão crônica e, 15-16, 151, 153
   distúrbios metabólicos e, 117
   papel na doença mental, 12
   hiperpermeabilidade intestinal" e, 83-84
   LPS e, 84-86
   principais bombas intestinais na, 95-102
   adoçantes artificiais, 100

AINEs e inibidores da bomba de prótons, 101-02
antibióticos, 100-01
glúten, 97-98
laticínios, 98-99
OGMs, 99-100
inibidores da bomba de prótons, 101-02, 131-34
inibidores seletivos da receptação da serotonina (ISRSs), 52
   crítica da ciência que está por trás dos, 54-60, 56-59
   propaganda de, 60-61
   retirada gradual, 74, 246-47, 279
   *Veja também* antidepressivos
inositol, 248
Insel, Thomas, 55-56
insônia, 194-99, 249
Instituto Karolinska, 201
Instituto Max Planck, 71
Instituto Nacional de Saúde Mental (NIMH), 49-50, 62-63, 138
insulina, 116, 118, 232
interconsulta psiquiátrica, 29
intolerância ao glúten, 98
iodo, 239, 271
iproniazida, 52
irregularidades menstruais, 247-48
isotretinoína, 35
ISRSs. *Veja* inibidores seletivos da receptação da serotonina (ISRSs)

*JAMA Pediatrics*, 135
*Journal of Affective Disorders*, 41-42
*Journal of Clinical Psychiatry*, 65-66, 72
*Journal of Hazardous Materials*, 140, 215
*Journal of the American Medical Association*, 24, 55, 91, 133

Kelley, William Donald, 89
Keys, Ancel, 128-29
Khalsa, Swaranpal Kaur, 285
Kharrazian, Datis, 229, 250
Kirsch, Irving, 63-64, 65
Knight, Rob, 92
kriya, 252
Kundalini Yoga, 188-92, 270, 289

Lacasse, Jeffrey R., 56, 58, 60, 61
lanches, 262-63
Lasanha de Abóbora, 265, 299-300

laticínios crus, 168-70
laticínios
 como inflamatório, 98-99, 152-53, 260
 cru, 168-70
 reintrodução dos, 275-76
 leguminosas, 170
Lei de Segurança e Saúde Ocupacional de 1970, 214
Lei de Controle de Substâncias Tóxicas (TSCA), 210
Leite de Coco com Especiarias, 265, 297-98
leite materno, 213
Leo, Jonathan, 58, 60, 61
leptina, 193
Lesser, Elizabeth, 286
Lieberman, Daniel E., 201
limpeza, 219-21, 267
linhaça, 170
lipopolissacarídeos (LPS), 84-86, 96
lobotomia, 28
Logan, Alan C., 94-95
LPS (lipopolissacarídeos), 84-86, 96
L-teanina, 244, 281

maca, 247
macrófagos, 82
magnésio, 238, 271
manipulação de dados, 51, 63
*Manual Diagnóstico e Estatístico de Transtornos Mentais* (DSM), 50
Matsés do Peru, 93-94
Mayer, Emeran, 91
*Mayo Clinic Proceedings*, 25
McAllister, A. Kimberly, 80
McEwen, Bruce, 39
Mechnikov, Élie, 175-76
medicalização do sofrimento, 19
medicamentos
 antidepressivos (*Veja* antidepressivos)
 eficácia dos, 24-26
 mortes por, 146-47
 não é possível ter ótima saúde por meio de, 21-22
 retirada gradual, 11, 23, 279-84
 *Veja também medicamentos específicos*
medicamentos para refluxo ácido (inibidores da bomba de prótons), 101-02, 131-34
 Advil e outros AINEs, 101-02, 136-38
 controle de natalidade, 23, 111, 123-26
 estatinas, 121-22, 127-31
 Tylenol (paracetamol), 134-36
 vacinas, 143-47

medicamentos para refluxo ácido, 101-02, 131-34
medicina
 integrativa, 20
 psicossomática, 28-29
meditação de respiração profunda, 183, 185-86, 270
meditação, 180-81
 aparelhos de *biofeedback* na, 187
 benefícios da, 180-85, 190, 191
 como desenvolver uma "consciência testemunha" na, 187-88
 durante o programa de 30 dias, 256, 270
 evocando sentimentos de gratidão na, 186, 270
 Kundalini Yoga e, 188-91, 270
 pesquisas sobre os efeitos da, 182-84, 190-91
 respiração profunda na, 183, 185-86, 270
melatonina, 194, 195
Melbourne Women's Midlife Health Project, 130
Merck, 147
metilação, 133
metilcobalamina, 237, 271
metilenotetrahidrofolato redutase, 230
microbioma, 36-37, 86-87, 91-95, 153
micrógliócitos, 83
microrganismos
 alterações dos antipsicóticos, 80-81
 como fundamentais para a saúde humana, 36-37
 intestinais, 86-88, 90-91, 93-94
 no microbioma humano, 86-87, 91-92
 probióticos e, 174-78
MicroRNAs, 169
milho, 159, 260
minerais, 238-40
Ministério do Trabalho, 214
mitocôndria, 86, 203-05
modelo
 de Ilusão Médica Ocidental para tratamento de doenças, 20-21, 30
 inflamatório de depressão, 81-83
 serotoninérgico de depressão, 52, 53-60, 56-59, 78
Molho de Carne Moída, 264, 290-91
Moncrieff, Joanna, 51-52, 53, 282
Moniz, Egas, 28
monócitos, 82
Monsanto, 99, 166, 211, 319n9
montmorilonita, 267-68
Morgan, Marlo, 285

móveis, 219-20
movimento não rápido dos olhos (NREM), 195
mudança climática, 210
Müller, Paul, 206-07
Muse, 187
*Musli* de Sementes, 264, 292-93
Musse de Abacate com Chocolate, 264, 294

N-acetilcisteína (NAC), 135, 245
naproxeno, 136-38
*Nation, The*, 212
*Nature*, 93, 212
nervo vago (décimo par de nervos cranianos), 88-89
*New England Journal of Medicine*, 54, 62, 268
niacina (B3), 236, 281-82
NICE (neuro-imuno-cutâneo-endócrina), 41
NIMH (Instituto Nacional de Saúde Mental), 49-50, 62-63, 138
norepinefrina, 52-53, 54
NREM (movimento não rápido dos olhos), 195
nutrição. *Veja* alimentação

obesidade, 32, 96, 208-09, 323n5
obesogênicos, 209, 323n5
OGMs, 99-100, 152-53
olanzapina, 80
óleo
    de coco, 173-174, 263
    de fígado de bacalhau, 240, 241-42
    de peixe, 240-41
    de prímula, 241, 271
Organização Mundial da Saúde (OMS), 68
Osler, William, 9
ovos
    caipira, 167-68
    orgânicos, 167-68

panelas, 216
    antiaderentes, 216
Panquecas Paleolíticas, 265, 295
paracetamol, 134-36
Parker, William, 94
paroxetina. *Veja* Paxil
pastas de castanhas, 170
pasteurização, 169
Paxil, 51, 69, 74
PBB, 206
peixes selvagens, 167
pesticidas, 96, 99-100, 166, 212, 319n9
pílulas anticoncepcionais, 23, 111, 123-26

piridoxina ($B_6$), 236
pisos, 220
plantas, 219
plásticos, 142, 208, 216, 220
*PLOS Medicine*, 60
Poland, Gregory, 143-44
poluentes
    atravessam a placenta, 213
    na água da rede pública, 221
    *Veja também* exposição a substâncias químicas
Pottenger, Francis, 89
prebióticos, 158, 164
pregnenolona, 130
Price, Weston A., 89, 155-56, 241
probióticos, 174-78, 246
produtor
    de beleza, 216-19
    de higiene pessoal, 216-19
    de origem animal orgânicos, 167
    femininos, 218
Projeto Genoma Humano, 86
Projeto Microbioma Humano, 86, 225
prolaminas, 97, 112
propaganda direta ao consumidor (DC), 60-63, 69
prostaglandinas, 136
proteína C reativa ultrassensível, exame de, 232, 235, 257
Prousky, Jonathan, 281
Prozac, 55, 61, 65-66, 68-69
psicobióticos, 177
psiconeuroimunologia, 32-33, 79, 81, 102
psiquiatria
    como altamente subjetiva, 28
    interconsulta psiquiátrica, 29
perinatal, 13-14
    reprodutiva, 13-14
*Psychiatric Times*, 194
*Public Library of Science*, 218-19

*Quarterly Review of Biology, The*, 157
quinurenina, 202

radiação de telefones celulares, 222-25
Ravnskov, Uffe, 127
receitas, 290-302
refeições para um programa de 30 dias, sugestão de, 263-66
regulação negativa, 55
Repolho Roxo Refogado com Alcaparras, 265, 301-02
reserpina, 52

respiração na meditação, 183, 185-86, 270
resposta de relaxamento, 180, 183-84
retardadores de chamas, 206, 208-09
retirada de antidepressivos, 70-75, 281-83
retirada gradual de medicamentos, 11, 23, 279-284
*rhodiola rosea*, 245, 281
ritmos circadianos, 193
roupas, 220

sabonetes, 216, 218
sal, 174, 263, 290
    do Himalaia, 174, 263, 290
Salada do chef à Moda da Kelly, 265, 296-97
Salmão Cozido, 264, 293
salmoura do Himalaia, 263, 290
SAMe, 244
saúde dentária, 155
Schildkraut, Joseph, 52
*Science*, 55
Selye, Hans, 158
sementes, 170, 277
Seneff, Stephanie, 319n9
sensibilidade ao glúten, 97
Sephora, 217
Shirota, Minoru, 175-76
*Silent Spring* (Carson), 207
síndrome de descontinuação, 11-12, 281
sinergia, 212
Singer, Michael, 187, 271
sistema gastrintestinal, ecologia do, 86-90, 102
    exame de fezes por PCR, 234
    flora, 87-88, 91, 134
    funções do, 83-84
    saúde mental e, 30-31
    toxicidade dos AINEs para, 137
sistema imunológico
    alterações pós-parto no, 105
    inflamação e, 81
    papel do intestino no, 87-88, 91, 102, 114
    saúde mental e, 15
    vasos linfáticos que conectam o cérebro ao, 34, 81
sistema nervoso, 89-90
    autônomo (involuntário), 89
    central, 89
    entérico, 88
    intestinal, 88
    involuntário (autônomo), 89
    parassimpático, 89, 183, 187, 189
    simpático, 89, 183, 189
Smoothie KB, 264, 265, 291-92
sofás, 220

soja, 159
somatização, 33
sono, 191-99
    caixa de luz para, 249
    dicas para melhorar, 196-98, 249
    durante o programa de 30 dias, 256-57, 274-75
    fases, 195
    REM, 195
Stellar, Eliot, 39
substâncias tóxicas ambientais, 206-10, 213-14
    através da placenta, 213
    biomonitoramento de, 210-12
sucralose, 209
suicídio, 43, 48-49, 68-69
suplemento(s), 235-49,
    adicionais, 244-46
    básicos, 235-44, 270, 271
    de selênio, 145-46, 239-40, 271
    em caso de retirada de ISRSs, 246-47, 281
    glandulares, 242, 271
    hormônios bioidênticos, 247-48
    para lactação, 247
*Surrender Experiment, The* (Singer), 271
Synthroid, 107, 110, 229, 230

tecido linfático associado ao intestino (GALT), 87, 114
telefones celulares, 222-25
tensão pré-menstrual (TPM), 23, 124, 247
terapia com interferon, 31, 82
testes de função tireoidiana, 228-30, 257
TgAb (anticorpos antitireoglobulina), 229
Thompson, William, 146
tiamina ($B_1$), 236
tireoidite de Hashimoto, 104-05, 107, 108, 112, 229
tireotropina (TSH), 106, 109, 228-29
TPM (tensão pré-menstrual), 23, 124, 247
TPOAb (anticorpos antitireoperoxidase), 229
tratamento hospitalar, mortes relacionadas a, 24
travesseiros, 220
TRH (hormônio hipotalâmico liberador da tireotropina), 228
TSCA (Lei de Controle de Substâncias Tóxicas), 210
TSH (hormônio tireoestimulante), 106, 109, 228-29
tuberculose, 52
Twain, Mark, 147
Tylenol, 134-36

*Untethered Soul, The* (Singer), 187, 271
USDA, 214
utensílios de cozinha, 216

vacina tríplice viral, 146-47
vacinas, 143-47
Valenstein, Elliot, 61
Valium, 61
vegetarianismo, 154-56
vias imunoinflamatórias, 30-31, 32-33
violência, 43, 68-69
Vioxx, 146
vitamina A, 241-42
vitamina $B_1$ (tiamina), 236-37
vitamina $B_3$ (niacina), 236-37, 281
vitamina $B_5$ (ácido pantotênico), 236
vitamina $B_6$ (piridoxina), 236
vitamina $B_9$ (folato), 236-37, 271
vitamina $B_{12}$, 236-37
    deficiência de, 45, 132-33, 226-27, 231, 257
vitamina D, 130, 232-33, 241-42, 257
    deficiência de, 32, 99, 232-33, 241-42
    exame de, 232-33, 257
*vitex agnus castus*, 247

Women's Voices for the Earth (Vozes das Mulheres para a Terra), 218
Watts, Alan, 250
Wellbutrin, 23
Whitaker, Robert, 50, 68, 73
*Why Do I Still Have Thyroid Symptoms When My Lab Tests Are Normal?* (Kharrazian), 229-30
*Why Isn't My Brain Working?* (Kharrazian), 250
Wi-Fi, 224
Winokur, Andrew, 194

xarope de milho, 96, 162
xenoestrogênios, 140-42

yoga, 188-92, 252-53, 270, 289

zinco, 238-39, 271
Zoloft, 48-49, 69, 70-71, 76